신제품 개발 프로세스

개정판

이 건 범, 이민 지음

머리말

창의성이란 '새로운 것을 생각해 내는 특성'이라고 국어사전에 매우 단순하게 정의하고 있지만, Wikipedia에서는 창의성은 사람이 일종의 가치를 지닌 새로운 것(제품, 솔루션, 예술작품, 소설, 농담 등)을 창조하는 현상이라고 정의되어 있다. 즉, 창의성이란 어떤 새로운 것(반드시 공학적 산물만이 아니라 해결 방안, 예술작품, 문학작품, 대화 내용 등 거의 모든 인간 생활에 관련된 것을 의미함)을 만들어 낼 수 있는 능력으로, 이것은 어느 특정한 가치를 지녀야 한다고 정의하고 있다. 따라서 새로우면서도 어느 특정한 가치를 지니는 것을 만들어 낼 때, '창의성이 있다.' 또는 '창의적이다'라고 말할 수 있다.

창의성은 개인의 능력에서 시작하여 특정 영역에서의 업적을 관련 현장에서 인정할 때 진정한 의미를 갖게 되는데, 어떤 개인의 창의성이 증진되어 적절히 발휘되기까지는 상당한 시간이 필요한 것이므로, 어느 개인의 창의성이 교육을 통해 향상되어 발휘되고 있다는 것을 증명하기란 대단히 어려운 일이다. 그러나 창의성은 개인으로부터 시작한다는 것만은 틀림없는 일이므로, 창의성에 대한 교육도 개인을 근본적으로 변화시키는 데에 초점을 맞추어야 한다.

공학 분야에서 창의성을 발휘한다는 것은 현재 직면하고 있거나 미래에 적용해야 할 공학적 문제를 해결하기 위한 것이며, 문제 해결이란 궁극적으로 공학적 시스템의 개발, 설계, 제작 및 사용을 의미한다. 앞에서 언급한 창의성의 정의를 창의적 공학 설계에 확대해 보면 요구하는 분야에서 의미 있는 새로운 공학적 시스템을 만들어 내는 것이라고 할 수 있다.

이 책은 신제품 개발을 위한 공학 설계 프로세스를 체계적으로 이해할 수 있도록 시장 분석을 통한 고객의 요구 사항 분석으로부터 기능 구조 설정, 사양 결정, 개념 개발 및 개념 평가, 구현 설계, 상세 설계까지의 전 과정을 다루고 있으며, 공학 설계 프로세스의 각 단계에서 적용할 수 있는 창의성 향상을 위해 브레인스토밍과 TRIZ의 원리를 정확하게 이해할 수 있도록 적절한 예제를 소개하였다.

끝으로 이 책이 설계를 공부하는 학생으로부터 산업현장에서 설계 실무를 담당하는 모든 사람에게 실질적인 도움이 되기를 기대해 본다.

2024년 2월 저자 이 건 범, 이민

목차

제1부 창의적 발상법

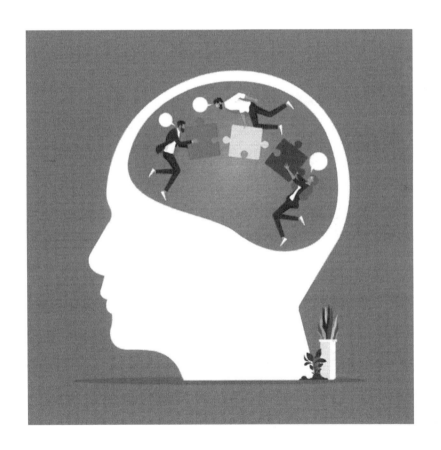

창의적 발상법 트리즈 (TRIZ/TIPS)

1 트리즈의 개요

TRIZ(트리즈)란 창조적 문제 해결 이론(Theory of Inventive Problem Solving)이란 러시아어(Теория решения изобретательских задач)의 약어로 창의적으로 문제의 이상적인 해결책을 찾기 위한 이론이다. 트리즈의 창시자인 겐리히 알츠슐러(Ге́нрих Сау́лович Альтшу́ллер)가 구소련의 특허국에서 근무하는 동안 방대한 양의 특허를 조사하게 되었으며, 특허를 조사하면서 에디슨과 같은 천재 외에는 뛰어난 발명가가 될 수 없는 것일까? 라는 의문을 품게 되었다. 그는 평범한 기술자가 뛰어난 발명을 할 수 있는 방법을 찾기 위한 고민에 빠져 있던 중, 특허에는 일정한 법칙성이 존재한다는 것을 발견하고 특허에서 표현되는 문제 해결 프로세스를 분석 정리하여 이론을 체계화한 것이 TRIZ이다.

TRIZ는 주어진 문제에 대하여 가장 이상적인 결과를 정의하고, 그 결과를 얻는 데 관건이 되는 모순을 찾아내어 그 모순을 극복할 수 있는 해결안을 얻을 수 있도록 생각하는 방법에 대한 이론으로 정의할 수 있다.

겐리히 알츠슐러는 전 세계 특허 150만 건 중 창의적인 특허 4만 건을 추출 분석한 결과 발명 문제의 정의, 발명의 수준, 발명의 유형, 기술 시스템의 진화유형이라는 4가지 중요한 사실을 발견했다.

1.1. 발명 문제의 정의

트리즈에서 발명 문제란 적어도 한 개 이상의 모순을 포함하고 있는 것을 말한다.

특허법 제2조에 의하면 발명이란 "자연법칙을 이용한 기술적 사상의 창작으로서 고도한 것"을 말한다고 정의 되어 있으며, 발명의 요건을 갖추려면 다음의 네 가지를 충족해야 한다.

(1) 자연법칙의 이용

자연법칙이란 자연에 존재하는 원리 원칙을 의미하며, 자연계에 존재하는 물리적, 화학적, 생물학적 원칙으로서 뉴턴의 운동법칙(에너지 보존의 법칙), 경험칙, 생리학상의 법칙만을 의미하는 것뿐만 아니라 자연계에서 일정한 원인에 의해 일정한 결과가 생긴다는 경험 법칙(물은 위에서 아래로 흐른다)도 포함된다.

발명은 자연 속에서 내재하는 자연물이거나 자연 현상을 이용해야 한다. 특허법상 발명이란 자연법칙을 이용해야 하므로 자연법칙에 위배되는 기술은 발명에 해당하지 않으며, 자연법칙 자체는 발명이 아니다.

(2) 기술적 사상

기술적 사상이란 어떠한 목적을 달성을 위해 합리적으로 이루어진 생각(idea, concept 등)이다. 다시 말해, 기술적 사상은 일정한 목적을 달성하기 위해 구체적인 수단으로 이용할 수 있는 것으로, 특허법상 발명은 기술적 사상이면 족하고 반드시 기술일 필요는 없다. 더 나아가, 실현 가능성이 있으면 반드시 현실로서 구현되어야 하는 것은 아니다.

(3) 창작성

발명은 자연법칙을 이용한 기술적 사상의 창작물이어야 한다. 창작이 되기 위해서는 종래에 알려지지 않은 것으로 새롭게 만들어진 것이어야 한다. 이전부터 존재하던 것을 단순히 찾아내는 발견과는 구별되어야 하며, 발견은 특허의 대상이 아니다.

(4) 고도성

발명은 기존의 기술 분야에서 통상의 지식보다는 창작의 수준이 높아야 한다는 것을 의미한다. 발명은 통상의 전문가가 예측할 수 없어야 한다. 고도한 것인지 아닌지는 주관적, 객관적, 지역적 및 시간상으로 일정한 기준을 가지고 판단해야 한다.

고도성의 주관적 판단은 출원할 때 발명이 속하는 기술 분야에서 통상의 지식을 가진 자를 기준으로 판단해야 한다. 고도성의 객관적 판단은 이미 국내외에 알려져 있거나 공공연히 실시되거나 국내에서 반포된 간행물에 게재되어 용이하게 창작할 수 있는 발명은 창작성이 있다고 할 수 없다.

고도성의 지역적 판단은 국내외 기술 수준을 기준으로 판단해야 하며, 고도성의 시간적 판단은 특허 출원 당시의 기술 수준을 기준으로 한다.

1.2. 발명의 수준

겐리히 알츠슐러가 창의적인 특허 4만 건을 추출 분석한 결과 특허의 수준별 비율과 내용을 분류하면 아래 그림과 표와 같다.

수준 1과 수준 2는 특별히 우수하지 않은 아이디어가 특허로 등록된 것으로 약간의 개선을 통해 결과를 도출한 것이다. 수준 5는 발명이 아닌 발견의 개념으로 퀴리 부인이 발견한 라듐이라든가 페니실린의 발견 등이 이에 해당한다.

누가 보아도 창의적이라고 평가할 만한 아이디어는 수준 3과 수준 4라고 할 수 있다. 수준 3과 수준 4는 대략 전체의 20% 정도였다.

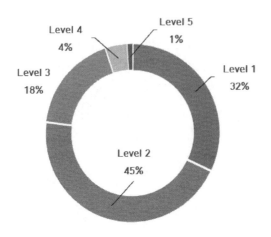

발명의 창조성 수준

발명 수준	발명 정도	발명 비율(%)	지식 원천	해결을 위한 노력(횟수)
Level 1	명백	32	개인 지식	10
Level 2	개선	45	기업 내 지식	100
Level 3	혁신	18	산업 내 지식	1,000
Level 4	발명	4	산업 외 지식	100,000
Level 5	발견	1	모든 지식	1,000,000

2 발명의 40가지 원리[1]

발명의 원리(Inventive Principle)는 다음과 같은 40가지가 있다.

1) *분할 (Segmentation): 쪼개어 사용한다.*

시스템이나 대상물을 독립적인 부분으로 나누고, 대상물을 분해하기 쉽게 만들며, 분할이나 분열의 정도를 높인다. 예) - 하나의 커다란 케이크를 만드는 대신 다양한 맛과 형상의 여러 개의 컵케이크를 만들면 사람들은 자기 취향에 따라 꾸밀 수 있고 다양한 입맛을 제공할 수 있다.

---

1) Theory of Inventive Problem Solving TRIZ 생각의 창의성, 발명의 40가지 원리, pp. 90~223, 김효준, 도서출판 지혜

약을 잘게 빻아 가루 형태로 주입하는 것도 분할의 한 예이다.

아래 그림은 제철 공정이나 화학 공정에서 액체나 연료를 운반하는 커다란 파이프이다. 파이프가 90도로 구부러지는 경우 와류(turbulence)가 발생하여 유량의 전달 효율이 급격히 저하될 수 있다. 이때 커다란 파이프의 구부러진 부분을 그림과 같이 여러 부분으로 나누면 와류가 발생하지 않고 유량의 운송 효율이 향상될 수 있다.

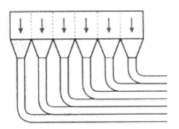

아래 그림은 굴착기의 손에 해당한다. 손의 끝부분은 땅을 파내기 위해 아주 단단한 금속으로 만들어져야 한다. 면도날이나 칼날처럼 연속적인 하나의 단단한 칼날을 가지지 않고 그림과 같이 여러 부분으로 나누었다. 사용 중 날이 파손되어도 전체를 교체할 필요 없이 손상된 부분만 교체할 수 있고 땅을 파내야 하는 굴삭 작업의 효율도 높아진다.

교체 가능 부분

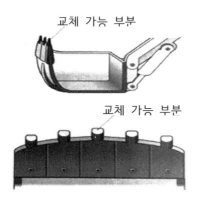

교체 가능 부분

2) 추출 (Extraction): 필요한 것만 뽑아낸다.

대상물 또는 시스템에서 필요한 부분(또는 성질)만 분리하거나 방해되는 부분이나 성질을 제거한다. 예) - 정비와 운영 업무를 외주한다.

일반적으로 병원에서는 X-레이 방사선 사진을 찍는다. 하지만 임산부는 X-레이 광선에 노출되면 인체에 유해할 수 있다. 가슴 부분(폐)을 찍기 위한 X-레이는 환자의 모든 부분에 불필요하게 노출된다. 아래 그림은 필요한 부분인 가슴 부분만 촬영하는 X-레이 장치이다.

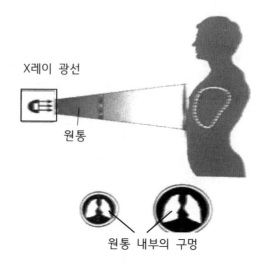

X레이 광선

원통

원통 내부의 구멍

3) 국부적 성질 (Local Quality): 전체를 똑같이 할 필요 없다.

대상물의 각 부분 또는 사용하는 시스템의 기능을 그 작동에 가장 적합한 조건으로 만든다. 대상물의 각 부분을 차별적이고 유용한 기능을 수행하게 한다. 예) 지우개가 달린 연필, 못 뽑기가 있는 망치 (장도리), 식당 내의 아이들 구역.

아래 그림과 같은 실리콘 웨이퍼에 흠을 생성하기 위해서는 먼저 마스크(mask)를 만들고 홈이 될 부분만 마스크를 제거한 패턴(pattern)을 형성한 후 에칭 용액에 담근다. 이러한 공정은 웨이퍼 전체를 에칭 용액에 담가야 하므로 공정 전체가 복잡해진다.

새로운 공정은 아래 그림과 같이 먼저 실리콘 웨이퍼를 특정 가스에 노출시킨 후, 홈이 만들어질 부분에 레이저를 조사하면 웨이퍼에 흡수된 가스 성분이 분해되면서 에칭이 일어난다.

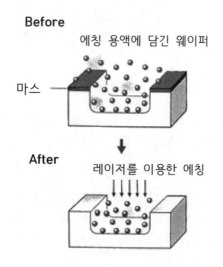

Before
에칭 용액에 담긴 웨이퍼

마스

After
레이저를 이용한 에칭

4) 비대칭 (asymmetry)]: 대칭이라면 비대칭으로 해본다.

대상물 또는 시스템의 모양을 대칭에서 비대칭으로 바꾼다. 만약 대상물이 비대칭이면 비대칭 정도를 증가시킨다.

일반적인 깔때기는 지구 자전의 영향으로 액체가 입구를 통과할 때 시계방향으로 회전하므로 액체가 통과하는 속도가 느려진다. 새로운 발명을 적용한 깔때기는 아래 그림과 같이 입구를 중심에 놓지 않고 한쪽으로 치우치게 하여 액체가 소용돌이치며 빠져나갈 때 소용돌이의 반경이 작아져서 액체가 통과하는 속도가 빨라진다.

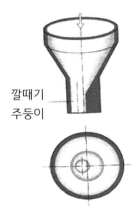

깔때기
주둥이

5) 통합 (Merging) [합병 (consolidation)]: 한 번에 여러 작업을 동시에 한다.

같거나 비슷한 대상물을 모아서 가까이(또는 통합하여) 놓는다.

양계장에서 달걀에 유통기한을 표시하려면 대개는 달걀을 수집하고 나서 달걀 표면에 도장을 찍는 작업을 또 해야 한다. 아래 그림은 양계장에서 달걀을 손으로 끄집어냄과 동시에 유통기한을 표시하는 방법을 나타낸 것이다. 이 방법은 통합의 원리를 사용한 것이다.

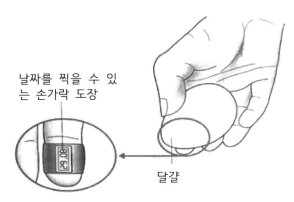

날짜를 찍을 수 있는 손가락 도장

달걀

6) 다기능성 (Multifunctionality): 하나의 부품을 여러 용도로 사용한다.

대상물 또는 시스템의 특정 부분이 여러 기능을 할 수 있도록 만든다. 다른 부분의 필요성을 제거한다. 부품과 작업 횟수가 줄고 유용한 특성과 기능은 유지된다.

아래 그림은 오토바이의 프레임을 이용하여 연료를 저장한 것이다. 프레임은 오토바이의 골격을 이루는 중요한 부품인데, 이러한 기능에다 연료를 저장하는 기능까지 추가하고 있다.

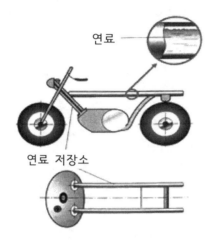

대장간에서 달구고 두들기는 작업을 하는 동안 아래 그림과 같이 마찰 벨트를 통하여 날을 갈아내기도 한다. 쇠를 갈아 날을 만드는 작업이므로 마찰 벨트는 상당한 열이 발생하므로 벨트에 물을 뿌려 냉각시킨다. 벨트를 단단히 조여야 날을 잘 갈 수 있다.

아래 그림과 같이 벨트에 물을 뿌리는 위치를 설정하면 벨트의 열을 식히는 기능을 수행함과 동시에 물의 압력으로 벨트를 단단히 조일 수 있다. 또한 차가운 물이 벨트에 가해져 벨트가 수축하므로 벨트는 더욱 팽팽한 상태가 된다.

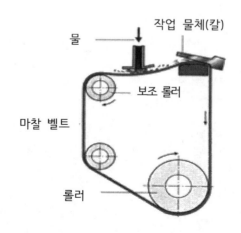

7) 포개기(Nesting): 안에 집어넣기.

한 개의 대상물을 다른 것 안에 넣는다. 각 대상물을 차례로 다른 것 안에 넣는다. 한 부품이 다른 부품 안에 있는 비어 있는 공간을 통과하게 만든다. 이 원리는 러시아의 나무로 된 인형들이 다른 인형 안에 각각 포개어지는 것을 보고 만들어졌다.

배의 스크류는 물속에서 회전하여 선체에 추진력을 제공하는 장비이다. 스크류가 많으면 많을수록 더 큰 추진력을 제공할 수 있지만, 배 밑바닥의 공간은 충분한 공간을 가지고 있지 않다. 아래 그림과 같이 두 개의 스크류를 포개어 놓으면 좁은 공간에 두 개의 스크류를 설치할 수 있다. 요즘 판매되는 에어컨은 한 개의 실외기로 두 개 이상의 실내기를 가동하는데 실외기의 프로펠러도 이와 같은 아이디어를 적용한다면 효율이 향상될 것이다. 또한 약간 다른 크기나 모양의 프로펠러 두 개를 사용하여 공명현상을 적극적으로 활용한다면 실외기 소음을 줄이는 데 효과적일 것이다.

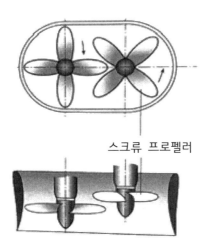

스크류 프로펠러

기중기는 20m 이상의 고층 건물 옥상까지 물건을 올리고 내려야 하므로 긴 팔이 필요하다. 그러나 그렇게 긴 팔을 그대로 가지고 다니지 못하므로 유압을 이용하여 포개 넣는다. 콘크리트 타설 차량도 마찬가지다. 이렇듯 포개 넣기는 일상생활에서 꼭 필요한 원리이지만 막상 자신의 발명 문제에 부딪히면 잊어버리게 된다.

아래 그림은 조금씩 회전하는 물체를 고정시키는 고정 막대로서 오른쪽이 고정되어 있고, 왼쪽에 회전하는 물체를 잡아주고 있다. 이 막대는 비틀림을 견뎌낼 수 있는 탄성력을 가지고 있다. 그림과 같이 고정 막대를 반으로 포개어 접어도 같은 탄력성을 가질 수 있어 막대가 지지하는 공간을 줄일 수 있다.

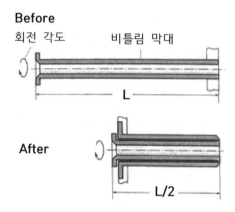

Before

회전 각도   비틀림 막대

L

After

L/2

8) 무게 보상, 공중 부양(Weight Compensation): 중력으로부터 무게를 회피한다.

시스템이나 대상물의 무게를 상쇄시키기 위해 양력을 제공하는 다른 대상물과 결합한다.

철광석을 캐는 탄광에서 원석(Ore)을 아래 그림과 같이 컨베이어 벨트에 실어 가까운 거리로 운송한다. 원석은 밀도가 높아 상당히 무거우므로 컨베이어 벨트가 밑으로 처지는 문제가 발생한다. 컨베이어 벨트를 단단히 조이거나 컨베이어 벨트를 좀 더 단단한 재질의 물질로 만들어도 원석의 무게를 감당하지 못한다. 이러한 문제는 아래 그림과 같이 컨베이어 벨트를 지지하는 지지대를 설치하고 지지대는 물에 뜨게 하면 해결할 수 있다.

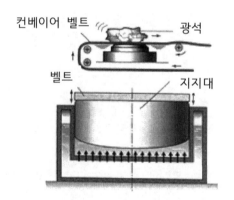

컨베이어 벨트   광석

벨트   지지대

반도체 제작 공정 중 웨이퍼 표면을 특정 물질로 도포(Coating) 하는 과정이 있다. 첫 번째 웨이퍼와 중간, 그리고 마지막 웨이퍼마다 도포된 두께가 다르다. 또한 같은 웨이퍼라도 상단과 하단의 도포된 두께가 다른 문제가 발생한다. 이러한 문제는 도포되는 공간 속에 질소와 같은 불활성 가스를 불어 넣으면 도포된 물질이 중력의 영향을 받지 않고 자유롭게 움직이게 되어 모든 웨이퍼에 균일한 도포가 가능하게 하여 해결할 수 있다.

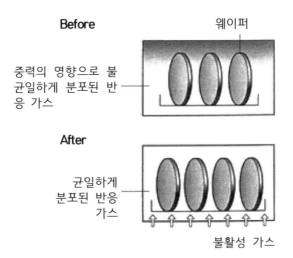

Before

웨이퍼

중력의 영향으로 불
균일하게 분포된 반
응 가스

After

균일하게
분포된 반응
가스

불활성 가스

9) *반대 선행 조치(Preliminary counteraction): 미리 반대 방향으로 조치한다.*

원하지 않는 작용이 염려되어 피하고 싶거나 어떤 작용의 효과를 증대시키고 싶으면 미리 조치할 수 있다.

그림과 같이 굽힘 하중을 받는 막대는 옆면에 균열이 발생하여 파괴될 수 있다. 이 문제는 굽힘 하중이 작용하기 전에 굽힘 반대 방향으로 미래 압력을 주면 옆면에 균열이 발생하는 것을 어느 정도 방지할 수 있다.

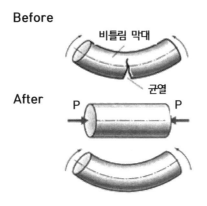

Before

비틀림 막대

균열

After

P   P

반도체에서 웨이퍼를 집어 올리는 과정이 필요하다. 가끔은 직원의 실수로 앞뒤가 바뀐 상태에서 진공 척(진공으로 빨아당겨 잡는 장비)이 웨이퍼를 잡는 경우가 있다. 이 문제는 직원의 실수를 미리 방지하기 위해 진공 척이 집어 올려야 하는 면의 뒤쪽에 아래 그림과 같이 홈을 파서 진공 척으로 뒷면을 집어 올리지 못하게 하여 해결할 수 있다.

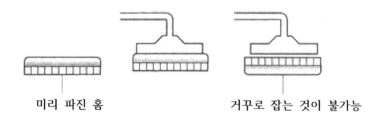

미리 파진 홈   거꾸로 잡는 것이 불가능

10) *사전 조치(Preliminary action): 미리 조치한다.*

원하는 효과나 작용을 위해 사전에 어떤 조치를 미리 취하는 원리이다.

고무공을 생산하는 공정에서 고무공은 용융된 고무 수지를 일정한 틀(mold)에 넣고 압착하여 만든다. 고무공의 표면은 페인트를 칠하여 색깔을 입히는데, 그 색깔이 쉽게 벗겨지는 문제가 있다. 아래 그림과 같이 고무공을 만들기 전에 내부에 미리 페인트를 칠해 놓으면 압착하는 과정에서 발생하는 압력과 고열에 의해 이상적으로 고무 표면에 색깔을 입힐 수 있다.

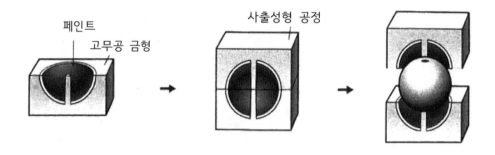

페인트
고무공 금형   사출성형 공정

일반적으로 반도체 공정에서 식각을 이용하여 원하는 모양의 회로를 만들 수 있다. 아래 그림과 같이 마스크를 먼저 만들고 패턴을 생성한 후 에칭 용액에 담그면 마스크로 보호되지 못하는 부분만이 에칭 용액과 반응하여 부식하여 사라지게 된다. 그러나 아래 왼쪽 그림과 같이 마스크의 바로 밑면이 직각으로 되지 않고 에칭 용액이 스며들어 정교한 모양을 만들기 어렵다. 이 문제는 미리 특성 성분의 화학 물질을 원하는 부분에 도핑시킨 후 그 특정 성분의 화학 물질에만 반응하여 부식을 일으키는 에칭 용액에 담가 해결할 수 있다.

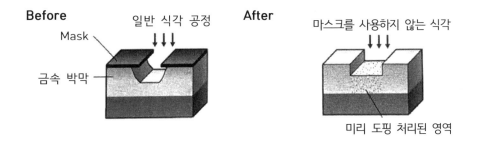

Before 　　일반 식각 공정　　After　　마스크를 사용하지 않는 식각

Mask

금속 박막

미리 도핑 처리된 영역

11) 사전 예방 조치(Beforehand Compensation): 미리 예방 조치한다.

원하지 않거나 부작용이 예상된다면 미리 예방 조치를 취할 수 있다.

고속도로나 다리 등에는 아래 그림과 같이 난간이 설치되어 있다. 아래 그림은 일반적인 난간 아래쪽에 추가로 또 하나의 철제빔을 설치한 것이다. 이 철제 빔은 두 가지 역할을 한다. 하나는 저속 차량이 충돌했을 때 타이어의 탄성과 핸들의 조작성으로 인해 차량이 저절로 도로 방향으로 차량을 안내하는 것이고, 다른 하나는 과속 차량이 부딪쳤을 때 일차적인 충격을 줄여주고, 충격 흡수가 큰 고압의 공기가 가득한 타이어로 인해 난간과의 2차 충격의 충격량을 줄여 대형 사고를 예방하는 것이다.

자동차 바퀴

메모리 반도체는 전기 공급이 끊어지면 기억된 메모리 용량을 잃게 된다. 정아래 그림과 같이 비상용 스위치를 설치하면 정전으로 인해 전기 공급이 차단되는 사고가 발생해도 메모리 반도체에 저장된 데이터가 상실되는 것을 방지할 수 있다. 이러한 제품이 현실화되려면 전원 전환을 위한 상당히 작은 스위치가 필요하다.

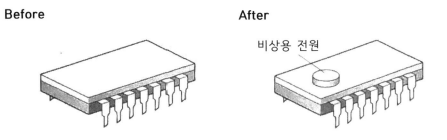

Before　　　　　　　　　After

비상용 전원

12) 높이 맞추기, 등위(Equipotentiality): 들어서 옮길 필요가 없다.

위치 에너지에 맞서 일해야만 하는 필요성을 제거하기 위해 동작 조건을 변경한다.

목욕탕에서 미끄러져 다치는 사고 중 대부분이 욕조에 들어가기 위해 다리를 들다 균형을 잃어 미끄러지는 것이다. 이 문제는 아래 그림처럼 다리를 들지 않고 욕실에 들어갈 수 있는 욕조로 만들면 해결할 수 있다. 이러한 발명품은 욕조에 들어간 후 물을 틀어야 한다는 문제가 있지만, 노약자나 어린이를 위해서는 꼭 필요하다고 할 수 있다.

아래 그림은 대형 구조물의 압축성형 공정의 일부이다. 아래 그림처럼 프레스가 내려와 압축성형을 마치면 구조물을 다음 공정으로 옮겨야 한다. 이때 구조물을 들어 올리지 않고 아래 그림처럼 지렛대와 지렛대에 설치된 작은 고무 롤러를 이용하면 압축성형물을 최소한의 힘으로 옮겨가게 할 수 있다.

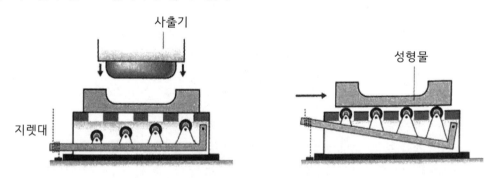

13) 역방향(Do it Reverse): 반대로 해본다.

문제 해결에 사용되는 작용을 반대로 한다. 움직일 수 있는 부분은 고정하고 고정된 부분은 움직이게 한다.

사륜구동 혹은 지프 차량은 험한 길(Off-road)을 달릴 수 있도록 설계되었다. 이런 차량의 성능을 시험하기 위해 아래 그림과 같은 설비를 고안할 수 있다. 이 설비는 자동차가 움직이는 것이 아니고 바닥이 움직이게 함으로써 비도로용 차량에 대한 객관적인 차량 성능을 시험할 수 있다.

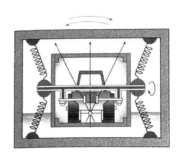

반도체 부품에 비어 있는 공간과 얇은 두께의 지붕을 만드는 작업은 쉬운 일이 아니다. 아래 그림과 같이 비어 있는 공간을 만들기 위해 비어 있어야 할 공간에 알루미늄을 가득 채우고 열을 가하면 알루미늄의 확산 작용이 일어나 작고 얇은 공간을 만들 수 있다.

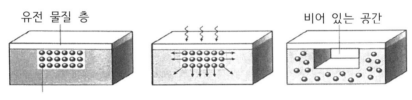

14) *곡선화(Curvature increase): 직선을 곡선으로 바꾼다.*

정사각형, 직사각형, 정육면체, 평평한 부품, 또는 외형을 이용하는 대신 곡선 또는 둥근 형태를 이용한다. 평면을 구면으로 바꾼다.

아래 그림은 기초 공사에 활용되는 말뚝을 나타낸 것이다. 기초 공사에 사용된 말뚝과 건물의 기둥은 서로 연결되어 건물의 하중을 땅으로 전달한다. 지진이나 예기치 못한 충격으로 건물이 기울어지는 상황에서도 건물의 하중이 말뚝으로 잘 전달된다면 건물의 안전도가 높아질 것이다. 아래 그림과 같이 건물의 기둥과 말뚝의 접합 면이 평평한 구조가 아니고 곡률을 가진 디스크로 되어 있다면 지진에 더욱 잘 견디는 건축물이 될 것이다.

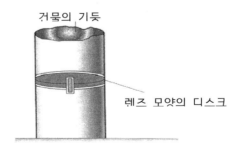

색소를 이용한 레이저는 가스의 원활한 유입이 필요하다. 아래 그림의 왼쪽과 같이 직선으로 가스를 유입하는 것보다, 오른쪽 그림과 같이 곡선 운동을 통해 가스를 유입하면 더 많은 가스를 빠른 시간에 유입할 수 있다.

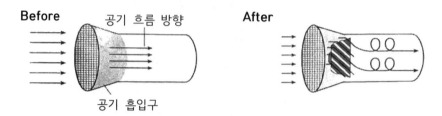

15) 자유도 증가(dynamicity): 부분, 단계마다 자유롭게 한다.

대상물 또는 시스템을 각각 상대적으로 움직일 수 있는 부분으로 분리한다.

위의 그림과 같이 바퀴를 하나 더 만들면 험한 지형도 다닐 수 있는 트랙터를 만들 수 있다. 자유도의 증가는 유연성을 증가시켜 좋은 결과를 끌어낼 수 있다.

아래 그림은 자동차의 중심에 회전축을 설정함으로써 자유도를 증가시킨 사례이다.

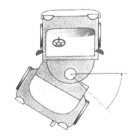

16) 과부족 조치(Partial or excessive actions): 지나치게 하거나 부족하게 한다.

100% 만족스러운 효과를 얻기 힘들면 어느 정도의 효과를 거두는 대신 문제를 단순화한다.

언제나 적당한 값이 있고 그 값을 구해야 한다. 하지만 가끔 그러기가 어렵기도 하고 실제로 그럴 필요가 없는 경우에도 계속 최적의 값을 구하기 위해 노력한다. 일종의 심리적 관성(mental inertia)이 작용하는 경우이다. 모두가 온건한 생각을 할 때 한 번쯤 과격하거나 부족하게 하는 것이 도움이 되기도 한다.

자기 기억 장치의 핵심 부분으로서 아래 그림과 같이 세라믹 웨이퍼 위에 긴 홈을 파내고 그 홈에 강자성 물질과 전도성 물질이 정확한 두께로 층을 이루어야 한다. 일반적인 식각 공정을 통해 제작한다면 두 번의 식각 공정과 적층 공정이 번갈아 이루어져야 한다. 아래 그림과 같이 처음부터 식각 공정에 사용하는 마스크 없이 두 개의 층을 적층한 후 갈아내는 장비를 이용하여 필요 없는 부분을 갈아낸다.

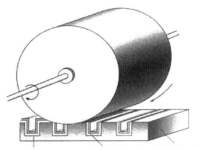

전도층   강자성 물질 층 세라믹 웨이퍼

아래 그림은 플라즈마 아크 절단 방법으로 다양한 두께의 금속 파이프를 절단하는 장치이다. 금속의 두께가 두꺼워질수록 플라즈마 아크 절단기에 가해져야 할 전압이 높아져 절단면에 흠집이 발생하지 않는다. 그러나 절단 공정 중에 이것을 눈으로 확인하고 조절하는 것이 쉽지 않다. 사용되는 전기 사용량이 문제가 되지 않으면 가장 두꺼운 파이프 절단에 필요한 전압을 적용하면 모든 두께의 파이프를 절단할 수 있다.

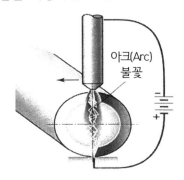

아크(Arc)
불꽃

17) *차원 변화(Dimensionality change): X 또는 Y축으로 차원을 바꾼다.*

대상물 또는 시스템을 2차원 또는 3차원 공간으로 이동한다.

석탄을 캐내면 탄광의 갱도 끝부분에서 석탄을 실어 나르는 화차를 갱도 끝부분까지 진입시켜야 한다. 그러나 갱도의 끝부분은 공간이 좁으므로 두 개의 화차를 평행하게 회전시키기 어렵다. 이 문제는 아래의 오른쪽 그림과 같이 화차를 옆으로 돌려 교대하지 않고 아래위로 교환하여 해결할 수 있다.

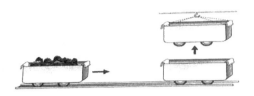

일반적인 식각 공정에서는 마스크를 씌운 후 마스크의 보호를 받지 않는 부분을 제거하고 마스크 아래 면을 회로로 사용한다. 아래 그림과 같이 마스크와 같은 재질을 마스크 대신 스페이서로 먼저 적층한 후 회로로 사용할 물질을 도포한다. 그런 다음 스페이스를 제거함과 동시에 이미 도포한 물질의 세로 부분만 사용한다.

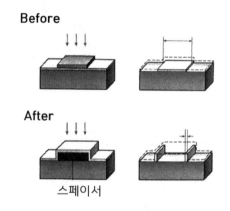

스페이서

18) *기계적 진동(Mechanical vibration): 진동을 이용한다.*

대상물 또는 시스템을 진동하게 한다. 아래 그림과 같이 탄력이 있는 막대를 이용하여 막대를 스쳐 지나가는 신문이나 잡지의 개수를 측정할 수 있으나, 막대가 마모되면 교체해야 한다. 그러나 아래 그림과 같이 바람을 불어주고 이 바람 때문에 평평한 종이로 된 물체는 진동을 발생시켜 소리를 만들어 낼 것이다. 이 소리를 마이크로 수신하면 인쇄되는 정확한 부수를 예측할 수 있다.

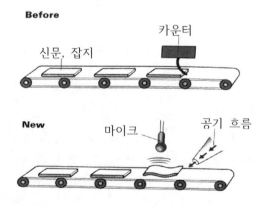

반도체 공정에서 여러 식각 공정을 거치게 되면 PR(Photo register)이나 에칭 용액과 같은 불순물이 표면이나 홈에 남아 있게 된다. 특정 화학 물질을 용매로 사용하여 제거하지만 깊은 홈에 붙어 있는 불순물을 제거하기란 매우 어렵다. 아래 그림과 같이 특정 용액 속에 부품을 넣고 초음파를 제공하면 깊은 홈 속에 있는 작은 불순물이라도 쉽게 제거할 수 있다.

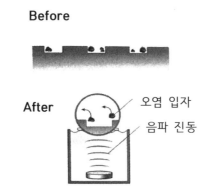

Before

After

오염 입자

음파 진동

19) *주기적 동작(Periodic action): 연속적이 아닌 주기적으로 한다.*

연속적 동작 대신에 주기적 또는 맥동적 동작을 이용한다. 만약 작동이 이미 주기적이라면 주기의 크기 또는 주파수를 변경한다.

아래 그림은 기온이 낮은 환경에서 땅을 파는 장비이다. 먼저 드릴로 어느 정도 깊이까지 파 내려간 다음 공기압을 분출하여 큰 구멍을 만든다. 그런 다음 다시 조금 더 깊은 곳까지 먼저보다는 작은 압력이지만 다시 공기압을 분출하여 더 작은 알갱이로 만들면 드릴 작업의 효과도 커지게 된다. 이 장치에는 3번의 국부적 품질, 19번의 주기적 작용, 1번의 분할, 29번의 공기 및 유압 사용의 원리가 적용되었다.

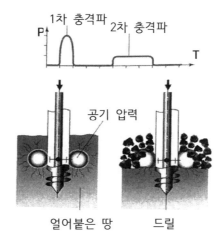

1차 충격파   2차 충격파

P

T

공기 압력

얼어붙은 땅   드릴

산화막 마스크를 이용하여 원하는 부분에만 단결정을 성장시키고자 한다. 그런데 단결
정 성장 시에 산화막 마스크 위에도 조금씩 성장이 이루어져 공정이 끝나면 산화막
마스크를 제거하기 힘들 정도로 단결정이 군데군데 생성된다. 우선 아래 그림과 같이
단결정을 성장시키고 다시 식각(에칭)을 통해 산화막 위의 단결정을 제거하고, 다시
또 단결정을 성장시키는 공정을 반복한다. 적층 공정에 사용되는 가스의 성분을 주기
적으로 변화시키면 쉽게 가능하다. 산화막 위의 단결정을 제거하면서 원하는 곳에만
순수한 단결정을 적층할 수 있다.

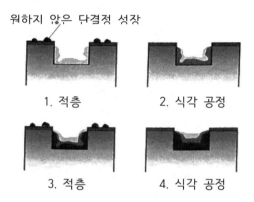

금속 증기 레이저(metal vapor laser)는 작동 중에 오염 원자들이 계속 발생한다. 오

20) 유익한 작용의 지속(Continuity of useful action): 유용한 작업을 지속한다.

지속적으로 작업을 수행하며, 대상물 또는 시스템의 모든 부품을 항상 최대 부하에서
작동시킨다. 쉬거나 간헐적인 작용은 모두 제거한다.

제련소에서는 원석을 녹인 후 뜨거운 원석 용액을 전기로에 옮겨 전기 처리한다. 아래
그림에서는 이와 같은 작업을 연속적으로 처리함으로써 효율을 극대화하고 있다. 여기
에는 4번의 비대칭 원리도 적용되었다. 원석이 용광로에 투입되면 비대칭인 용광로의
바닥으로 인해 바닥의 우측에서 용해가 이루어진다. 바닥이 비대칭이므로 용광로 바닥
의 왼편에는 원석이 녹은 용액만 모이게 되므로 여기에서 전기처리를 한다. 이 장치에
는 4번 원리와 20번 원리가 함께 작용하고 있다.

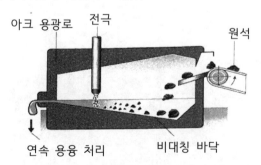

염 원자들은 레이저의 성능을 저하시키므로 가끔 레이저의 동작을 멈추고 정제 공정을 실시해야 한다. 아래 그림과 같이 레이저의 작동과 동시에 불활성 가스를 통과시키면 오염 원자들을 밖으로 배출하게 되므로 레이저의 작동을 멈출 필요 없이 레이저 내부를 정제할 수 있다.

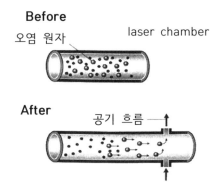

21) **고속 처리(rushing through)]: 유해하다면 빨리 진행한다.**

공정이나 어떤 단계(예: 파괴적이거나, 해롭고 위험한 공정)를 고속으로 처리한다.

감자를 6개월 정도 보관 창고에 보관하려면 많은 감자가 썩게 되므로 냉장 보관 창고에 보관한다. 냉장을 유지하려면 만만치 않은 보수 비용이 들어간다. 아래 그림과 같이 감자를 보관하기 전에 아주 강한 불꽃으로 감자의 표면을 조금만 태우면 감자의 표면이 딱딱하게 되어 벌레나 곰팡이 등이 내부로 들어가지 못해 감자를 오랫동안 보관할 수 있다.

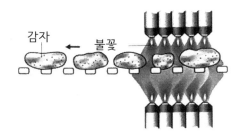

목재를 내륙의 깊은 곳에서 벌목한 후 강을 따라 항구까지 도달하려면 목재의 품질을 높이기 위해 목재가 일정 기간 바다 위에 떠 있어야 하지만, 뗏목 위에 있는 배에서 나무를 바다에 빠뜨리기가 쉽지 않다. 아래 그림과 같이 특수 제작한 배는 내부에 강력한 펌프와 함께 2개의 탱크를 가지고 있다. 우선 하부 탱크의 물을 상부 탱크에 옮겨 실으면서 갈고리를 뗏목의 고리에 건다. 강력한 펌프를 활용하여 상부 탱크의 물을 순식간에 배출한다. 그러면 배는 다시 평형을 유지하게 되고, 그 순간 뗏목의 나무들은 바다로 떨어지게 된다. 만약 천천히 뗏목을 기울인다면 훨씬 더 큰 경사로 기울여야 할 것이다.

22) 전화위복(Blessing in disguise): 유해한 것을 좋은 것으로 바꾼다.

전화위복은 "레몬을 레몬수"로 만드는 것과 같다. 긍정적인 효과를 얻기 위해 해로운 인자(특히 환경이나 주위의 해로운 효과)를 사용한다.

반도체 공정에서 깊고 좁은 홈을 메우기 위해 적층 공정을 시도해도 아래 그림과 같이 완벽히 홈을 메우지 못하는 경우가 있다.

이러한 홈은 제품의 불량이지만 이 부분을 냉각에 사용할 수 있다. 이 경우 의도적으로 이러한 공간을 만든 후 냉각수로 채워 자동차의 냉각수처럼 부품의 열이 발생하는 부위로 냉각수를 순환시키는 수냉 시스템을 개발할 수 있다.

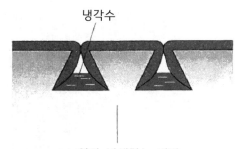

아래 그림은 가스를 탐지하는 센서이다. 이 센서는 가스에 대해서도 민감하지만 동시에 온도와 습도에 대해서도 민감하므로 겨울철과 여름철의 가스 측정값이 다르다. 가스에 대한 절대적인 민감도는 다르므로 센서의 재질을 약간 변화시켜 온도와 습도에 대한 민감도가 같은 부품을 만들 수 있다. 그러한 두 개의 센서를 동시에 사용하여 두 센서의 가스에 대한 상대적 측정값의 차이를 구하면 온도와 습도에 무관하게 가스의 측정값을 얻을 수 있다.

Before

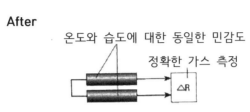

센서

R

가스, 온도, 습도에 민감

After

온도와 습도에 대한 동일한 민감도

정확한 가스 측정

ΔR

23) 피드백(Feedback): 피드백을 도입한다.

프로세스 또는 동작을 개선하기 위해 피드백을 도입한다. 만약 피드백이 이미 사용되고 있다면, 그 크기 또는 영향력을 바꾼다.

트리즈에서는 이상 해결책(IFR, Ideal Final Result)이 목표이다. 이상 해결책의 가장 중요한 것은 '저절로' 이루어지는 것이다. 다시 말해 단점은 '저절로' 없어지고 장점은 '스스로' 증가하는 것이다. 이와 같은 '저절로'와 '스스로'와 같은 개념을 수행하는 방법 중 23번 원리인 피드백 원리가 많이 사용된다.

태양열 배터리는 너무 강한 태양 빛에 의해 손상되어 그 수명이 길지 않으므로, 아래 그림과 같이 태양열 배터리를 보호하는 액정으로 만든 보호 유리를 설치한다. 태양 빛이 너무 강하면 자체 회로가 이를 감지하여 보호 유리에 전압을 가해 보호 유리 안에 있는 액정이 한 방향으로 정렬되어 빛의 투과도가 감소한다.

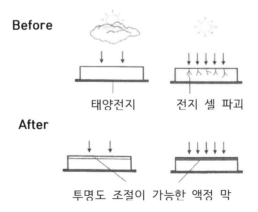

Before

태양전지   전지 셀 파괴

After

투명도 조절이 가능한 액정 막

태양열 발전 집광판이 태양을 따라 움직여 언제나 태양과 직각을 이루게 된다면 태양열 발전의 효율이 향상될 것이다. 아래 그림과 같이 양면으로 된 집광판을 만들어 두 집광판에서 받아들이는 태양광의 차이를 신호로 읽어 들이면 태양이 어디에 있는지 알 수 있어 태양을 따라 회전시킬 수 있다. 또한 하나의 집광판의 수명이 다하면 다른 쪽의 집광판을 대체하여 사용할 수 있다.

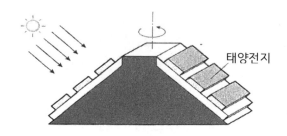

24) 중간 매개물(Intermediary): 직접 하지 않고 중간 매개물을 이용한다.

중간 매개 전달자 또는 중간 매개 공정을 사용한다.

신생아가 호흡 곤란으로 사망하는 경우가 있다. 흔한 일은 아니지만 자신의 호흡 주기를 놓치거나 혼란스러워 호흡 곤란을 겪게 된다. 성인이 물을 먹다 얹히는 경우와 비슷한 사례이다. 이러한 사고를 예방하기 위해 아기의 호흡과 같은 주기로 미세한 소리를 내는 인형을 아기의 옆에 놓아주면, 아기는 자연스럽게 호흡 주기를 놓치지 않게 된다.

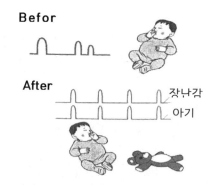

수십 마이크로미터에서 수백 마이크로미터 단위의 기계적 구조물을 만드는 분야를 MEMS(Micro Electronic Mechanical System)라고 한다. 이처럼 작은 크기의 빗살 모양의 구조물을 제작하는 것은 상당히 복잡하다. 아래 그림과 같이 먼저 실리콘 웨이퍼에 식각을 통해 구멍을 뚫고 전기화학적 적층 공정을 통해 구멍 뚫린 구조물을 감싸는 새로운 구조물을 만든다. 그런 다음 한쪽 면을 연마한 후 식각을 통해 원래 구조물을 제거하면 빗살 모양의 구조물을 만들 수 있다. 처음 사용되었던 실리콘 웨이퍼가 중간자 역할을 한 것이다.

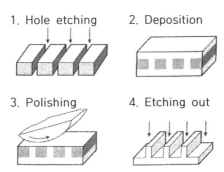

1. Hole etching 2. Deposition

3. Polishing 4. Etching out

25) 셀프서비스(Self Service): 저절로 기능이 수행되게 한다.

대상물이나 시스템이 유용한 보조 기능을 수행하게 함으로써 스스로 서비스하게 한다.

화장실 세면대에서 손을 씻고 물을 잠그지 않으면 많은 양의 수돗물이 낭비된다. 이 문제는 아래 그림과 같이 센서를 부착하여 사용할 때만 물이 흘러나오게 하여 해결할 수 있다. 센서를 부착하는 비용이 발생하지만 10년을 장기적으로 생각한다면 충분히 경제적이라 할 수 있다. 국내에서는 1995년부터 보급되기 시작했다.

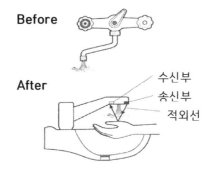

Before

After

수신부
송신부
적외선

전쟁과 같은 상황에서는 도로 상태가 좋지 않을 것이다. 화물차가 웅덩이에 빠지면 웅덩이에서 빠져나오기가 쉽지 않다. 이 문제는 아래 그림과 보조 장치를 이용하여 웅덩이에서 빠져나오게 함으로써 해결할 수 있다. 사실 이 원리는 스노체인(snow chain)과 다를 것이 없으며 탱크에서 사용하는 무한궤도(Caterpillar)와도 같은 원리이다.

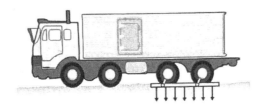

26) 복제(Copying): 복잡하고 비싼 것 대신 간단한 것으로 복사한다.

이용할 수 없거나 비싸거나 깨지기 쉬운 물건 대신에 간단하고 값싼 복제물을 사용한다.

GaAs 웨이퍼를 제작하는 반도체 공정에서 이온을 적당량 투입하는 공정이 있다. 아래 그림과 같이 오른쪽에 있는 것은 이온의 양이 얼마나 투입되었는지를 측정하기 위한 것이고, 왼쪽의 두 개의 웨이퍼는 실제로 이온이 투입되어 다음 공정에서 쓰이기 위한 것이다.

아래 그림과 같이 측정용으로는 비싼 GaAs 웨이퍼 대신 실리콘 웨이퍼를 사용한다. 먼저 실리콘 웨이퍼에 이온을 투입하고 그 양을 측정하여 원하는 양의 이온이 투입되었다고 판단되면 왼쪽의 두 개의 웨이퍼에 같은 조건으로 이온을 투입한다.

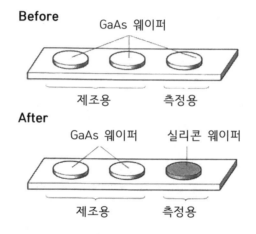

승용차가 지나가면서 내는 멋진 소리는 고객의 차량 구매에 영향을 미친다. 차량을 직접 주행하면서 녹음기로 소리를 측정하는 것은 소음 등 실험의 신뢰성을 얻기 어렵다. 아래 그림과 같이 무음실에서 차량을 헛바퀴 돌리면서 마이크를 일렬로 설치한 후, 시차를 두어 마이크에서 소리를 순간적으로 뽑아내면 차가 지나갈 때의 소리를 소음의 방해 없이 완전히 측정할 수 있다.

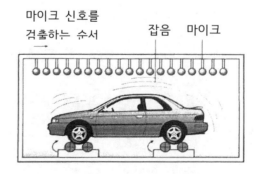

27) *값싼 일회용품(Cheap disposables): 한번 쓰고 버린다.*

어떤 품질이 손해를 보더라도(예를 들어 서비스 기간과 같은) 몇 개의 값싼 물건으로 비싼 물건을 대체한다.

비행기가 활주로에 비상 착륙 시 활주로를 벗어나면 아래 그림과 같이 쌓아둔 토사에 부딪히게 한다. 이 경우 상당한 거리를 가야 멈출 뿐만 아니라 비행기의 파손도 심하다. 이 문제는 다공성 플라스틱(스티로폼 등)을 활주로 끝에 비상용으로 설치하면 보잉 727 비행기도 120m이면 멈출 수 있다.

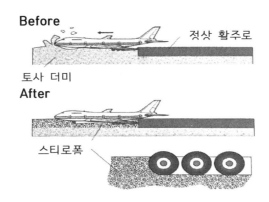

제품의 수명이 짧은 일회성의 전자 부품의 경우 아래 그림의 왼쪽과 같은 일반적인 형태로 패키지화하면 반도체 제품은 수명이 너무 길게 되지만 비용이 상승한다. 아래 그림의 오른쪽과 같이 엎어서 만들면, 일회용이나 개봉 후 제품 수명이 짧은 경우 충분히 성능이 보장될 수 있다.

28) *기계적 시스템의 대체(Replacing Mechanical System): 기계적 시스템을 광학, 음향 시스템 등으로 바꾼다.*

기계적인 방법을 감각적(광학, 음향, 맛 또는 냄새) 방법으로 대체한다.

아래 그림은 기계 장비의 이상 유무를 곧바로 알 수 있는 구성을 나타낸 것이다. 각각의 부품에 센서를 달아 진동 신호를 받아들인다. 만약 기계가 고장 나면 비정상적인 진동이 발생할 것이므로 소리로 바로 알아낼 수 있다.

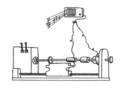

자동차의 엔진에 유입되는 공기를 정화하는 공기필터를 적기에 교환해 주는 것은 자동차 성능 및 연비에 큰 영향을 미친다. 공기필터를 오래 사용하여 막혀버리면 아래 그림과 같이 공기가 유입되어 미리 준비된 향기가 차량 실내로 유입된다. 운전자가 특정 향기를 맡으면 공기필터를 교환해야 한다는 것을 알 수 있다.

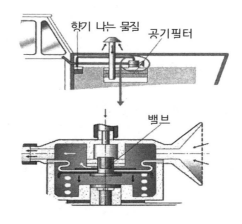

29) 공기 및 유압 사용(Pneumatics and hydraulics): 공기나 유압 시스템을 사용한다.

대상물 또는 시스템의 고형 부품 대신 기체 또는 액체(예를 들면 공기로 부풀리기, 액체로 채우기, 공기쿠션, 액체 정역학)를 사용한다.

아래 그림은 전자 부품의 열을 공기로 식혀주는 장비의 개념이다. 특히 컴퓨터의 CPU 등은 열이 많이 발생하는 부품이다. 일정하게 흐르는 공기의 흐름보다는 간헐적으로 불어오는 바람이 냉각에 더 효과적이지만 그러한 공기 흐름을 만들어내기 위해서는 복잡한 장비가 필요하다. 아래 그림과 같은 구조의 공기 흐름을 만들면 간헐적 공기 흐름이 만들어진다.

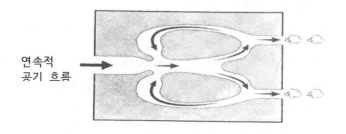

반도체 웨이퍼는 가공 중 일정한 온도를 유지해야 하는데, 만약 웨이퍼의 온도 분포가 고르지 않으면 문제가 발생한다. 아래 그림에서는 웨이퍼 밑바닥에 파이프를 통해 고온의 유체가 지나가게 하여 웨이퍼 온도를 균일하게 만들었다.

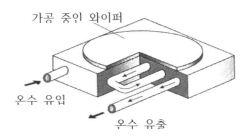

가공 중인 와이퍼

온수 유입

온수 유출

30) 유연하고 얇은 막(Flexible shells and thin films): 얇은 막과 필름을 사용한다.

3차원 구조물 대신 유연한 막과 얇은 필름을 사용한다. 유연한 막과 얇은 필름을 사용하여 대상물 또는 시스템을 외부 환경과 격리한다.

먼지가 쉽게 발생하는 광물을 원산지에서 운반하는 선박이 있다. 발생한 먼지는 정전기를 일으켜 탱크가 폭발할 수 있다. 아래 그림과 같이 탱크 하단에 진공 펌프를 설치하고, 상부에는 얇은 비닐 막으로 덮은 후, 펌프를 가동하면 먼지가 날리지 않을 정도로 밀봉이 된다.

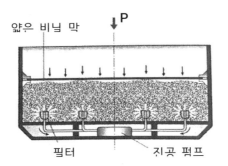

얇은 비닐 막   ↓ P

필터   진공 펌프

특정 물질을 코팅하는 장비가 있다. 아래 그림은 코팅될 물질이 지나가는 통로를 나타낸 것이다. 이 장비는 3개월에 한 번씩 전부 개폐하고 물로 씻어내어 청소한다. 문제는 물청소 후 아무리 건조해도 구석에 남아 있는 습기가 건조되지 않아 생산 전에 3일씩 준비 가동을 해야 하므로 생산에 막대한 차질이 발생한다. 문제는 이 작업에 물을 사용하지 않으면 안 되는 상황이다. 장비에서 문제가 되는 표면은 테프론(Tefron)으로 코팅하면, 테프론은 물기를 표면에서 밀어내는 역할을 하므로 습기 제거에 도움이 된다.

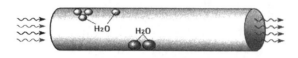

표면에 코팅된 테프론

31) 다공질 재료(Porous materials): 미세한 구멍을 가진 물질을 사용한다.

대상물을 다공질 재료로 만들거나 다공질 재료를 첨가한다.

한 방향으로 균일한 바람(Laminar flow)을 만들어 내는 장치가 있는데, 일반적으로 이러한 장비는 복잡하고 비싸며 공기 유량을 조절하기 힘들며 먼지를 걸러내지도 못한다. 아래 그림과 같이 다공성 물질로 관 내부를 채우고 양 끝을 원판으로 감싸면, 들어온 공기는 다공성 물질 내부의 복잡하게 얽힌 공기 흐름 경로를 따라 한 방향으로 일정한 바람이 나오게 된다.

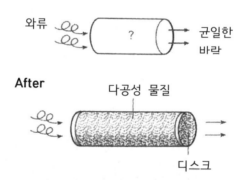

아래 그림은 반도체 부품과 특수 오일로 구성되어 가속도를 측정하는 센서이다. 자동차 온도가 올라가면 특수 오일이 팽창하여 그림과 같이 기름이 새 나오는 문제가 발생한다. 아래 그림과 같이 다공성 스펀지를 부착하면 온도가 올라가 오일이 팽창하여 압력이 발생해도 압력이 센서의 외벽에 전달되지 않고 내부의 스펀지로 전달된다. 기름이 팽창하는 만큼 스펀지가 수축하여 기름이 새는 문제를 근본적으로 해결할 수 있다.

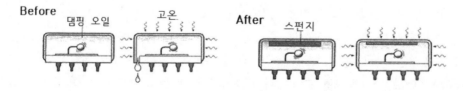

32) 광학 특성 변경(Optical property changes): 색깔 변화 등 광학적 성질을 변화시킨다.

대상물 또는 그 외부 환경의 색깔이나 투명도를 변경한다.

기존의 다리미는 바닥의 금속관 자체가 가열되어 모직에 열을 전달하는 구조였다. 새로운 다리미는 아래 그림과 같이 기존의 열원으로 사용하던 불투명한 금속판 대신 투명한 바닥 판을 통한 열복사로 열을 모직에 전달하는 시스템으로 구성되어 있다. 바닥은 강화유리로 만들어 투명하고 열선 위에는 반사막이 설치되어 기존의 다리미보다 가볍고 전원을 켜자마자 즉시 열이 발생하여 모직의 모든 부분에 골고루 열을 전달할 수 있는 장점이 있다.

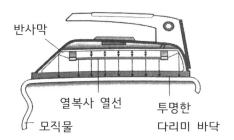

구조물 위의 실리콘 산화물을 식각 공정으로 깊이 파진 홈 부분은 산화물이 채워져 있으므로 이를 제거해야 한다. 여기서 문제는 식각 공정을 정확히 언제 멈춰야 하느냐이다. 이 문제는 아래 그림처럼 실리콘 산화물을 형성하기 전에 기판 위에 특별한 조처를 해 기판이 특정 색깔을 가지게 한다. 식각 공정 시 식각을 진행하다가 이 색깔이 보이면 식각 공정을 멈추면 된다.

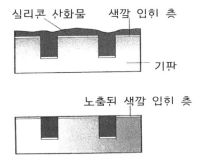

33) 동질성(Homogeneity): 기왕이면 같은 재료를 사용한다.

대상물을 같은 재료(또는 동일한 특성을 가진 재료)와 상호 작용하게 한다.

특정 원자로 도핑된 폴리 실리콘으로부터 특정 원자를 단결정 실리콘 기관 내부로 확산시키려 한다. 그러나 폴리 실리콘 내부의 다양한 입자와 폴리 실리콘과 단결정 실리콘 사이의 마이크로 수준의 불규칙한 계면으로 인해 열 확산 후 기판 내 확산층의 계면이 아래 그림과 같이 불규칙한 문제가 발생한다. 아래 그림과 같이 폴리 실리콘 대신에 기판과 같은 재료인 단결정 실리콘을 기판 위에 성장시킨 후 도핑 처리를 한 후 가열을 통해 열 확산을 진행하면 규칙적이고 매끈한 확산 계면을 얻을 수 있다.

Before   폴리-실리콘으로부터 열 확산

폴리-실리콘층

모노-실리콘 기판   평탄하지 못한 계면

After   동일 재료인 모노-실리콘으로부터 열 확산

모노-실리콘층

모노-실리콘 기판   평탄한 계면

모서리 부분이 완만한 경사를 가지는 구조물을 만들기 위해 기판 위의 구조물과 식각 속도가 같은 보호막을 사용한다. 아래 그림과 같이 보호막이 원하는 경사를 갖게 만들면 플라즈마 에칭 공정에서 보호막 아래에 있는 구조물은 식각과 같은 속도로 인해 보호막과 같은 구조에 완만한 경사를 갖게 된다.

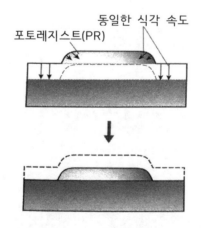

동일한 식각 속도

포토레지스트(PR)

34) 폐기와 재생(Discarding and recovering): 다 쓴 것은 버리거나 복구한다.

기능을 완수한 대상물 일부를 폐기하거나(분해하거나 증발시켜서 폐기함) 작동하는 도중에 그것을 변경시킨다.

미 항공우주국(NASA)에서 활용하는 우주 왕복선은 대기권 탈출을 위해 사용된 로켓

은 낙하산에 의해 바다에 떨어진다. 바다에 떨어질 때 앞부분부터 떨어지게 하여 로켓의 하단에 있는 엔진은 손상을 입지 않게 한다. 바다에서 회수된 로켓은 다음 우주왕복선 발사에 재사용된다.

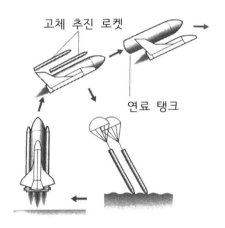

금속 전극은 녹는 온도가 매우 높으므로 두 개의 금속 전극을 접합하기 위해서는 아주 높은 온도가 필요하다. 두 개의 전극 사이에 녹는 온도가 낮은 얇은 금속층을 만든 후, 높은 압력과 온도에서 얇은 금속층의 원자가 양쪽의 금속 전극으로 확산이 일어나게 하면 상대적으로 낮은 온도에서 접합할 수 있다.

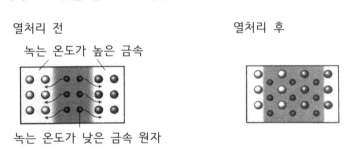

35) 속성 변화(Parameter changes): 물질의 속성을 변화시킨다.

대상물의 물리적 상태를 바꾼다. 농도 또는 밀도를 바꾼다. 유연성의 정도를 바꾼다.

컨베이어 벨트를 이용하여 광석을 이동하는 과정에서 컨베이어 벨트가 경사진 곳을 지나 광석을 운반할 때 벨트 위의 물질이 벨트를 흘러 내리는 문제가 발생한다. 아래 그림과 같이 경사를 오르기 전에 액체 질소 등을 이용하여 온도를 급격히 낮춰 냉동시키면, 물질은 벨트와 함께 얼어붙은 상태로 이동할 수 있고, 마지막 부분에서 다시 열을 가해 녹여 문제를 해결할 수 있다. 이러한 방법으로 25도의 경사까지도 컨베이어 벨트를 이용할 수 있다.

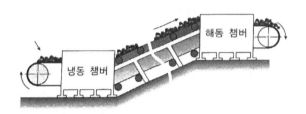

아래 그림과 같이 세로로 깊은 홈이 파진 부분을 금속으로 채우기 위해서는 진공 증착 과정을 거치는데 홈을 금속으로 꽉 채우는 것이 쉽지 않다. 먼저 금속 성분을 액체 화합물로 만들어 홈이 파진 부분을 채운 후 적정온도로 가열하면 액체 화합물 내의 용매가 증발하여 금속 성분만 남게 된다.

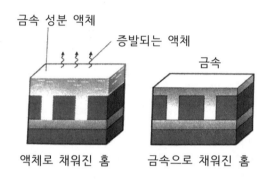

36) *상전이(Phase transitions):* 상태전이 과정에서 생기는 현상을 이용한다.

겨울철 빙판에서 미끄러지지 않기 위해 신발 바닥에 못이 박힌 특별한 신발이 있다. 그러나 일반적인 표면에서는 박힌 못 때문에 걷기가 힘들다. 아래 그림과 같이 형상기억 합금을 신발 바닥에 설치하면, 기온이 영하로 내려가면 신발 바닥의 형상기억 합금이 튀어나와 얼음 바닥에서 미끄러지지 않게 해주고, 기온이 영상으로 돌아오면 신발 내부로 못이 들어간다.

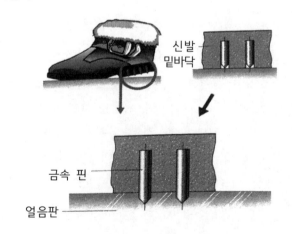

컴퓨터 칩은 적정온도 이상으로 온도가 상승하면 심각한 피해가 발생할 수 있다. 열을 발생하는 칩은 아래 그림과 같이 열 흡수 기판(heat sink) 위에 있다. 열 흡수 기판은 열을 받으면 물질의 상태가 변하는 상전이(phase transformation)가 발생한다. 상전이가 발생하는 동안 컴퓨터 칩으로부터 발생한 열은 상전이가 일어나기 위한 에너지로 사용되므로 기판의 온도가 증가하지 않고 컴퓨터 칩으로부터의 열을 흡수하게 된다. 이것은 물이 끓는 동안 열을 가해도 100도의 온도를 유지하는 것과 같은 원리이다.

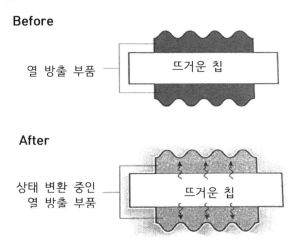

Before

열 방출 부품 — 뜨거운 칩

After

상태 변환 중인 열 방출 부품 — 뜨거운 칩

37) *열팽창(Thermal expansion)*: 물질의 열팽창(또는 수축)을 이용한다.

반도체 기술을 이용한 구조물(MEMS)을 제작할 때 아래 그림과 같이 튀어나온 두 돌기의 높이가 돌기 사이의 거리보다 더 작을 때가 있다. 이럴 때 구조물을 만드는 데 사용된 보호막(Protective polymer film)을 구조물의 수직 벽으로부터 완벽하게 제거하기 어렵다. 이때 액체 질소를 이용하여 구조물을 급격히 냉각시키면 고분자가 수축하게 되는데, 고분자와 구조물의 수축 정도가 다르므로 고분자가 구조물에서 떨어져나와 제거할 수 있다.

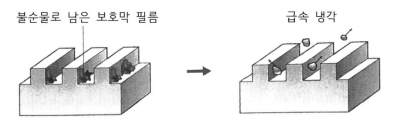

불순물로 남은 보호막 필름   급속 냉각

물질의 열로 인한 팽창을 이용하여 기초적인 엔진의 개념을 구상할 수 있다. 두 개의 축을 두 개의 벨트가 엮어 돌아가는 시스템에서, 하나의 벨트는 양쪽의 도르래 지름이 같은 벨트이고 다른 벨트는 한쪽의 도르래 지름이 더 크다. 두 벨트의 한쪽 면은 열을 가하여 늘어나게 하고, 다른 한쪽 면은 냉각시켜 벨트가 줄어들게 한다. 한쪽은 늘어나고 한쪽은 줄어들므로 아래 그림과 같은 방향으로 벨트가 회전하게 된다. 한쪽의 도르래 지름이 큰 벨트(flywheel belt)는 속도를 원만히 조절하기 위한 것이다.

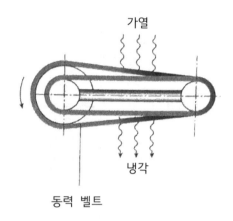

동력 벨트

38) 산화제(Oxidants): 일반 공기를 산소가 풍부한 공기로 대체한다. 산소가 풍부한 공기를 순수 산소로 대체한다.

실리콘 웨이퍼를 산화시키는 공정에 사용되는 에너지 소비를 줄이기 위해 산화 공정에 사용되는 공기를 일반 산소(O_2) 대신에 오존(O_3)을 사용한다. 오존을 첨가하여 사용하면, 산화 과정이 더욱 가속화되어 산화 과정에 필요한 분위기 온도가 낮아지고 산화 과정 시간도 단축되므로, 공정에 사용되는 에너지를 절약할 수 있다.

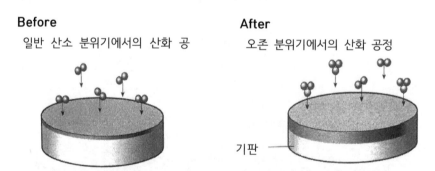

Before
일반 산소 분위기에서의 산화 공

After
오존 분위기에서의 산화 공정

기판

에칭 공정 후 유기 용제에 실리콘 웨이퍼를 담가 보호막(PR)을 씻어낸다. 그러나 특별한 경우 실리콘 웨이퍼 위의 유기 물질이 완전히 제거되지 못하는 경우가 있다. 이때 산소를 공급하며 자외선을 조사하는 방법이 있다. 산소는 자외선을 조사받아 오존으로 변하고, 오염원인 유기 물질은 오존과 만나 휘발성 산화물로 변해 제거된다.

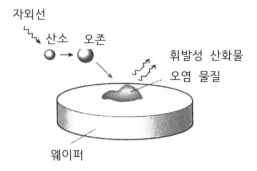

자외선

산소 오존

휘발성 산화물

오염 물질

웨이퍼

39) *불활성 환경(Inert atmosphere):* 보통의 환경을 불활성 환경으로 바꾼다.

주조 작업(casting)에서 주형을 제작할 때 고온의 선철(pig iron)은 공기 중의 산소와 반응하여 각종 산화물 오염 물질을 만들어 내고, 이를 배출하는 장비도 충분히 빠른 속도로 작업 공간 밖으로 배출하지 못한다.

질소를 고압으로 분사하는 아래 그림과 같은 장치로 고온의 선철 위에 분사하면, 선철이 산소와 접촉하지 못하여 산화물 오염 물질을 만들어 내지 못한다. 제철소에서는 질소를 이용하여 산화를 방지하는 일이 많다.

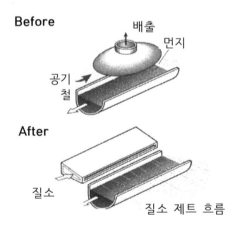

Before

배출

먼지

공기

철

After

질소

질소 제트 흐름

두 장의 반도체 기판은 아래 그림과 같은 화학 물질로 이루어진 접착층으로 접착된다. 이러한 접착층은 뒤의 공정에서 발생할 수 있는 높은 열에 의해 손상을 입을 수 있다.

아래 그림과 같이 한쪽의 웨이퍼 테두리에 원형의 홈을 파고 진공상태에서 붙여진 두 웨이퍼는 대기압 환경에 노출시키면 대기압과 진공의 기압 차로 인해 두 개의 기판은 붙어있게 된다.

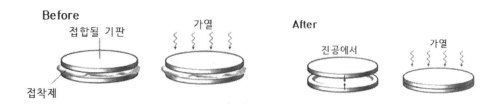

Before
접합될 기판
가열
After
진공에서
가열
접착제

40) *복합 재료(Composite materials):* 균일 재료를 복합(다층) 재료와 시스템으로 바꾼다.

자동차의 휠은 주행 시 충격을 흡수해야 하면서도 자동차의 무게를 지탱해야 하므로 낮은 밀도이면서도 높은 강도를 가져야 하는데, 이 문제는 복합 재료를 사용하여 해결할 수 있다. 자동차의 림(fly wheel rim)은 유리 섬유로 만들어져 금속보다 훨씬 가벼우면서도 강도가 더 높으며, $1\,Kg$당 $4,000\,KJ$의 충격에너지를 흡수할 수 있다.

유리 복합 재료 림

알루미늄 휠

대부분의 메모리 칩은 아래 그림과 같이 고분자 물질로 포장되어 있다. 고분자 물질 대신 복합 재료를 사용하면 외부로부터의 전자기장의 영향을 최소화하면서도 메모리에서 발생하는 열을 외부로 방출하기도 한다.

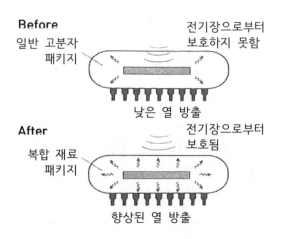

Before
일반 고분자 패키지
전기장으로부터 보호하지 못함
낮은 열 방출
After
복합 재료 패키지
전기장으로부터 보호됨
향상된 열 방출

3 기술 시스템의 진화 법칙[2]

겐리히 알츠슐러는 다음과 같은 8개의 기술 진화 법칙을 제한했다.

3.1. 시스템 완전성 법칙

기술 시스템은 4가지의 구성 요소를 갖추어야 한다는 것이 시스템 완전성 법칙이다.

모든 기술 시스템은 엔진(Engine), 트랜스미션(Transmission), 도구(Tool), 조종 부분(Control Unit)으로 이루어져 있다. 우리가 인식하든 인식하지 못하든 모든 기술 시스템은 위의 4가지 요소로 구성되어 있으며, 모든 기술 시스템은 위의 4가지 요소로 분류, 분해 될 수 있다는 것이다.

시스템 완전성의 법칙을 이해하려면 기술 시스템을 이해해야 하므로 기능에 대한 정의가 필요한데, 트리즈에서는 기능(Function)을 다음과 같이 정의했다.

우선 모든 사물에는 기능(Function) 이전에 특성(Feature)이 있다. 즉, 하나의 물건은 다른 물건과 구분될 수 있는 수많은 특성(특징)이 있다. 분필을 예로 들면, 분필의 특성은 헤아릴 수 없이 많다. 가장 간단하고 명백한 것으로부터, 복잡한 것에 이르기까지 상상하지 못할 정도로 다양하다. '하얀 글씨를 쓴다.', '던질 수 있다.' 등.

트리즈에서 어떤 물건의 기능이란, 특정한 환경에서 선택되는 하나의 특성으로 정의한다. 즉 물건(Element)의 기능의 수는 무한개가 있으며, 어느 한 기능을 지정하려면 특별한 환경까지 지정해야 한다.

교사가 교실에서 분필로 강의하고 있다면 분필의 기능은 '칠판에 글씨를 쓰다'이고, 졸고 있는 학생에게 분필을 던져 깨우게 한다면 분필의 기능은 '날아가서 학생을 맞추는 기능'이다.

3.2. 에너지 전도성 법칙

기술 시스템 완전성의 법칙에 따라 시스템이 구성되면, 이러한 구성 요소 간에 에너지가 순환해야 한다. 이는 기술 시스템 내 구성 요소 간의 에너지 순환에만 국한되는 것은 아니다. 문제를 해결하려 한다는 것은 우리가 원하는 기능을 가지는 기술 시스템을 만드는 것이다. 에너지 전도성을 증가시켜 원하는 기능을 가진 시스템을 동작하게 하여 문제를 해결할 수 있다.

한 예로 아래 그림과 같이 좁고 깊은 구덩이 속에 공이 빠져 있다. 이 공을 어떻게

---

2) Theory if Inventive Problem Solving TRIZ 생각의 창의성, 김효준, 도서출판 지혜, 2004, 기술 진화 법칙(pp. 334-365) 인용

빼낼 것인가? 만약 공과 사람 사이에 에너지, 장(Field)이 형성될 수 있다면 어떤 유용한 작용을 얻을 것이다. 물을 채워 넣어 공을 띄우게 하여 각 구성 요소 간에 에너지가 흐르게 할 수 있다.

3.3. 리듬 조화성 법칙

기술 시스템을 구성하려면 제1 법칙에 따라 모든 구성 요소가 존재해야 하고, 제2 법칙에 따라 구성 요소 간에 에너지 흐름이 원활해야 한다. 제3 법칙에서는 구성 요소 간의 조화가 있어야 한다.

예를 들어 컴퓨터 시스템의 CPU 속도와 메인 보드의 처리 속도, 메모리의 속도 등이 모두 최적화될 때 성능이 극대화된다.

3.4. 이상성 증가의 법칙

문제 해결을 위해 필요한 비용 분의 효과가 무한대에 이르는 해결책을 이상 해결책이라고 정의하였다. 이상 시스템(Ideal Final System)이란 말도 있는데, 이는 이상 해결책과 개념이 비슷하다. 문제가 저절로 사라지는 경우, 시스템은 존재하지 않으나 기능은 존재하는 경우가 이상 시스템이다. 모든 기술 시스템은 이상 해결책, 이상 시스템을 추구하는 방향으로 발전 진화해 나간다는 것이 이상성 증가 법칙이다.

최근 고속도로 위의 과속 카메라를 속이기 위한 범법자들의 기발한 아이디어들이 뉴스에 방송되었다. 가장 처음에 나왔던 장비는 GPS 수신기와 연동하여 카메라가 설치된 장소를 차량이 지나가게 되면 번호판 주위에 설치된 특수 램프에서 특수 광선(자외선 등)이 조사되어 과속 카메라가 번호판을 찍을 수 없게 하는 원리를 사용하였다. 시간이 지나 과속 카메라의 위치에 상관없이 번호판을 접어서 운행하는 차량이 나왔다. 차량 내부와 연결된 마대를 통해 과속을 시작하기 전에 번호판을 끌어당겨 번호판이 카메라에 찍힐 수 없을 만큼의 각도로 접는 것이다. 이러한 방송을 지켜보며 기술 진화 제4 법칙에 따라 IFS에 가까운 것이 곧 출현하게 될 것을 예상할 수 있다. 최종적으로 운전자가 신경 쓸 필요 없이 일정 속도 이상이 되면 번호판이 저절로 접히게 될 것이고 어떠한 부가적인 동력원이 필요 없게 될 것이다. 아래 그림은 스프링을 설치하여 적정 속도 이상이 되면 번호판은 공기 저항을 받을 것이고 이 공기 저항으로 인해 번호판은 '저절로' 접히고 반대로 속도가 감소하면 번호판은 저절로 원상회복할 것이다.

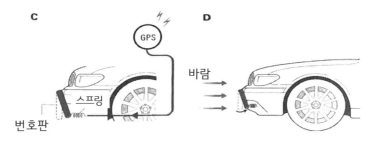

어떤 기술 시스템이든 이상성을 증가시켜 이상 해결책 또는 이상 시스템이란 종착역으로 발전해 나가는 것이므로, 궁극적으로 시스템은 사라지고 기능만 남게 되는 기술 시스템의 종착역이 될 것이다.

3.5. 시스템 불균일성의 법칙

기술 시스템의 진화가 요소의 발전 정도, 발전 속도와 조화를 이루지 못하는 경향이 있다. 어느 한 요소가 급속한 발전을 이루고 그렇지 못한 요소들의 발전이 이를 충분히 따라가지 못하게 되면, 시스템의 전체적인 성능 향상에 방해가 되어 시스템의 모든 요소가 균등하게 발전하지 못하게 되므로 결국 이것이 모순을 유발하게 된다.

한 예로 다이오드 소자의 수명을 늘리기 위해 금속 전극의 너비를 넓히면 전류 손실이라는 요소가 발생하게 된다. 시스템 불균일성의 법칙은 시스템의 원하는 한 요소를 향상시키면 다른 요소가 문제를 일으킨다는 것이다. 기술 시스템이 계속 발전하려면 모순의 형태로 나타나는 시스템의 불균일성을 극복해야 하는데, 대부분 이러한 모순을 극복하며 시스템이 발전해 나간다는 것이 시스템 불균일성 법칙의 또 다른 측면이다.

이처럼 시스템 각 요소의 발전 정도가 불균일성을 가지게 되어 모순을 유발하게 되므로 시스템은 모순을 극복하면서 발전해 나간다는 것이 시스템 불균일성의 법칙이다.

3.6. 상위 시스템으로 이동 법칙

한 개가 두 개의 복수로 되고, 두 개가 여러 개의 다수가 되면서 새로운 시스템이 생성된다는 법칙이다. 간단히 모노-바이-폴리(Mono-By-Poly)라는 용어로도 불린다. 실제 기술 시스템에서는 이러한 모노-바이-폴리가 중요한 기술 진화의 경향을 형성하고 있다.

예를 들어 하나의 PC가 독립적으로 존재하다가 지역적으로 가까운 PC 간에 연결되어 지역 네트워크(Local Network)를 형성하고, 이러한 지역 네트워크들이 다시 묶여 인터넷이라는 상위 시스템을 형성한다.

이처럼 상위 시스템으로의 이동이라는 개념에는 모노-바이-폴리 이외에도 시스템 자체는 사라지고 시스템의 기능은 상위 시스템에 흡수되는 원리도 있다. 많은 기술 시스템은 체계적인 발전과 진화를 진행하다 그 한계에 다다르면 다른 시스템과 합쳐지는 경향을 나타내는데 이러한 경향으로 인해 시스템은 사라지고 시스템의 기능만 상위 시스템으로 전이되는 경우가 발생한다.

이에 대한 예로 휴대폰이 대중화되기 이전에 삐삐라는 메신저가 있었다. 삐삐 자체는 사라졌지만, 삐삐의 기능은 상위 시스템인 휴대 전화로 옮겨갔다.

3.7. 거시구조에서 미시구조로의 전환 법칙

기술 시스템이 점점 더 작은 크기의 물질을 사용하게 되는 경향으로, 이러한 경향에는 첫째 물질을 미세하게 나누는 방법, 둘째 비어 있는 공간, 가공을 이용하는 방법, 셋째 물질을 장으로 바꾸는 방법이 있다.

한 예로 대형 판유리는 1930년대까지만 해도 대리석에 버금가는 고가의 건축자재로 여겨졌다. 최초의 판유리 제조 공정은 원료배합, 용융, 성형, 서냉, 연마, 광택의 단계를 차례로 거치면서 제조되었다.

이러한 공정에 대한 최초의 혁신적 발전이 비세룩스(Bicheroux) 공정이었다. 이 공정은 녹은 유리 용액을 두 개의 롤러 사이를 지나가게 하여 균일한 두께의 판유리를 만들 수 있는 공정이다.

두 번째 혁신은 전체 제조 공정을 연속적인 공정으로 만든 포드사와 펄킹튼 브라더스사의 협력으로 이루어졌다. 이미 포드 자동차에서는 연속공정, 컨베이어 벨트 생산방식을 처음으로 자동차 생산에 적용하고 있었다. 1922년 포드 자동차는 신모델의 자동차에 사용할 고품질 유리의 대량 공급처를 구하고 있었으므로 가장 큰 판유리 사용자가 포드 자동차였다. 펄킹튼 브라더스사는 아래 그림과 같이 포드의 자동차 연속공정을 유리 공장에 적용했다.

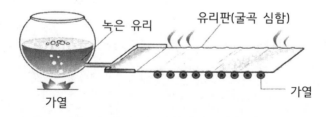

세 번째 혁신은 1952년 아래 그림과 같은 펄킹튼사의 플로트 공법(float process)으로 이루어졌다. 가마에서 나온 녹은 유리가 용융된 주석 표면 위에서 완벽하게 평평한 상태로 만들어진다. 주석은 고밀도의 물질이므로 유리와 반응하지 않는다. 롤러를 사용하다가 더 작고 더 많은 수의 롤러를 사용하다가 한계에 부딪혀 원자 단위의 롤러를 사용한 것이다. 즉, 용융된 주석이 원자 단위의 롤러 역할을 하는 것이다.

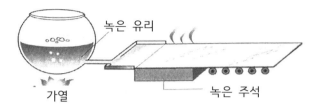

펄킹튼사는 플로트 공정을 개발함으로써 연마와 광택 공정을 채택하여 생산라인의 길이를 반 이상 줄일 수 있었다.

3.8. 조종성 증가의 법칙 (물질장 모델 증가 법칙)

기술 시스템은 조종성을 증가시키기 위해 물질장을 증가한다는 법칙이다.

자동차의 핸들을 예로 보면, 요즘 거의 모든 차량에 파워핸들이 장착되어 있다. 핸들을 쉽게 다루기 위해 유압 시스템을 활용한 것이다. 이처럼 조종성을 증가시키기 위해 별도의 시스템을 장착하거나 추가하는 것이 기술 시스템의 공통적인 경향이다.

4 모순의 정의

TRIZ에서는 모순을 크게 기술적 모순(Technical Contradiction)과 물리적 모순(Physical Contradiction)의 2가지로 분류했다. 기술적 모순의 해결은 40가지 발명 원리(40 inventive Principles), 물질-장 분석에 의한 76가지 표준해, 기술 시스템의 진화 법칙, 자연과학의 각종 효과(Effects) 등을 통해 해결책을 제시하고, 물리적 모순의 해결에는 주로 분리의 원리(Separation Principle)를 해결책으로 제시하고 있다.

4.1. 기술적 모순(Technical Contradiction)

겐리히 알츠슐러는 40가지 원리의 효율성에 대한 강한 자신감이 있었다. 그래서 일반 사람들이 어떻게 하면 40가지 원리를 좀 더 많이 그리고 쉽게 사용할 수 있을까에 대해 고민했다. 그는 우선 기술적 모순에는 상반되는 기술적 변수(Parameters)에 해당할 수 있다고 판단하여 기술적 변수를 아래와 같이 총 39가지로 표준화했다.

파라미터	내용	파라미터	내용
1	움직이는 물체의 무게	21	동력
2	움직이지 않는 물체의 무게	22	에너지 손실
3	움직이는 물체의 길이	23	물질의 손실
4	움직이지 않는 물체의 길이	24	정보의 손실
5	움직이는 물체의 면적	25	시간 손실
6	움직이지 않는 물체의 면적	26	물질의 양
7	움직이는 물체의 부피	27	신뢰성, 내구성
8	움직이지 않는 물체의 부피	28	측정의 정확도
9	속도	29	제조의 정밀도
10	힘	30	물체에 작용하는 유해 요소
11	응력 또는 압력	31	유해한 부작용
12	모양	32	제조의 편이성
13	물체의 안정성	33	사용의 편이성
14	강도	34	유지 보수의 편이성
15	움직이는 물체의 작용 지속 시간	35	적응성
16	움직이지 않는 물체의 작용 지속 시간	36	장치의 복잡성
17	온도	37	조종의 복잡성
18	밝기	38	자동화 정도
19	움직이는 물체에 의해 사용된 에너지	39	생산성
20	움직이지 않는 물체에 의해 사용된 에너지		

39가지의 기술적 변수 테이블을 사용하는 방법은 다음과 같다.

특허를 읽고, 기술적 모순을 극복한 특허는 서로 충돌하는 변수를 기술적 표준 용어(39개 중 하나)로 대입한 후, 이를 해결할 수 있는 40가지의 원리에 해당하는 번호를 아래 그림의 모순 표(a)와 같이 해당 셀에 기록한다.

아래 그림의 모순 표(b)는 1번 움직이는 물체의 무게와 10번 힘의 크기가 서로 충돌하여 기술적 모순이 발생하는 특허의 한 예를 나타낸 것이다.

이러한 방법으로 수만 건의 기술적 모순을 해결한 특허의 기술적 변수에 해당하는 것을 각 셀(39X38=1,482개의 기술적 모순에 해당)에 배치한 후, 다시 하나하나의 셀에 놓여 있는 특허를 분석했다. 그 결과 각각의 셀에 놓여 있는 특허에서 사용된 40가지의 원리들을 그 빈도순으로 아래 그림과 같이 기재했다.

모순 표를 사용하는 방법은 다음과 같다.

 (a) 기술적 모순을 발견한다.

 (b) 서로 충돌하는 기술적 변수를 정의한다.

 (c) 각각의 변수를 39가지의 표준 변수로 대입한다.

 (d) 모순 표에서 문제의 기술적 모순에 대해 추천하는 40가지의 원리를 적용한다.

좋아지는 점 \ 나빠지는 점	1 움직이는 물체의 무게	2 움직이지 않는 물체의 무게	3 움직이는 물체의 길이	4 움직이지 않는 물체의 길이	5 움직이는 물체의 면적	6 움직이지 않는 물체의 면적	7 움직이는 물체의 부피	8 움직이지 않는 물체의 부피	9 속도	10 힘	11 응력 또는 압력	12 모양	13 물체의 안정성	14 강도	15 움직이는 물체의 작용 시간	16 움직이지 않는 물체의 작용 시간	17 온도	18 밝기	19 움직이는 물체에 의해 사용된 에너지	20 움직이지 않는 물체에 사용된 에너지
1 움직이는 물체의 무게	■		15,8 29,34		29,17 38,34		29,2 40,28		2,8 15,36	8,10 18,37	10,36 37,40	10,14 35,40	1,35 19,39	28,27 18,40	5,34 31,35		6,29 4,38	19,1 32	35,12 34,31	
2 움직이지 않는 물체의 무게		■		10,1 29,35		35,30 13,2		5,35 14,2		8,13 19,35	13,29 10,18	13,10 29,14	26,39 1,40	28,2 10,27		2,27 19,6	28,19 32,22	19,32 35		18,19 28,1
3 움직이는 물체의 길이	8,15 29,34		■		15,17 4		7,17 4,35		13,4 8	17,10 4	1,8 35	1,8 10,29	1,8 15,34	8,35 29,34	19		10,15 19	32	8,35 24	
4 움직이지 않는 물체의 길이		35,28 40,29		■			17,7 10,40		35,8 2,14	28,10	1,14 35	13,14 15,7	39,37 35	15,14 28,26		1,40 35	3,35 38,18	3,25		
5 움직이는 물체의 면적	2,17 29,4		14,15 18,4		■		7,14		29,30 4,34	19,30 35,2	10,15 36,28	5,34 29,4	11,2 13,39	3,15 40,14	6,3		2,15 16	15,32 19,13	19,32	
6 움직이지 않는 물체의 면적		30,2 14,18		26,7 9,39		■				1,18 35,36	10,15 36,37		2,38	40			2,10 19,30	35,39 38		
7 움직이는 물체의 부피	2,26 29,40		1,7 4,35		1,7 4,17		■		29,4 38,34	15,35 36,37	6,35 36,37	1,15 29,4	28,10 1,39	9,14 15,7	6,35 4		34,39 10,18	2,13 10	35	
8 움직이지 않는 물체의 부피		35,10 19,14	19,14	35,8 2,14				■		2,18 37	24,35	7,2 35	34,28 35,40	9,14 17,15		35,34 38	35,6 4			
9 속도	2,28 13,36		13,14 8		29,30 34		7,29 34		■	13,28 15,19	6,18 38,40	35,15 18,34	28,33 1,18	8,3 26,14	3,19 35,5		28,30 36,2	10,13 19	8,15 35,38	
10 힘	8,1 37,18	18,13 1,28	17,19 9,36	28,10	19,10 15	1,18 36,37	15,9 12,37	2,36 18,37	13,28 15,12	■	18,21 11	10,35 40,34	35,10 21	35,10 14,27	19,2		35,10 21		19,17 10	1,16 36,37
11 응력 또는 압력	10,36 37,40	13,29 10,18	35,10 36	35,1 14,16	10,15 36,28	10,15 36,37	6,35 10	35,24	6,35 36	36,35 21	■	35,4 15,10	35,33 2,40	9,18 3,40	19,3 27		35,39 19,2		14,24 10,37	
12 모양	8,10 29,40	15,10 26,3	29,34 5,4	13,14 10,7	5,34 4,10		14,4 15,22	7,2 35	35,15 34,18	35,10 37,40	34,15 10,14	■	33,1 18,4	30,14 10,40	14,26 9,25		22,14 19,32	13,15 32	2,6 34,14	
13 물체의 안정성	21,35 2,39	26,39 1,40	13,15 1,28	37	2,11 13	39	28,10 19,39	34,28 35,40	33,15 28,18	10,35 21,16	2,35 40	22,1 18,4	■	17,9 15	13,27 10,35	39,3 35,23	35,1 32	32,3 27,15	13,19	27,4 29,18
14 강도	1,8 40,15	40,26 27,1	1,15 8,35	15,14 28,26	3,34 40,29	9,40 28	10,15 14,7	9,14 17,15	8,13 26,14	10,18 3,14	10,3 18,40	10,30 35,40	13,17 35	■	27,3 26		30,10 40	35,19	19,35 10	35
15 움직이는 물체의 작용 시간	19,5 34,31		2,19 9		3,17 19		10,2 19,30		3,35 5	19,2 16	19,3 27	14,26 28,25	13,3 35	27,3 10	■		10,35 5	2,19 6	28,6 35,18	
16 움직이지 않는 물체의 작용 시간		6,27 19,16		1,40 35									39,3 35,23			■	19,18 36,40			
17 온도	36,22 6,38	22,35 32	15,19 9	15,19 9	3,35 39,18	35,38	34,39 40,18	35,6 4	2,28 36,30	35,10 3,21	35,39 19,2	14,22 19,32	1,35 32	10,30 22,40	19,13 39	19,18 36,40	■	32,30 21,16	19,15 3,17	
18 밝기	19,1 32	2,35 32	19,32 16		19,32 26		2,13 10		10,13 19	26,19 6		32,30	32,3 27	35,19	2,19 6		32,35 19	■	32,1 19	32,35 1,15
19 움직이는 물체에 의해 사용된 에너지	12,18 28,31		12,28		15,19 25		35,13 18		8,35 24	16,26 21,2	23,14 25	12,2 29	19,13 17,24	5,19 9,35	28,35 6,18		19,24 3,14	2,15 19	■	
20 움직이지 않는 물체에 사용된 에너지		19,9 6,27								36,37			27,4 29,18	35				19,2 35,32		■
21 동력	8,36 38,31	19,26 17,27	1,10 35,37		19,38	17,32 13,38	35,6 38	30,6 25	15,35 2	26,2 36,35	22,10 35	29,14 2,40	35,32 15,31	26,10 28	19,35 10,38	16	2,14 17,25	16,6 19	16,6 19,37	
22 에너지 손실	15,6 19,28	19,6 18,9	7,2 6,13	6,38 7	15,26 17,30	17,7 30,18	7,18 23	7	16,35 38	36,38			14,2 39,6	26			19,38 7	1,13 32,15		
23 물질의 손실	35,6 23,40	35,6 22,32	14,29 10,39	10,28 24	35,2 10,31	10,18 39,31	1,29 30,36	3,39 18,31	10,13 28,38	14,15 18,40	3,36 37,10	29,35 3,5	2,14 30,40	35,28 31,40	28,27 3,18	27,16 18,38	21,36 39,31	1,6 13	35,18 24,5	28,27 12,31
24 정보의 손실	10,24 35	10,35 5	1,26	26	30,26	30,16		2,22	26,32						10	10		19		
25 시간의 손실	10,20 37,35	10,20 26,5	15,2 29	30,24 14,5	26,4 5,16	10,35 17,4	2,5 34,10	35,16 32,18		10,37 36,5	37,36 4	4,10 34,17	35,3 22,5	29,3 28,18	20,10 28,18	28,20 10,16	35,29 21,18	1,19 26,17	35,38 19,18	1
26 물질의 양	35,6 18,31	27,26 18,35	29,14 35,18		15,14 29	2,18 40,4	15,20 29		35,29 34,28	35,14 3	10,36 14,3	35,14	15,2 17,40	14,35 34,10	3,35 10,40	3,35 31	3,17 39		34,29 16,18	3,35 31
27 신뢰성, 내구성	3,8 10,40	3,10 8,28	15,9 14,4	15,29 28,11	17,10 14,16	32,35 40,4	3,10 14,24	2,35 24	21,35 11,28	8,28 10,3	10,24 35,19	35,1 16,11		11,28	2,35 3,25	34,27 6,40	3,35 10	11,32 13	21,11 27,19	36,23
28 측정의 정확도	32,35 26,28	28,35 25,26	28,26 5,16	32,28 3,16	26,28 32,3	26,28 32,3	32,13 6		28,13 32,24	32,2	6,28 32	6,28 32	32,35 13	28,6 32	28,6 32	10,26 24	6,19 28,24	6,1 32	3,6 32	
29 제조의 정밀도	28,32 13,18	28,35 27,9	10,28 29,37	2,32 10	28,33 29,32	2,29 18,36	32,28 2	25,10 35	10,28 32	28,19 34,36	3,35	32,30 40	30,18	3,27	3,27 40		19,26	3,32	32,2	
30 물체에 작용하는 유해 요소	22,21 27,39	2,22 13,24	17,1 39,4	1,18	22,1 33,28	27,2 39,35	22,23 37,35	34,39 19,27	21,22 35,28	13,35 39,18	22,2 37	22,1 3,35	35,24 30,18	18,35 37,1	22,15 33,28	17,1 40,33	22,33 35,2	1,19 32,13	1,24 6,27	10,2 22,37
31 유해한 부작용	19,22 15,39	35,22 1,39	17,15 16,22		17,2 18,39	22,1 40	17,2 40	30,18 35,4	35,28 3,23	35,28 1,40	2,33 27,18	35,1	35,40 27,39	15,35 22,2	15,22 33,31	21,39 16,22	22,35 2,24	19,24 39,32	2,35 6	19,22 18
32 제조의 편의성	28,29 15,16	1,27 36,13	1,29 13,17	15,17 27	13,1 26,12	16,40	13,29 1,40	35	35,13 8,1	35,12	35,19 1,37	1,28 13,27	11,13 1	1,3 10,32	27,1 4	35,16	27,26 18	28,24 27,1	28,26 27,1	1,4
33 사용의 편의성	25,2 13,15	6,13 1,25	1,17 13,12		1,17 13,16	18,16 15,39	1,16 35,15	4,18 39,31	18,13 34	28,13 35	2,32 12	15,34 29,28	32,35 30	32,40 3,28	29,3 8,25	1,16 25	26,27 13	13,17 1,24	1,13 24	
34 유지 보수의 편의성	2,27 35,11	2,27 35,11	1,28 10,25	3,18 31	15,13 32	16,25	25,2 35,11	1	34,9	1,11 10	13	1,13 2,4	2,35	11,1 2,9	11,29 28,27	1	4,10	15,1 13	15,1 28,16	
35 적용성	1,6	19,15 29,16	35,1 29,2	1,35 16	35,30 29,7	15,16	15,35 29		35,10 14	15,17 20	35,16	15,37 1,8	35,30 14	35,3 32,6	13,1 35	2,16	27,2 3,35	6,22 26,1	19,35 29,13	
36 장치의 복잡성	26,30 34,36	2,26 35,39	1,19 26,24	26	14,1 13,16	6,36	34,26 6	1,16	34,10 28	26,16	19,1 35	29,13 28,15	2,22 17,19	2,13 28	10,4 28,15		2,17 13	24,17 13	27,2 29,28	
37 조종의 복잡성	27,26 28,13	6,13 28,1	16,17 26,24	26	2,13 18,17	2,39 30,16	29,1 4,16	2,18 26,31	3,4 16,35	36,28 40,19	35,36 37,32	27,13 1,39	11,22 39,30	27,3 15,28	19,29 39,25	25,34 6,35	3,27 35,16	2,24 26	35,38	19,35 16
38 자동화 정도	28,26 18,35	28,26 35,10	14,13 17,28	23	17,14 13		35,13 16		28,10	2,35	13,35	15,32 1,13	18,1	25,13	6,9		26,2 19	8,32 19	2,32 13	
39 생산성	35,26 24,37	28,27 15,3	18,4 28,38	30,7 14,26	10,26 34,31	10,35 17,7	2,6 34,10	35,37 10,2		28,15 10,36	10,37 14	14,10 34,40	35,3 22,39	29,28 10,18	35,10 2,18	20,10 16,38	35,21 28,10	26,17 19,1	35,10 38,19	1

좋아지는 점 \ 나빠지는 점	21 동력	22 에너지 손실	23 물질의 손실	24 정보의 손실	25 시간의 손실	26 물질의 양	27 신뢰성, 내구성	28 측정의 정확도	29 제조의 정밀도	30 물체에 작용하는 유해 요소	31 유해한 부작용	32 제조의 편의성	33 사용의 편의성	34 유지 보수의 편의성	35 적용성	36 장치의 복잡성	37 조종의 복잡성	38 자동화 정도	39 생산성
1 움직이는 물체의 무게	12,36,18,31	6,2,34,19	5,35,3,31	10,24,35	10,35,20,28	3,26,18,31	3,11,1,27	28,27,35,26	28,35,26,18	22,21,18,27	22,35,31,39	27,28,1,36	35,3,2,24	2,27,28,11	29,5,15,8	26,30,36,34	28,29,26,32	26,35,18,19	35,3,24,37
2 움직이지 않는 물체의 무게	15,19,18,22	18,19,28,15	5,8,13,30	10,15,35	10,20,35,26	19,6,18,26	10,28,8,3	18,26,28	10,1,35,17	2,19,22,37	35,22,1,39	28,1,9	6,13,1,32	2,27,28,11	19,15,29	1,10,26,39	25,28,17,15	2,26,35	1,28,15,35
3 움직이는 물체의 길이	1,35	7,2,35,39	4,29,23,10	1,24	15,2,29	29,35	10,14,29,40	28,32,4	10,28,29,37	1,15,17,24	17,15	1,29,17	15,29,37,4,7	1,28,10	14,15,1,16	1,19,26,24	35,1,26,24	17,24,26,16	14,4,28,29
4 움직이지 않는 물체의 길이	12,8	6,28	10,28,24,35	24,26	30,29,14		15,29	32,28,3	2,32,10	1,18		15,17,27	2,25	3	1,35	1,26	26		30,14,7,26
5 움직이는 물체의 면적	19,10,32,18	15,17,20,26	10,35,2,39	30,26	26,4	29,30,6,13	29,9	26,28,32,3	2,32	22,33,28,1	17,2,18,39	13,1,26,24	15,17,13,16	15,13,10,1	15,30	14,1,13	2,36,26,18	14,30,28,23	10,26,34,2
6 움직이지 않는 물체의 면적	17,32	17,7,30	10,14,18,39	30,16	10,35,4,18	2,18,40,4	32,35,40,4	26,28,32,3	2,29,18,36	27,2,39,35	22,1,40	40,60	16,4	16	15,16	1,18,36	2,35,30,18	23	10,15,17,7
7 움직이는 물체의 부피	35,5,13,18	7,15,13,16	36,39,34,10	2,22	2,6,34,10	29,30,7	14,1,40,11		26,28	25,28,2,16	22,21,27,35	17,2,40,1	29,1,40	15,13,30,12	10	15,29	26,1	29,26,4	35,34,16,14 / 10,6,2,34
8 움직이지 않는 물체의 부피	30,6		10,39,35,34		35,16,32,18	35,3	2,35,16			35,10,25	34,39,35,4	30,18,35,4	35			1		1,31	2,17,26 / 35,37,10,2
9 속도	19,35,38,2	14,20,19,35	10,13,28,38	13,26		10,19,29,38	11,35,27,28	28,32,1,24	10,28,32,25	1,28,35,23	2,24,35,21	35,13,8,1	32,28,13,12	34,2,28,27	15,10,26	10,28,4,34	3,34,27,16	10,18	
10 힘	19,35,18,37	14,15	8,35,40,5		10,37,36	14,29,18,36	3,35,13,21	35,10,23,24	28,29,37,36	1,35,40,18	13,3,36,24	15,37,18,1	1,28,3,25	15,1,11	15,17,18,20	26,35,10,18	36,37,10,19	2,35	3,28,35,37
11 응력 또는 압력	10,35,14	2,36,25	10,36,3,37		37,36,4	10,14,36	10,13,19,35	6,28,25	3,35	22,2,37	2,33,27,18	1,35,16	11	2	35	19,1,35	2,36,37	35,24	10,14,35,37
12 모양	4,6,2	14	35,29,3,5		14,10,34,17	36,22	10,40,16	28,32,1	32,30,40	22,1,2,35	35,1	1,32,17,28	32,15,26	2,13,1	1,15,29	16,29,1,28	15,13,39	15,1,32	17,26,34,10
13 물체의 안정성	32,35,27,31	14,2,39,6	2,14,30,40		35,27	15,32,35	13	18		35,24,30,18	35,40,27,39	35,19	32,35,30	2,35,10,16	35,30,34,2	2,35,22,26	35,22,39,23	1,8,35	23,35,40,3
14 강도	10,26,35,28	35	35,28,31,40		29,3,28,10	29,10,27	11,3	3,27,16	3,27	18,35,37,1	15,35,22,2	11,3,10,32	32,40,28,2	27,11,3	15,3,32	2,13,25,28	27,3,15,40	15	29,35,10,14
15 움직이는 물체의 작용 시간	19,10,35,38		28,27,3,18	10	20,10,28,18	3,35,10,40	11,2,13	3	3,27,16,40	22,15,33,28	21,39,16,22	27,1,4	12,27	29,10,27	1,35,13	10,4,29,15	19,29,39,35	6,10	35,17,14,19
16 움직이지 않는 물체의 작용 시간	16		27,16,18,38	10	28,20,10,16	3,35,31	34,27,6,40	10,26,24		17,1,40,33	22	35,10	1	1	2		25,34,6,35	20,10,16,38	
17 온도	2,14,17,25	21,17,35,38	21,36,29,31		35,28,21,18	3,17,30,39	19,35,3,10	32,19,24	24	22,33,35,2	22,35,2,24	26,27	26,27	4,10,16	2,18,27	2,17,16	3,27,35,31	26,2,19,16	15,28,35
18 밝기	32		13,16,1,6	13,1	1,6	19,1,26,17	1,19			11,15,32	3,32	15,19	35,19,32,39	19,35,28,26	28,26,19	15,17,13,16	15,1,19	6,32,13	32,15
19 움직이는 물체에 의해 사용된 에너지	6,19,37,18	12,22,15,24	35,24,18,5		35,38,19,18	34,23,16,18	19,21,11,27	3,1,32		1,35,6,27	2,35,6	28,26,30	19,35	1,15,17,28	15,17,13,16	2,29,27,28	35,38	32,2	12,28,35
20 움직이지 않는 물체에 사용된 에너지			28,27,18,31			3,35,31	10,36,23			10,2,22,37	19,22,18	1,4				19,35,16,25			1,6
21 동력	■	10,35,38	28,27,18,38	10,19	35,20,10,6	4,34,19	19,24,26,31	32,15,2	32,2	19,22,31,2	2,35,18	26,10,34	26,35,10	35,2,10,34	19,17,34	20,19,30,34	19,35,16	28,2,17	28,35,34
22 에너지 손실	3,38	■	35,27,2,37	19,10	10,18,32,7	7,18,25	11,10,35	32		21,22,35,2	21,35,2,22		35,32,1	2,19		7,23	35,3,15,23	2	28,10,29,35
23 물질의 손실	28,27,18,31	35,27,2,31	■		15,18,35,10	6,3,10,24	10,29,39,35	16,34,31,28	35,10,24,31	33,22,30,40	10,1,34,29	15,34,33	32,28,2,24	2,35,34,27	15,10,2	35,10,28,24	35,18,10,13	35,10,18	28,35,10,23
24 정보의 손실	10,19	19,10		■	24,26,28,32	24,28,35	10,28,23			22,10,1	10,21,22	32	27,22				35,33	35,33	13,23,15
25 시간의 손실	35,20,10,6	10,5,18,32	35,18,10,39	24,26,28,32	■	35,38,18,16	10,30,4	24,34,28,32	24,26,28,18	35,18,34	35,22,18,39	35,28,34,4	4,28,10,34	32,1,10	35,28	6,29	18,28,32,10	24,28,35,30	
26 물질의 양	35	7,18,25	6,3,10,24	24,28,35	35,38,18,16	■	18,3,28,40	13,2,28	33,30	35,33,29,31	3,35,40,39	29,1,35,27	35,29,10,25	2,32,10,25	15,3,29	3,13,27,10	3,27,29,18	8,35	13,29,3,27
27 신뢰성, 내구성	21,11,26,31	10,11,35	10,35,29,39	10,28	10,30,4	21,28,40,3	■	32,3,11,23	11,32,1	27,35,2,40	35,2,40,26		27,17,40	1,11	13,35,8,24	13,35,1	27,40,28	11,13,27	1,35,29,38
28 측정의 정확도	3,6,32	26,32,27	10,16,31,28		24,34,28,32	2,6,32	5,11,1,23	■		28,24,22,26	3,33,39,10	6,35,25,18	1,13,17,34	1,32,13,11	13,35,2	27,35,10,34	26,24,32,28	28,2,10,34	10,34,28,32
29 제조의 정밀도	32,2	13,32,2	35,31,10,24		32,26,28,18	32,30	11,32,1		■	26,28,10,36	4,17,34,26		1,32,35,23	25,10		26,2,18		26,28,18,23	10,18,32,39
30 물체에 작용하는 유해 요소	19,22,31,2	21,22,35,2	33,22,19,40	22,10,2	35,18,34	35,33,29,31	27,24,2,40	28,33,23,26	26,28,10,18	■		24,35,2	2,25,28,39	35,10,2	35,11,22,31	22,19,29,40	22,19,29,40	33,3,34	22,35,13,24
31 유해한 부작용	2,35,18	21,35,22,2	10,1,34	10,21,29	1,22	3,24,39,1	24,2,40,39	3,33,26	4,17,34,26		■				19,1,31	2,21,27,1	2		22,35,18,39
32 제조의 편의성	27,1,12,24	19,35	15,34,33	32,24,18,16	35,28,34,4	35,23,1,24		1,35,12,18		24,2		■	2,5,13,16	35,1,11,9	2,13,15	27,26,1	6,28,11,1	8,28,1	35,1,10,28
33 사용의 편의성	35,34,2,10	2,19,13	28,32,2,24	4,10,27,22	4,28,10,34	12,35	17,27,8,40	25,13,2,34	1,32,35,23	2,25,28,39		2,5,12	■	12,26,1,32	15,34,1,16	32,26,12,17		1,34,12,3	15,1,28
34 유지 보수의 편의성	15,10,32,2	15,1,32,19	2,35,34,27		32,1,10,25	2,28,10,25	11,10,1,16	10,2,13	25,10	35,10,2,16		1,35,11,10	1,12,26,15	■	7,1,4,16	35,1,13,11		34,35,7,13	1,32,10,25
35 적용성	19,1,29	18,15,1	15,10,2,13		35,28	3,35,15	35,13,8,24	35,5,1,10		35,11,32,31		1,13,31	15,34,1,16	1,16,7,4	■	15,29,37,28	1	27,34,35	35,28,6,37
36 장치의 복잡성	20,19,30,34	10,35,13,2	35,10,28,29		6,29	13,3,27,10	13,35,1	2,26,10,34	26,24,32	22,19,29,40	19,1	27,26,1,13	27,9,26,24	1,13	29,15,28,37	■	15,10,37,28	15,1,24	12,17,28
37 조종의 복잡성	19,1,16,10	35,3,15,19	1,18,10,24	35,33,27,22	18,28,32,9	3,27,29,18	27,40,28,8	26,24,32,28		22,19,29,28	2,21	5,28,11,29	2,5	12,26	1,15	15,10,37,28	■	34,21	35,18
38 자동화 정도	28,2,27	23,28	35,10,18,5	35,33	24,28,35,30	35,13	11,27,32	28,26,10,34	28,26,18,23	2,33	2	1,26,13	1,12,34,3	1,35,13	27,4,1,35	15,24,10	34,27,25	■	5,12,35,26
39 생산성	35,20,10	28,10,29,35	28,10,35,23	13,15,23		35,38	1,35,10,38	1,10,34,28	18,10,32,1	22,35,13,24	35,22,18,39	35,28,2,24	1,28,7,19	1,32,10,25	1,35,28,37	12,17,28,24	35,18,27,2	5,12,35,26	■

모순 표(a)

좋아지는 점 \ 나빠지는 점		1 움직이는 물체의 무게	2 움직이지 않는 물체의 무게	..	10 힘	..	38 자동화 정도	39 생산성
1	움직이는 물체의 무게				8, 10 18, 37			
2	움직이지 않는 물체의 무게							
:								
38	자동화 정도							
38	생산성							

추천된 4가지 발명 원리
8. 공중 부양
10. 사전 조치
18. 진동
37. 열팽창

모순 표(b)

4.2. 물리적 모순(Physical Contradiction)

한가지 변수가 서로 다른 값을 동시에 가져야 하는 경우로 다음과 같은 4가지 분리의 원리에 의해 해법이 제시되었다.

(a) 시간에 의한 분리 (Separation in Time): A 시간에는 변수가 +속성값을, B 시간에는 동일 변수가 -속성값을 갖도록 분리하는 해결책

(b) 공간에 의한 분리 (Separation in Space): A 공간에는 변수가 +속성값을, B 공간에는 동일 변수가 -속성값을 갖도록 분리하는 해결책

(c) 전체와 부분에 의한 분리 (Separation in Scale): 전체적으로는 변수가 +속성값을, 부분적으로는 동일 변수가 -속성값을 갖도록 분리하는 해결책

(d) 조건에 의한 분리(Separation in Condition): 위 1, 2, 3의 분리법을 일반화하는 해결책, A 조건에는 변수가 +속성값을, B 조건에는 동일 변수가 -속성값을 갖도록 분리하는 해결책

그러나 실제로 기술적인 문제를 풀 때는 이렇게 멋있는 프로세스가 통하지 않는다. 구구단을 외워 곱셈하듯 40가지 원리를 머릿속에 저장할 수 있어야 문제를 풀 수 있지, 모순 표를 이용해서 문제를 풀 수 있는 경우는 많지 않다. 모순 표를 참조하면 도움이 될 뿐이지 그 자체가 완벽할 수는 없다.

전 세계의 많은 사람이 트리즈를 깊이 있게 이해하거나 실전 문제에 적용하여 경험을 쌓지 않은 채 모순 표를 들고 다니며 트리즈를 홍보해 왔다. 그 결과, 사람들은 트리즈가 좋긴 하지만, 해결책을 도출하는 것을 못 봤다고 비아냥거렸다. 이처럼 트리즈가 좋음에도 불구하고 배우고 적용하기 너무 어렵다는 평을 들어 겐리히 알츠슐러도 1975년 이후 모순 표의 사용을 중지했다. 여기서 모순 표를 소개하는 것은, 보다 체계적이고 창의적인 사고의 날개를 펼치기를 기대하기 때문이다.

5 자원의 활용: 76가지 표준해[3)

5.1. 76가지 표준해의 구성

자원의 활용이라는 중요한 개념으로부터 시작된 표준해이지만, 겐리히 알츠슐러는 그것을 개발하면서 또 하나의 중요한 개념을 기준으로 76가지 표준해를 정립해 나갔다. 알츠슐러는 어떤 기술 시스템이 수많은 경쟁을 헤치고 살아남아 계속해서 강한 시스템으로 성장해 가는지에 대한 관심이 많았다. 이런 시스템의 공통점은 무엇일까?

이러한 관점에서 알츠슐러는 18개의 물질장 모델을 포함하는 76가지 표준해를 다음과 같은 5가지 관점으로 분류하여 정립시켰다.

Class 1: 기술 시스템이 시장에 출현하기 위한 조건에 관한 것으로, 기술 시스템이 출현하면서 내부적으로 발생하는 유해한 작용을 어떻게 제거하느냐에 초점이 맞추어져 있다.

Class 2: 시장에 출현한 시스템이 어떻게 내부적으로 더욱더 강해지고 효율이 향상되어 진화하느냐에 초점이 맞추어져 있다.

Class 3: 어느 정도 내부적으로 강해지고 진화가 마무리된 후 어떻게 주변 환경의 요소와 어우러져 외부적으로 강해지느냐에 초점이 맞추어져 있으며, 다차원 분석에 의하면 상위 시스템으로의 전이에 해당한다.

Class 4: 시스템의 진화와 더불어 발생하는 측정과 검출의 문제에 대한 해결책을 포함하고 있다.

Class 5: Class 1 ~ 4에서 제시하는 해결책을 실제 적용에 도움이 될 방법을 제시하고 있다.

Class 1 ~ 3에는 기술 시스템의 진화에 대한 다양한 설명들이 포함되어 있다. 알츠슐

---

3) 이 원리는 김효준 저 "Theory of Inventive Problem Solving TRIZ 생각의 창의성"의 자원의 활용: 76가지 표준해(pp. 228~279)에서 발췌한 것이다.

러는 이를 다시 재정립하여 기술 진화 법칙으로 설명하고 있다. 76가지 표준해는 매우 어려운 내용이다. 주옥같은 문제 해결 원리들이지만, 처음 접하는 사람에게는 매우 어렵게 생각될 것이다. 이 경우 기술 진화 법칙부터 공부하는 것도 좋은 방법이다.

5.2. 76가지 표준해(76 Standard Solutions)

Class 1: 물질장 모델의 구성과 유해 기능 제거

Group 1-1 : 물질장 모델의 구성

표준해 1-1-1. 물질장 모델 구성

새로운 물질이나 장(field)을 추가할 수 있다면 문제를 새로운 물질장 모델로 구성함으로써 해결할 수 있다. 물체를 장의 작용으로 인해 원하는 대로 바뀌게 한다.

> ex: 가루 물질에서 공기를 제거하기 위해 물질에 원심력을 작용시킨다.

표준해 1-1-2. 물질 내부에 첨가물 도입

물질장 모델의 기존 물질 내부에 새로운 물질을 첨가한다.

> ex: 크기가 매우 작은 액체 방울을 육안으로 검출하기 위해 미리 액체에 형광물질을 첨가하면 자외선 빛 등을 이용하여 육안으로 쉽게 검출할 수 있다.

표준해 1-1-3. 물질 외부에 첨가물 도입

물질장 모델의 기존 물질의 표면이나 외부에 새로운 물질을 첨가한다.

> ex: 가스관에서 가스의 누출을 감지하기 위해 가스관의 표면에 가스와 반응할 때 화학작용으로 거품을 생성하는 물질을 씌우면 육안으로 쉽게 검출할 수 있다.

표준해 1-1-4. 외부 환경 물질 이용

기존 물질 내부에 새로운 물질을 첨가하기가 어려울 뿐만 아니라 기존 물질의 표면이나 외부에 첨부하기도 어렵다면, 주위의 활용하기 쉽고 풍부한 자원을 물질장 모델에 포함시킨다.

> ex: 회전속도 측정을 위한 원심력 게이지는 레버와 추로 되어 있다. 추의 무게를 줄이면서도 밑으로 당기는 힘을 줄이지 않기 위해서 추를 비행기 날개 모양으로 만들어 주위 공기를 활용한다.

표준해 1-1-5. 변화시킨 외부 환경 물질 이용

외부 환경에 유용한 물질이 없으면, 외부 환경 자체를 바꾸거나 외부 환경에 첨가물을 도입한다.

ex: 자동차 주행 시에 공기 흐름을 눈으로 보고 싶으면 풍동 실험실 내부에 연기를 첨가한다.

표준해 1-1-6. 최소한의 조치

적당한 조치 또는 최소한의 조치가 필요한데 이를 미세 조절하기 어려우면 과도한 조치 또는 최대한의 조치를 한다. 이때 초과하는 장은 물질에 의해 제거되고 물질이 초과하면 장에 의해 제거된다.

ex: 부품을 얇고 정밀하게 칠하기 위해 페인트가 담긴 용기에 부품을 담근 후 빼내어 회전시키면 원심력에 의해 과잉의 페인트가 제거된다.

표준해 1-1-7. 최대한의 조치

최대한의 조치가 필요하지만, 이것이 어렵다면 새로운 물질을 물질장 모델에 추가한 후 이 새로운 물질에 최대한의 조치를 한다.

ex: 강도가 큰 강화 콘크리트를 제조할 때 철근을 내부에 삽입한 후 700도의 열을 가하여 철근을 늘어트린 상태에서 콘크리트를 굳혀 강도를 증가시킨다. 철근 대신 가격이 싼 금속 철사를 사용할 수 있지만 400도 이상의 온도에 견딜 수 없다. 철근과 금속 철사를 연결한 후 철근에만 열을 가하면 금속 철사도 같이 늘어나므로 문제를 해결할 수 있다.

표준해 1-1-8-1. 선택적 조치

최대한의 조치와 최소한의 조치가 선택적으로 작용해야 한다면, 우선 최대한의 초치를 한 후 최소한의 조치가 필요한 곳에 보호 물질을 추가한다.

ex: 주사용 유리 용기(앰플, ample)를 밀봉할 때 과열은 주사약 성분을 변화시키므로 밀봉되는 끝부분을 제외한 나머지 부분은 물속에 넣는다. 물에 의해 밀봉되는 부분을 제외한 곳의 과열이 차단되므로 약품의 변질 문제를 해결할 수 있다.

표준해 1-1-8-2. 선택적 조치

최대한의 조치와 최소한의 조치가 선택적으로 작용해야 한다면, 우선 최소한의 초치를 한 후 최대한의 조치가 필요한 곳에만 추가적인 장을 생성할 수 있는 새로운 물질을 추가한다.

ex: 두 개의 금속 부품을 용접할 때 용접이 이루어지는 면에 화약 성분의 물질을 발라두면 용접할 때 추가 열이 발생하여 적은 불꽃으로 용접이 이루어질 수 있다.

Group 1-2 : 물질장 모델의 유해 작용 제거

표준해 1-2-1. 제3의 물질 도입

직접적인 접촉이 필요 없는 두 물질 사이에 유해 작용이 존재한다면 제3의 물질을 두 물질 사이에 도입한다.

ex: 구멍을 뚫는 시추공은 구멍의 벽면을 견고하게 하려고 폭발 중에 발생하는 고압의 가스를 활용하지만, 가스가 벽면에 미세한 크랙을 발생시키므로 제3의 물질인 점토를 이용하여 벽면에 씌운다.

표준해 1-2-2. 제3의 물질을 내부에서 도입

직접적인 접촉이 필요 없는 두 물질 사이에 유해 작용이 있고, 외부 물질을 제3의 물질로 사용하기 어려우면 기존 물질장 모델의 물질을 변형하여 두 물질 사이에 추가할 수 있다.

ex: 여객선의 일종인 수중 익선의 날개가 급속한 바닷물의 흐름으로 인해 일시적인 공동으로 인한 충격(cavitation)에 손상될 수 있다. 수중 익선의 날개 주변에 얼음 막을 형성시키면 날개의 파손을 막을 수 있다.

표준해 1-2-3. 제3의 물질을 외부에서 도입

유해 작용을 없애기 위해 유해 작용을 유도할 수 있는 새로운 물질을 추가한다.

ex: 추운 겨울 땅속에 매설된 통신 케이블이 응력으로 인해 파손되는 것을 방지하기 위해 케이블을 매설하는 공간을 더 여유 있게 하여 공기를 가둔 공간을 만든다.

표준해 1-2-4. 하중 물질장 모델로 변환

물질장 모델에서 직접적인 접촉이 필요한 두 물질 사이에 유익한 작용과 함께 유해한 작용도 있다. 유익한 작용은 기존의 장을 이용하여 유지하고, 유해 작용은 새로운 장을 이용해 없애는 이중 물질장 모델로 변환한다.

ex: 꽃의 수분 작용을 인공적으로 하기 위해 공기 흐름으로 꽃가루를 이동할 수 있으나, 이 방법은 꽃봉오리를 닫게 만든다. 이때 정전기를 이용하여 꽃을 개화시킬 수 있다.

표준해 1-2-5. 물질의 자성 특성 변환

물질장 모델에서 유익한 작용과 함께 유해한 작용이 동시에 있고 이를 자기장을 이용하여 제거하려면 물질의 자기적 특성 변환(강자성 특성 변환, 예: 충격이나 큐리 온도 이상의 가열에 의한 자성 성질)을 이용한다.

> **ex:** 전기 용접을 하고 있을 때 자성을 가진 입자(강자성 입자)를 용접 부위로 투입하기가 매우 어렵다. 용접 전류에 의한 전자기장으로 인해 자성을 지닌 강자성 입자를 용접부에 정확하게 위치시키기란 어려운 것이다. 이 문제를 해결하기 위해 강자성 입자를 큐리온도 이상으로 가열하여($F_{thermal}$) 비자성체로 만들면 가능하다.

Class 2: 물질장 모델의 내부적 진화

Group 2-1 : 이중 물질장 모델로 변환

표준해 2-1-1. 새로운 물질장 추가

물질장 모델에서 하나의 물질을 독립적으로 제어되는 새로운 물질장 모델로 대체하여 효율을 높인다.

> **ex:** 가파른 경사지에서 작동 중인 굴착기가 있을 때, 무게 중심을 가변시킬 수 있는 장치를 도입한다.

표준해 2-1-2. 이중으로 적용된 점의 추가

물질장 모델의 한 요소를 대체하거나 제거할 수 없으면 제어가 쉬운 새로운 장을 이중으로 기준 물질에 적용하여 효율을 높인다.

> **ex:** 용융된 금속은 전자기력을 따라 이용하여 회전시킴으로써 용광로에 용융된 금속의 안정된 제어를 보장할 수 있다.

Group 2-2 : 물질장 모델의 일반적 진화

표준해 2-2-1. 장의 진화

물질장 모델에서 제어가 어려운 장을 제어가 쉬운 장으로 대체하여 효율이 향상되도록 진화시킨다. 중력장은 기계장으로, 기계장은 전기장으로 대체하는 것이 이에 해당한다.

> **참고:** 일반적으로 트리즈에서는 다음과 같은 장의 대체(진화) 방향을 제시한다 : 기계장(Mechanical Field) -> 음파장(Acoustic Field) -> 화학장(Chemical Field) -> 전기장(Electric Field) -> 전자기장(Electromagnetic Field)

ex: 비균질 금속의 절단을 위해 금속 날을 수압 전단기로 대체한다.

ex: 반도체 레이저의 경우 지속적인 발진 시 발생하는 과열을 방지하기 위해 시간 간격을 가지는 펄스 형태로 발진하여 일정한 힘을 유지하면서도 과열을 방지한다.

표준해 2-2-2. 도구의 세분화

물질장 모델에서 유익한 작용을 가하는 물질, 즉 도구(tool)가 세분화되는 방향으로 진화한다.

ex: 단순한 일반 칼날 -> 이빨을 가진 칼 -> 연마제로 코팅 처리된 칼 -> 수압절단기 -> 플라즈마 절단기 -> 레이저 절단기

표준해 2-2-3. 도구의 미세가공화

물질장 모델은 고체 물질이 미세가공화 되어 진화하는 경향이 있다. 고체 물질 -> 하나의 구멍을 가진 물질 -> 여러 개의 구멍을 가진 물질 -> 미세 다공성 물질 -> 특정 기공 구조의 미세 다공성 물질

ex: 많은 모세관을 가진 물질은 미끈한 물질 표면보다 확실하게 액체 접착제를 표면에 접착시킨다.

표준해 2-2-4. 역동성 증가

물질장 모델을 유연함과 신속함을 추구하는 역동성이 증가하는 방향으로 진화시킨다.

ex: 컨테이너 화물차의 경우 컨테이너와 운전 차량이 분리되어 역동성이 증가하여 운전이 편리하고 차량의 전체 회전 반경이 작아진다.

표준해 2-2-5. 균질하고 무질서한 장을 대체

물질장 모델의 장이 무질서한 구조를 가졌다면 시간적으로나 물질적으로 일정한 구조의 세기를 가지는 장으로 진화하는 경향이 있다.

ex: 세라믹으로 구성된 내화 벽돌은 높은 온도에 견딜 수 있다. 내화성을 높이기 위해 벽돌을 제조할 때 기공이 있는 물질을 미리 섞어 놓으면 소결 과정에서 그 물질은 타버리고 다공성 벽돌만 남게 된다.

Group 2-3: 리듬, 조화를 따르는 진화

표준해 2-3-1. 장의 주파수와 물질 간의 진동수 조화

장의 주파수를 물질의 고유 진동수와 일치시키거나 불일치시켜 효율이 향상되는 방향

으로 진화시킨다.

ex: 마사지 등의 건강 기구의 작동 주기를 사용자의 맥박 주기와 동기화한다.

표준해 2-3-2. 이중 물질장 모델에서 장들 간의 진동수 조화

이중 물질장 모델이면 적용되고 있는 장들의 진동수를 일치시키거나 불일치시켜 효율이 향상되는 방향으로 진화시킨다.

ex: 전류와 자기장을 이용하여 부품을 특정 재료로 코팅할 때 재료는 분말의 형태로 작용한다. 전류와 자기장의 진동 주파수를 같게 조정함으로써 균질한 코팅 품질을 확보할 수 있다.

표준해 2-3-3. 두 개의 작용 간의 조화

변경시키는 작용과 측정하는 작용은 양립할 수 없다. 이 경우 하나의 작용은 다른 작용이 일시 정지되었을 때 수행하고 이것이 번갈아 반복되어 조화를 이루는 방향으로 진화한다.

ex: 아크 용접 시 용접면의 정확성 확보를 위해 요구되는 측정은 전류의 진동 주파수 사이의 일시 정지 기간에 수행된다.

Group 2-4 : 강자성(ferromagnetic) 물질장 모델

표준해 2-4-1. 강자성 물질 도입

강자성 물질과 자기장을 이용한 강자성 물질장 모델을 만들어 효율이 향상되는 방향으로 진화시킨다.

ex: 두 개의 파이프를 정밀하게 결합해야 한다면 결합 위치가 정밀하게 일치하도록 파이프를 자화된 강자성 물질로 만든다.

표준해 2-4-2. 강자성 물질의 세분화(Segmentation)

세분화된 강자성 물질을 이용하고 자기장을 기존의 장과 함께 도입하여 물질장 모델의 조종성을 증가시키는 방향으로 진화시킨다.

참고: 제어 효율은 도입된 물질의 세분화 정도 또는 강자성 입자의 세분화 정도가 높일수록 향상된다.

강자성 입자: 작은 알갱이 -> 분말 -> 미세 입자 -> 자성 유체

물질: 고체 -> 알갱이 -> 분말 -> 액체

ex: 모양이 매번 일정하지 않으면서 동시에 깨어지기 쉬운 물건을 잡아 고정시

키는 특수 로봇 팔을 만들기가 쉽지 않다. 강자성 입자를 대상물의 주위에 뿌리거나 도포하고 정밀하게 계산된 강력한 전자기장을 생성하여 물체를 잡아 고정시킬 수 있다.

표준해 2-4-3. 자성 유체 도입

강자성 물질장 모델은 자성 유체(실리콘, 물 또는 기름에 떠다닐 수 있는 강자성 입자가 포함된 액체)를 적용하여 효율이 향상되는 방향으로 진화시킨다.

ex: 자성 유체를 활용한 충격 흡수기는 1/1000초 만에 필요한 힘을 전달할 수 있다.

표준해 2-4-4. 강자성 물질의 미세가공화

강자성 모델을 강자성 물질을 미세가공화 된 구조를 갖게 함으로써 효율이 향상되는 방향으로 진화시킨다.

ex: 연속 납땜 장비는 초과 공급되는 용융된 납을 흡수하기 위해 강자성 재료로 덮인 실린더를 가지고 있다. 특히 실린더가 특별한 미세 가공 구조로 되어 있어 흡수된 용융 납은 납땜하는 부위로 자동으로 공급될 수 있다.

표준해 2-4-5. 내, 외부 합성 강자성 물질장 교체

물질을 강자성 입자로 대체하여 조종성이 향상된 강자성 물질장 모델을 만들기가 어려우면 강자성 물질을 물질 내부에 첨가하거나 표면이나 외부에 첨부한다. 이처럼 내부 합성 또는 외부 합성 강자성 물질장 모델을 만들어 발전하는 방향으로 진화시킨다.

ex: 비자성 물질을 자석으로 운반하거나 조종하기 위해 자성 물질을 비자성 물질 내부에 첨가하거나 용기를 자성 물질로 표면을 감싸도록 만들어 자기장으로 운반하거나 조종한다.

표준해 2-4-6. 강자성 첨가물을 외부 환경에 도입

물질을 강자성 입자로 대체하여 조종성이 향상된 강자성 물질장 모델을 만들기가 어려우면, 강자성 물질을 외부 환경에 도입하고 자기장을 사용하여 제어 효율을 향상시킬 수 있다.

ex: 특정 액체 속에 가라앉는 물체의 낙하 속도를 조절하기 위해 강자성 입자를 액체에 도입하고 전자기장을 이용하여 액체의 밀도를 조절한다. 이러한 원리는 일반 기계의 기어 원리로는 구현할 수 없는 큰 감속비의 기어를 제작하는데도 응용할 수 있다.

표준해 2-4-7. 물리적 효과의 적용

강자성 물질장 모델의 조종성을 향상시키려면 일반적인 물리적 효과를 적절히 이용해야 한다.

> **ex:** 자기장 증폭기의 감도를 높이면 코어가 가열되는 문제가 발생한다. 절대 온도에서 자기장의 잡음을 줄이기 위해 코어는 큐리 온도가 0.92-0.99가 되도록 홉킨스 효과를 적용한다.

표준해 2-4-8. 강자성 물질장 모델의 역동성 증가

강자성 물질장 모델을 유연함과 신속함을 추구하는 역동성이 증가하는 방향으로 진화시킨다.

> **참고:** 역동성이 증가한다는 것은 하나의 물질을 연결부위가 있는 두 개로 나누는 것으로부터 시작하여 다음의 경향을 따라 진화한다.

하나의 연결고리 -> 여러 개의 연결고리 -> 유연한 물질.

그리고 장의 역동성이 증가한다는 것은 연속적인 장(또는 장과 물질)으로부터 펄스(pulse)의 형태를 지닌 장의 변환으로도 가능하다.

> **ex:** 문에 자석을 이용한 잠금장치는 강자성 물질장 모델의 한 예이다. 고무 자석은 역동성을 증가시켜 다양한 모양의 자석으로 이용할 수 있을 뿐 아니라 냉장고의 밀폐성을 향상시킬 수도 있다.

표준해 2-4-9. 균질하고 무질서한 강자성 물질장의 대체

강자성 물질장 모델의 장이 무질서한 구조를 가졌다면 시간적으로나 공간적으로 일정한 구조의 세기를 가지는 장으로 대체되어 진화하는 경향이 있다.

> **참고:** 어떤 공간적 구조를 물질에 적용하려면 물질에 필요한 공간적 구조와 일치하는 구조의 장을 이용할 수 있다.

> **ex:** 면섬유를 플라스틱으로 만들기 위해 플라스틱을 가열한 후 늘리면서 냉각한다. 이때 강자성 재료가 플라스틱 표면에 적용되면 플라스틱이 늘어나는 정도가 커진다.

표준해 2-4-10. 강자성 물질장 구성 요소 간의 리듬 일치

강자성 물질장 구성 요소 간의 리듬을 일치시켜 효율을 향상시킬 수 있다.

> **ex:** 자기장 내에 기계적 진동이 있어 물체가 흔들리거나 분리될 우려가 있으면

자기장의 주파수를 조정하여 물체가 안정되게 한다.

표준해 2-4-11. 전기 물질장 모델

강자성을 도입하기가 어렵고 자화시키기도 어렵다면 1) 외부 전기장과 내부 전류 간의 상호작용 2) 접촉식 혹은 비접촉식으로 유도된 전기장 3) 전류 간의 상호작용 등을 이용하여 전기 물질장 모델을 합성한다.

ex: 금속에서 접촉 부위의 고착력을 증가시키기 위해 금속에 전기와 자기가 적절히 흐르도록 할 수 있다.

표준해 2-4-12. 전기 물질장 모델의 유체 도입

톨루엔에 미세한 석영 가루를 첨가하면 전기장을 이용해 점도를 조절할 수 있다. 이처럼 액체를 이용하여 전기 물질장 모델을 활용할 수 있다.

ex: 톨루엔에 미세한 석영 가루를 첨가한 후 전기장을 이용해 점도를 조절하여 충격 흡수 장치에 활용할 수 있다.

Class 3: 물질장 모델의 외부적 진화

Group 3-1 : 이중(Bi) 시스템과 다중(Poly)시스템으로 전이

표준해 3-1-1. 단일-이중-다중(Mono-Bi-Poly)

현재 시스템이 효율 향상의 한계에 부딪히면 다른 시스템이나 자기 자신과 복수로 결합하여 이중 시스템 또는 다중시스템으로 만든다.

참고: 이중 또는 다중시스템은 2개 또는 그 이상의 요소를 간단히 결합하여 만들 수 있다. 전체 시스템 간의 결합일 수도 있고, 시스템 요소 간의 결합 또는 한 시스템의 요소가 다른 시스템과 결합하기도 한다.

ex: 검은 볼펜과 빨간색 볼펜이 만나 두 개의 색을 가진 펜이 만들어질 수도 있고 4개 이상의 색을 가진 펜도 만들 수 있다.

표준해 3-1-2. 이중, 다중시스템의 요소 간 연결(link) 개선

이중, 다중시스템의 요소 간 연결을 발전시켜 시스템의 효율이 향상되는 방향으로 진화시킨다.

참고: 요소 간 연결이 움직이지 못하게 하거나 움직이기 쉽고 역동적으로 할 수 있다.

ex: 화물차에 화물칸을 연결하는 방식은 사용 목적에 따라 다양한 형태를 가진다. (일반화물, 컨테이너 차량, 쓰레기차 등) 레저용 차량의 화물칸 연결에는 브레이크와 브레이크 등의 신호등이 화물칸에 연결된다. 굴절 버스도 기존 일반 버스에 비해 연결부위에 가장 큰 기술적 노하우가 있다.

표준해 3-1-3. 이중, 다중시스템의 요소 간 다양성 증가

이중, 다중시스템의 요소 간 차이를 크게 하거나 다양하게 하여 효율을 향상시킨다.

참고: 일반적으로 다음과 같은 순서로 진화한다. 유사한 요소 간 결합 -> 다른 성질의 요소 간 결합 -> 다른 요소 간 결합 -> 반대 기능 요소 간의 결합

ex: 같은 색의 연필 -> 다른 색의 연필 -> 형광펜과 연필 -> 연필과 지우개

표준해 3-1-4. 이중, 다중시스템의 진화

이중, 다중시스템의 요소들이 하나의 요소에 완벽히 통합되어 이중, 다중시스템이 다시 하나의 단일시스템으로 바뀐다. 단일시스템은 다시 단일-이중-다중시스템으로 진화할 것이다.

ex: 18세기 일반 장총이 개발되고 이후에 총구가 두 개인 총이 다시 개발된다. 다시 8-10개의 총구가 회전하는 원시적 기관총이 개발되었고, 이것이 다시 탄창 형식의 단발형 기관총으로 개발되었다. 이렇게 완벽히 통합된 기관총이라는 단일시스템은 총검을 부착하여 이중 시스템이 되고 유탄 발사 장치 등과 결합하여 다중시스템이 된다.

표준해 3-1-5. 이중, 다중시스템이 물리적 모순 해결

이중, 다중시스템의 전체적 특성과 부분적 특성을 상반되게 하여 효율을 향상시킨다.

참고: 어떤 특성을 가진 시스템이 이중, 다중으로 결합되어 처음 단일시스템이 가졌던 특성과 반대되는 특성을 갖게 하여 물리적 모순을 해결할 수 있다.

ex: 자전거의 체인은 금속핀이 다중으로 연결된 구조이다. 부분적으로 금속핀은 단단하여 뒷바퀴에 큰 동력을 전달할 수 있지만, 전체적으로 보면 서로 연결되어 유연하게 고무처럼 움직일 수 있어 페달과 뒷바퀴 사이를 유연하게 회전한다.

Group 3-2 : 미시 수준(Micro Level)으로 전이

표준해 3-2-1. 미시 수준으로 전이

현재 시스템이 효율 향상의 한계에 부딪히면 물질을 미시 수준으로 대체한다.

참고: 시스템이나 시스템의 부품은 장과 상호 작용하여 원하는 기능을 수행할 수 있는 미세 물질로 대체된다. 미세 물질로는 결정격자(Crystal Lattice), 액체, 기체, 연기, 플라즈마, 분자, 이온, 원자, 장 등이 있다.

ex: 넓은 판유리는 용융된 유리 용액의 롤러 위를 지나가게 했으므로 편평도를 향상시키기 위해 롤로의 직경을 계속 줄여나가다 결국 주석을 용융한 액체 위를 흘러가게 했다. TFT_LCD 유리는 공간에서 수직으로 늘어뜨려 중력장을 이용한다.

Class 4: 측정 시스템 관련 표준해

Group 4-1 : 시스템을 변경하여 측정을 대체

표준해 4-1-1. 시스템을 변경하여 측정을 대체

측정이나 검출이 필요하지 않도록 시스템을 변화시킨다.

ex: 코일과 자석으로 이루어진 전기 모터의 과열을 방지하기 위해 모터의 온도를 온도 센서가 감지한다. 모터의 자석이 과열 온도와 동일한 퀴리 포인트를 가지는 합금으로 제작하면 과열 시 모터의 동작이 스스로 멈출 것이다.

표준해 4-1-2. 복사를 이용하여 측정이 용이

측정이나 검출이 필요하지 않도록 시스템을 변화시키기 어려우면 검출 대상의 복사물(copy)이나 사진의 성질을 이용한다.

ex: 아나콘다와 같은 거대한 뱀의 길이를 측정하는 것은 매우 위험하므로 사진을 찍어 길이를 계산할 수 있다. 지리의 측량 또한 비례 원리를 이용하므로 일종의 복사를 통한 측정이라 할 수 있다.

표준해 4-1-3. 측정 문제를 연속적인 검출 문제로 전환

측정이나 검출이 필요하지 않도록 시스템을 변화시키기 어렵고 복사를 이용하기도 어려우면 측정 문제를 연속적인 검출 문제로 바꾼다.

ex: 온도에 따라 색깔이 변하는 물질을 사용하여 온도를 측정하는 것이 가능하다. 이러한 여러 개의 물질을 사용하면 다른 여러 개의 온도를 측정할 수 있다. 국내의 모 맥주 업체는 맥주 온도를 표시(측정)하기 위해 맥주병에 두 개의 특수 스티커를 부착했다.

Group 4-2 : 측정 시스템의 물질장 모델 구성

표준해 4-2-1. 측정 시스템의 물질장 모델 구성

측정 변수를 직접 측정하는 방법 대신 장에 의해 발생할 수 있는 다른 변수를 검출하거나 측정한다.

참고: 장에서 발생하는 측정 변수는 측정 및 검출이 쉬워야 하며, 이 측정 변수가 궁극적으로 측정하고자 하는 변수를 잘 나타낼 수 있어야 한다.

참고: 이러한 과정에서 불완전한 물질장 모델이 완전한 물질장 모델로 구성되거나 이중 물질장 모델로도 합성된다.

ex: 액체가 끓기 시작하는 순간을 정확히 검출하기 위해 전류를 액체에 통과시키는 방식이 제안될 수 있다. 액체가 끓는 동안 거품이 발생하여 액체의 전기저항이 급격하게 줄어들기 때문이다.

표준해 4-2-2. 측정과 관련된 내부, 외부 합성 물질장 모델

어떤 시스템이나 그 구성 요소의 검출이나 측정이 어려우면 쉽게 측정할 수 있는 첨가물을 도입한 내부 또는 외부 합성 물질장 모델로 전환한다.

ex: 눈으로 냉장고의 냉매 추출을 검출하기 위해 발광하는 형광체를 냉매에 혼합한다.

표준해 4-2-3. 측정과 관련된 외부 환경 변화 유도

시스템 내·외부에 첨가물을 도입하는 것이 불가능하면 쉽게 검출, 측정할 수 있는 장을 발생시키는 첨가물을 외부 환경에 도입한다. 외부 환경의 변화 상태로 측정 대상의 상태를 알 수 있다.

ex: 다른 디스크와 접촉하여 회전하는 금속 디스크의 마모를 측정하기 위해 오일 윤활제에 발광 파우더를 첨가한다. 마모된 금속 입자들이 오일에 섞이게 되고 이에 따라 오일의 발광도가 떨어진다.

표준해 4-2-4. 측정과 관련된 외부 환경 변화 유도

시스템 내·외부에 첨가물을 도입하는 것이 불가능하고, 외부 환경에 도입하는 것도 불가능하면 외부 환경 자체를 이용하여 검출한다. 외부 환경이 분해되거나 변화가 일어나면 측정 대상의 변화와 연관 지을 수 있다.

참고: 전기분해나 와류 등의 기타 방법으로 인해 발생하는 가스나 증기 거품 등은 외부 환경이 분해된 결과이다. 이를 외부 환경에 도입되는 첨가물로 생각할 수 있다.

ex: 파이프를 흐르는 물의 속도는 와류의 결과로 발생하는 공기 방울의 개수로 측정할 수 있다.

Group 4-3 : 측정 시스템의 진화

표준해 4-3-1. 물리적 효과 이용

측정 관련 물질장 모델에 물리적 효과를 적용하여 효율을 향상시킨다.

ex: 액체의 온도를 측정하기 위해 온도에 따른 팽창계수의 변화를 측정한다.

표준해 4-3-2. 진동수의 변화 측정

시스템의 변화를 직접 측정하거나 검출하는 것이 불가능하고 어떤 장도 시스템을 통과할 수 없다면, 시스템 또는 구성 요소의 공진을 이용한다.

ex: 용기 내 물질의 질량을 측정하기 위해 기계적 공진을 이용할 수 있다. 시스템의 공진 주파수는 시스템의 질량과 밀접한 관계가 있기 때문이다.

표준해 4-3-3. 외부 환경의 진동수 변화 측정

시스템 내부에서 공진을 발생시키기 어려우면 외부 환경의 고유 진동수 변화를 이용하여 측정할 수 있다.

ex: 끓는 액체에서 증발하는 기체의 고유 진동수를 측정하여 끓는 물의 질량을 측정한다.

Group 4-4 : 강자성 측정 시스템

표준해 4-4-1. 자기장 이용

자기장을 이용하면 측정 관련 물질장 모델의 효율이 향상되는 방향으로 진화한다.

ex: 선박 표면의 미세한 구멍을 찾기 위해 자석을 움직이고 이를 자기 측정 장치로 측정하면 구멍을 쉽게 찾을 수 있다.

표준해 4-4-2. 강자성 물질 이용

물질장 모델의 물질 중 하나를 강자성 입자로 바꿔 자기장을 검출하거나 측정한다.

ex: 도난을 방지하기 위해 수많은 복제 열쇠 중에 오직 하나의 진짜 열쇠만 있게 섞어 놓는다면 진짜 열쇠는 강자성 입자로 만들 수 있다. 진짜를 골라내기 위해서는 자석을 이용하면 된다.

표준해 4-4-3. 기존 물질의 내부, 외부에 강자성 물질 도입

강자성 입자로 대체하거나 추가하는 것이 불가능하면 강자성 첨가제를 기존 물질의 내부에 도입하거나 외부에 첨가한다.

ex: 플라스틱의 경화 정도를 측정하기 위해 강자성 물질을 첨가한 후 자성 투과도를 측정한다.

표준해 4-4-4. 강자성 입자를 외부 환경에 도입

기존 물질의 내부, 외부에 강자성 물질을 도입하기가 어려우면 강자성 입자를 외부 환경에 도입한다.

ex: 모형 배가 움직이면 파도가 생긴다. 강자성 입자를 물에 첨가하면 파도와 배의 상호작용을 측정할 수 있다.

표준해 4-4-5. 물리적 효과 사용

측정 관련 강자성 물질장 모델의 효율을 향상시키기 위해 다음과 같은 물리적 효과를 사용한다. 큐리 점(Curie Point), 홉킨스 바르크하우젠 효과(Hopkins & Barkhause Effect), 자기 탄성효과(Magnetoelastic Effect)

Class 5: 표준해의 적용을 위한 도움

Group 5-1 : 물질의 도입

표준해 5-1-1-1. 다공성

시스템 내에 물질을 도입하기 어려우면 물질 대신 다공성(void, porous)을 적용한다.

참고: 다공성은 공기 또는 고체로 만들어진 비어 있는 공간일 수도 있고 액체나 거품 또는 물렁물렁한 상태의 물질과 같은 것으로 생성할 수도 있다.

표준해 5-1-1-2. 장의 도입

시스템 내에 물질을 도입하기 어려우면 물질 대신 장(field)을 도입한다.

표준해 5-1-1-3. 외부에 도입

시스템 내에 물질을 도입하기 어려우면 시스템 외부에 도입한다.

표준해 5-1-1-4. 소량을 도입

시스템 내에 물질을 도입하기 어려우면 큰 효력이 있는 물질을 소량 도입한다.

표준해 5-1-1-5. 특정 부위에 소량 도입

시스템 내에 물질을 도입하기 어려우면 큰 효력이 있는 물질을 시스템 내부의 특정 부위에 소량 도입한다.

표준해 5-1-1-6. 일시적 도입

시스템 내에 물질을 도입하기 어려우면 필요한 물질을 잠시 도입한 후 곧 제거한다.

표준해 5-1-1-7. 복사물 도입

시스템 내에 물질을 도입하기 어려우면 물질의 도입이 허용되는 곳에 해당 물질을 대신하여 그 복사물을 도입한다.

표준해 5-1-1-8. 도입 후 분해

시스템의 작동 조건에 의해 물질 도입이 어려우면 화학적 화합물의 형태로 물질을 도입한 후 분해시킨다.

표준해 5-1-1-9. 외부 환경, 물질 자체 분해

시스템 내에 물질을 도입하기 어려우면 외부 환경이나 물질 자체를 분해하여 해당 물질을 생성할 수 있다.

> **참고:** 외부 환경이나 물체의 밀집 상태를 변경할 수 있다.

> **ex:** 우주 왕복선에는 비상시를 대비해 물의 전기분해를 통해 산소를 공급한다.

표준해 5-1-2. 도구 대신 생산물(Product) 사용

시스템을 표준해에서 제안된 방향으로 변화시키기 어렵고 도구를 다른 것으로 대체하거나 첨가물을 도입하는 것이 불가능하면, 도구 대신 생산물을 사용할 수 있다.

> **참고:** 생산물을 상호작용하는 요소로 나누어 사용하는 것이 좋다.

> **ex:** 자동차 연료의 효율을 향상시키기 위해 두 개의 통로로 연료와 공기를 각각 보내 부딪히게 한다.

표준해 5-1-3. 도입된 물질 제거

시스템 내에 물질이 도입되어 기능을 수행한 이후에는 물질이 사라지는 것이 바람직하다.

> **참고:** 화학적 작용이나 상태변화 등에 의해 시스템 내부 또는 외부 환경에 존재하는 물질과 구분될 수 없도록 한다.

> **ex:** 알루미나를 녹이기 위해 알루미늄을 도입하여 가열한다.

표준해 5-1-4. 다공성으로 다량의 물질 도입을 대체

많은 양의 물질을 시스템 내에 도입하기 어려우면 팽창하는 구조의 다공성 물질이나 거품 등을 도입한다.

참고: 일반적으로 물질이 많아야 함과 동시에 적어야 하는 모순을 해결하는데 적용한다.

ex: 솜사탕은 소량의 설탕으로 부피가 큰 모양을 만든다.

Group 5-2 : 장(Field)의 도입

표준해 5-2-1. 기존의 장을 우선 이용

물질장 모델 내부에 장을 도입할 때 이미 시스템을 구성하고 있는 물질과 연결된 기존의 장을 우선하여 이용한다.

참고: 시스템 내부에 이미 존재하는 물질과 장을 이용함으로써 시스템 구성 요소의 수를 증가시키지 않으면서도 시스템이 수행하는 기능의 수를 증가시킬 수 있다.

ex: 액체 산소 안에 가스가 들어 있는 것을 분리하고자 할 때 액체를 파이프에서 회전 운동시키면 액체는 벽면으로 이동하고 가스는 중심으로 분리된다.

표준해 5-2-2. 외부 환경의 장을 이용

물질장 모델 내부에 장을 도입하기 어렵고 내부에 존재하는 기존의 장도 사용할 수 없으면 시스템의 외부 환경에 존재하는 장을 이용한다.

참고: 외부 환경 장(Field)에는 중력, 열, 압력 등이 있다.

표준해 5-2-3. 기존의 물질로 유도된 장을 이용

기존에 존재하는 장을 이용하기 어려우면 시스템의 내부 또는 외부에 존재하는 물질을 이용하여 유도할 수 있는 장을 도입한다.

Group 5-3 : 상전이(Phase Transformation) 활용

표준해 5-3-1. 상변화로 물질 사용의 효율 향상

물질의 상변화를 이용하면 다른 물질의 도입 없이 물질 사용의 효율을 향상시킬 수 있다.

ex: 지뢰 기폭 장치는 압력 가스 대신 액화가스를 사용한다.

표준해 5-3-2. 상변화로 한 물질에서 두 가지 특성 사용

두 가지 특성이 필요하다면 동작 조건에 따라 하나의 상에서 또 다른 상으로 변환될 수 있는 물질을 이용한다.

표준해 5-3-3. 상변화에 수반되는 물리 현상 이용

상변화에 수반되는 물리적 현상을 이용하여 시스템의 효율을 향상시킨다.

> **참고:** 상변화에 의해 물질의 구조, 밀도, 열전도 등이 달라지며 에너지의 흡수 또는 방출이 동시에 일어난다.

> **ex:** 물건을 나르는 것을 얼음으로 만든다. 상변화 중인 얼음이 마찰을 줄여주기 때문이다.

표준해 5-3-4. 상변화로 두 가지 특성 만족

두 가지 특성이 필요하면 단일물질을 두 개의 상 물질로 대체한다.

> **ex:** 다이아몬드가 주성분인 연마 입자와 용융된 흑연을 이용하여 매우 단단한 면을 연마할 수 있다.

표준해 5-3-5. 상변화 이용 시 요소 간 상호작용 확대

단일물질을 두 개의 상 물질로 대체했다면 시스템 요소 간의 물리적 또는 화학적 상호작용을 이용하여 효율을 향상시킬 수 있다.

Group 5-4 : 물리적 효과 활용

표준해 5-4-1. 가역 변화

물질이 서로 다른 물리적 상태를 번갈아 유지해야 한다면 가역(reversible) 변화를 이용하여 객체 스스로 가능하게 한다.

> **참고:** 이온화-재결합, 분해-결합 등이 대표적인 가역 변화에 해당한다.

> **ex:** 형상 기억 합금을 사용하여 열에 민감한 밸브를 만들 수 있다.

표준해 5-4-2. 임계 조건의 변환 물질

시스템에 미약한 조건 변화로 강한 효과를 산출하려면 임계 조건에 근접한 조건에 설정된 변환 물질을 이용한다.

> **참고:** 입력 신호는 단지 효과가 나타나기 시작하고 에너지는 변환 물질의 잠재적 에너지로 이미 저장되어 있다.

> **ex:** 완벽한 밀폐가 되지 않은 용기의 밀폐성을 확인하기 위해 용기를 액체에 담그면 액체가 내부에 들어가 내부압력이 높아지고 공기 방울이 나온다. 공기 방울이 나오는 것을 더 확연히 관찰하기 위해 미리 액체의 온도를 높인다.

Group 5-5 : 물질 입자의 획득

표준해 5-5-1. 물질의 상위 구조 물질 분해

어떤 물질 입자가 필요한데 문제 조건에 의해 직접 얻을 수 없으면 해당 물질 입자의 상위 구조 수준에 존재하는 물질을 분해하여 얻는다.

ex: 수소를 얻기 위해 물을 분해하는 장치를 추가하여 고압의 수소를 얻는다.

표준해 5-5-2. 물질의 하위 구조 물질 결합

해당 물질 입자의 하위 구조 수준에 존재하는 물질을 결합하여 얻는다.

ex: 배의 저항을 줄이기 위해 고분자 폴리머 화합물을 배의 표면에 도포할 수 있으나 이러기 위해서는 많은 양의 폴리머가 필요하다. 전자기장 하에서 배의 표면에 물 분자 복합체를 형성하여 저항을 줄이는 방법이 제안되었다.

표준해 5-5-3. 근접한 상/하위 구조 물질 이용

가장 쉬운 상/하위 구조 물질을 이용하기 위해 이 물질의 가장 근접한 상/하위 구조 물질을 분해/결합한다.

ex: 안테나를 번개로부터 보호하기 위해 안테나 내부에 감압한 공기를 사용한다. 벼락이 치면 이것이 이온화되어 전기를 전달한다.

6 창의적 문제 해결 알고리즘 (ARIZ)[4]

ARIZ는 알츠슐러가 가장 심혈을 기울여 만든 작품으로 창의적 문제 해결을 위한 알고리즘(Алгоритм решения изобретательских задач)이라는 러시아 글자의 머리말이다. ARIZ는 가장 마지막 단계의 도구이고 알츠슐러 또한 ARIZ를 가르칠 때 ARIZ의 어느 한 과정이라도 생략하면 크게 호통을 쳤다 한다. 반드시 체계적인 과정을 밟아나가며 ARIZ의 규칙을 지킬 것을 강력히 권장한다.

ARIZ의 핵심은 기술적 모순에서 물리적 모순을 끌어내는 과정이다. 이 말은 물리적 모순을 알아내면 본질적으로 문제를 해결할 수 있다는 말이다. ARIZ로 문제를 해결해가는 과정은 다음과 같이 9단계로 구성되어 있다.

제1단계 : 문제 분석 (Analyzing the problem)

제2단계 : 자원 분석 (Analyzing resources)

---

4) 이 원리는 김효준 저 "Theory of Inventive Problem Solving TRIZ 생각의 창의성"의 ARIZ(창의적 문제 해결 알고리즘(pp. 285~329)에서 발췌한 것이다.

제3단계 : 이상 해결책과 물리적 모순의 정의

제4단계 : 물질장 - 자원의 활용 (Mobilization and utilization of SFR)

제5단계 : 지식 DB의 활용

제6단계 : 문제의 변경 또는 재구성

제7단계 : 물리적 모순 해결 방법 분석

제8단계 : 도출된 해결안의 적용

제9단계 : 문제 해결 과정 분석

제1단계: 문제 분석(Analyzing the Problem)

1.1. 최소 문제 (Minimal Problem)

1.2. 모순 요소 지정

1.3. 기술적 모순 도식화

1.4. 도식 모델 선정

1.5. 모순의 심화

1.6. 문제 모델링

1.7. 표준해 적용

1.1. 최소 문제

전문적인 용어를 사용하지 않고 다음과 같이 서술한다.

[어떤 목적을 수행하는] 기술 시스템은 [기술 시스템의 주요 요소들]로 구성되어 있다.

기술적 모순 1: 만약 [어떤 상황]에선, [이러한 좋은 점]이 있지만 [이러한 나쁜 점]도 있다.

기술적 모순 2: 만약 [반대로 어떤 상황에선] [이러한 좋은 점]이 있지만 [역시 이러한 나쁜 점]도 있다.

우리는 최소한으로 시스템을 변경하여 [필요한 결과의 내용]을 얻고자 한다.

문제: 알츠슐러는 이해를 돕기 위해 전파 망원경에 관련된 것을 예로 들었다. 군사 시설에 사용되는 극도로 예민한 전파 망원경과 각종 안테나 장비는 낙뢰로부터 보호하기 위해 주변에 피뢰침이 설치되어 있다.

낙뢰 사고가 유난히 많은 특정 지역은 많은 수의 피뢰침을 설치해야 한다. 피뢰침은 도체라 전파를 흡수하므로 전파 망원경이 잡아내는 전파의 양도 적어지고 서로 간섭을 일으켜 수신 감도가 떨어진다. 따라서 피뢰침이 많으면 피뢰침에 의한 전파 간섭이 심해져 전파 망원경이나 각종 안테나 장비에 간섭 신호가 많아져 주어진 기능을 수행하기 어렵다는 문제가 있다.

예제: [전파를 수신]하기 위한 기술 시스템은 [전파 망원경의 안테나, 전파, 번개, 피뢰침]으로 구성되어 있다.

기술적 모순 1: 만약 [피뢰침이 많다]면 [안테나는 번개로부터 보호]되지만 [피뢰침이 전파를 흡수]한다.

기술적 모순 2: 만약 [피뢰침이 적다]면 [피뢰침의 전파 흡수가 차단]되지만 [번개가 안테나를 파괴]한다.

이 경우 시스템을 최소한으로 변경하여 [전파의 흡수 없이 번개로부터 안테나를 보호해야] 한다.

도움: 여기서 피뢰침이라는 전문 용어 대신 전도성 막대라는 쉬운 용어를 사용해야 한다. 피뢰침 또는 금속 막대라는 말은 이미 심리적 관성이 작용하게 된다. 물건의 기능에 중점을 두어 전기가 흐를 수 있는 전도성을 가진 막대라는 '전도성 막대'라는 용어가 문제 해결에 방해가 되지 않는다.

참고 1: 최소 문제(Minimal Problem)는 초기 문제 상황으로부터 특별한 제약 조건을 설정한다. 이것은 큰 변화 없이 시스템을 최소한으로 변경하라는 제약 조건으로 필요로 하는 특정 작용을 달성하거나 유해한 작용이 제거되어도 시스템 내부의 요소가 변하지 않거나 오히려 더 간단해지는 것이다.

참고 2: 이 과정을 밟아나가면서 시스템의 기술적인 부분만 아니라 기술 부분과 반응하는 다른 자연환경 요소도 고려할 수 있다. 예를 들어 안테나 보호 문제에서 다른 자연환경 요소란 번개가 되는데, 이 외에도 우주, 자연으로부터 발생하는 전파도 필요하다면 추가할 수 있다.

참고 3: 기술적 모순은 시스템 내부에서의 상호작용이다. 유용한 작용이 동시에 유해 작용을 유발하는 경우, 유용한 작용을 증대하거나 문제를 일으키는 유해 작용을 제거 또는 약화시키면, 유용한 작용과 유해 작용이 동시에 일어나므로 결과적으로 시스템은 퇴보하게 된다.

기술적 모순은 시스템 요소의 한 상태를 기술하고 이 상태에서 무엇이 좋고 나쁜가를 기술한 후, 그 시스템 요소의 다른 한 상태일 경우에 대해 동일 요소에 대해 같은 방식으로 기술한다. 많은 경우 시스템 요소는 도구(tool)가 된다.

참고 4: 도구(tool)와 주변 환경(environment)과 관련된 전문 용어는 심리적 관성을 없애기 위해 일반 용어로 바꾸어 사용해야 한다. 전문 용어는 도구가 작동하는 원리에 대한 고정 관념을 유발한다.

1.2 모순 요소 지정

기술적 모순에서 생성물(product)과 도구(tool)를 설정한다.

규칙 1: 문제 조건에 따라 도구는 두 가지 상태(phase)일 수 있는데, 이때 두 상태 모두를 포함시킨다. 예를 들어 물과 얼음은 모두 도구에 포함되어야 한다.

규칙 2: 문제에서 쌍(pair)으로 이루어진 것이 여러 개 있으면 하나의 쌍만 고려해도 된다.

도움: 도구는 반드시 생성물과 직접적인 접촉을 유지해야 한다. 접촉을 통해 도구는 생성물의 특성을 변화시켜야 하는데, 이러한 과정을 시스템의 기능 역할이라 한다.

예제: 생성물(product) - 번개, 전파, 도구(tool) - 전도성 막대

참고 5: 생성물(product)은 문제의 조건에 따라 그 특성이 변화하는 요소이다. 제조, 이동, 변화, 개선, (유해한 작용으로부터의)보호, 측정 등과 같이 적절히 가공되는 요소이다. 특히 측정 문제에서는 도구(tool)가 생성물(product)이 될 수 있다.

참고 6: 도구는 생성물과 직접 접촉하여 생성물의 특성을 변화시켜야 한다. 때에 따라 주변 환경의 일부분도 도구가 될 수 있고, 생성물이 조립에 사용되는 부품도 도구가 될 수 있다.

참고 7: 도구나 생성물이 반드시 하나의 요소일 필요는 없다. 예를 들어 서로 다른 도구가 두 개 존재할 수 있다. 이 경우 도구는 생성물에 동시 작용해야 하면서도 도구는 상호 보완적일 수 있다. 만약, 두 개의 생성물이 존재한다면 이 생성물은 하나의 도구로 처리되면서 생성물 간에는 상호 보완적일 수 있다.

1.3 기술적 모순 도식화

기술적 모순을 그림으로 도식화한다. 아래 그림은 기술적 모순을 도식화한 예이다.

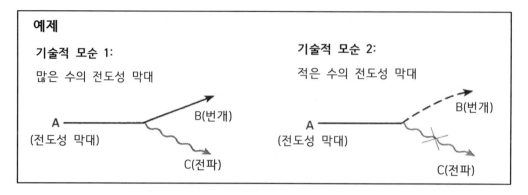

예제

기술적 모순 1:

많은 수의 전도성 막대

A
(전도성 막대)   B(번개)

C(전파)

기술적 모순 2:

적은 수의 전도성 막대

A
(전도성 막대)   B(번개)

C(전파)

참고 8: 모순의 내용을 효과적으로 표현할 수 있다면 굳이 위와 같은 도식 모형을 쓰지 않아도 된다.

참고 9: 어떤 문제는 아래 그림과 같이 여러 개로 연결된 도식 모형으로 표현할 수 있다.

A ●
(Hammer)   Ba ●
(nail)   C ●
(wall)

이런 모형은 두 개의 다일 연결 모형으로 바꿀 수 있다.

A ●   ● B'   B' ●   ● C

만약 B가 변경할 수 있는 생성물(product)이거나 A의 기본 기능이라면 B'이 B로 변경되어야 한다.

참고 10: 모순은 시간 또는 공간의 관점에서 검토할 수 있다.

참고 11: 과정 1.1부터 과정 1.3까지 서로 일치하는지 검토한다.

1.4 도식 모델 선정

두 개의 도식 모형 중에서 기술 시스템이 기본적으로 수행해야 할 기능과 가장 밀접한 모델을 선정한다.

예제: [전파 망원경]이라는 기술 시스템의 기본 기능은 [전파의 수신]이다. 따라서

[전파의 수신]에 가장 부합하는 [기술적 모순 2]를 선정한다.

도움: 도식 모형은 기술적 모순을 명확히 파악하게 도와준다. 모순을 명확하게 그림으로 시각화하므로 이와 같은 선택이 쉽다.

참고 12: 두 가지의 모순 중에서 하나를 선택하면 도구의 두 가지 상반되는 상태 중 한 상태를 선택하게 된다. 이후 아리즈를 전개하는 과정에서 도구의 이 상태만 일관적으로 선택해야 한다. 예를 들어 '전도성 막대 없음'이 '전도성 막대의 최적의 수'로 바뀌어서는 안 된다.

아리즈는 문제를 타협하기보다는 모순을 심화시킨다. 결코 두뇌가 편안함을 느끼지는 않겠지만 이것을 이겨내야 한다. 도구의 한 상태를 선정하였지만, 도구의 다른 상태를 선정했을 경우의 유익한 작용도 궁극적으로 달성할 수 있어야 한다. 예를 들어 전도성 막대가 하나도 없음을 선택하였지만, 최종적으로 문제를 해결하면 전도성 막대가 많이 있는 것처럼 번개가 제거되어야 한다.

참고 13: 측정이나 검출과 같은 분석 문제의 경우, 어느 한쪽을 선택하기가 쉽지 않은데, 이런 경우 상위 시스템의 목적을 고려하면 된다. 예를 들어 전구 내부의 기체 압력을 측정하는 문제의 경우, "기체의 압력을 측정한다"라는 기능보다는 "전구를 생산한다"를 시스템이 기본적으로 수행해야 하는 기능으로 생각한다.

1.5 모순의 심화

선택된 기술적 모순의 특성을 극단적 상황으로 심화시킨다.

규칙 3: 구성 요소가 적어야 한다면 전혀 없다는 것으로 심화시키고 구성 요소가 많아야 한다면 무한개가 있는 것으로 심화시킨다. 이것은 '비용 시간 크기의 연산자 (STC Operator)'의 개념이다.

> **예제:** [전도성 막대가 적다]는 상황 대신 [전도성 막대가 전혀 없다]는 상황을 고려한다.

1.6 문제 모델링

다음과 같은 사항이 명시되도록 문제를 다시 모델링한다.

1) 서로 상충하는 모순 요소들

2) 모순이 심화된 상황

3) 문제 해결을 위해 X-요소가 해야 할 일

> **예제:** 1) [번개와 안테나는 있지만 전도성 막대는 없다.]
>
> 2) [전도성 막대는 안테나를 번개로부터 보호]하지만 [안테나는 전도성 막대 때문에 성능이 떨어진다]. [전도성 막대가 하나도 없는 상황]에서는 [안테나의 성능이 감소하지 않지만] [번개로부터 보호할 수 없다.]
>
> 3) [전도성 막대가 하나도 없어도] [안테나의 성능이 감소하지 않으면서도] [번개로부터 안테나를 보호할] 어떤 x-요소가 필요하다.

도움: x-요소가 해야 할 일은 어떤 것을 유지(keep), 제거(eliminate), 향상 (improve), 제공(provide)과 같은 형식을 갖는 것이 바람직하다.

참고 14: 문제 모델링에서는 기술 시스템의 몇몇 구성 요소만을 언급하면 된다. 안테나 문제를 모델링 할 때 안테나, 전파, 전도성 막대, 번개 중에서 두 가지만 선택했다. 나머지 두 요소는 마음속에서만 인식할 뿐 앞으로도 전혀 언급되지 않을 수도 있다.

참고 15: 1.6 과정을 거쳐 문제 모델링을 마친 후에는 1.1부터 1.6까지의 과정에 사용된 논리를 반드시 점검해야 한다. 어떠한 논리적 비약도 있어서는 안 된다.

참고 16: X-요소가 반드시 시스템의 새로운 재료나 부품을 의미하는 것은 아니다. X-요소는 시스템의 일부 또는 환경의 온도 변화나 상변화가 될 수도 있다. 이처럼 X-요소가 반드시 물질일 필요는 없다.

1.7 표준해 적용

새롭게 재정의된 문제 모델을 해결하기 위해 76가지 표준해를 적용해본다. 만약 문제가 풀리더라도 단계 2를 계속 진행할 것을 권장한다.

참고 17: 제1단계에서는 문제 분석 과정을 통해 문제 모델을 만들어 문제를 명확하게 한다. 이러한 과정을 거쳐 문제를 더 일반적인 문제로 추상화할 수 있으므로 초기의 문제 상황보다 더 효과적으로 표준해를 적용할 수 있다.

제2단계: 자원 분석(Analyzing resources)

2.1. 작용 영역(OZ) 정의

2.2. 작용 시간(OT) 정의

2.3. 사용할 수 있는 물질과 장(Field)의 탐색

제2단계는 문제가 어떤 공간에서 일어나고, 어떤 시간에 발생하는 지를 명확히 하고, 어떤 자원으로 문제를 해결할 수 있는지를 명확히 하는 것이다.

2.1 작용 영역(OZ)을 정의한다.

작용 영역(OZ, Operating Zone)을 분석, 기술한다.

참고 18: 작용 영역의 설정이 어려우면 문제 모델에서 언급한 모순이 발생하는 곳을 설정한다. 그 이유는 작용 영역은 반드시 모순이 발생하는 곳이기 때문이다.

> **예제:** 안테나 보호 문제의 경우 작용 영역은 기존의 전도성 막대가 차지했던 공간이다. 현재 문제에서는 전도성 막대가 하나도 없는 경우를 고려하므로 실제 작용 영역은 빈 기둥 또는 공기 기둥으로 정의할 수 있다.

2.2 작용 시간(OT)을 정의한다.

작용 시간(OT, Operating Time)을 분석, 기술한다.

참고 19: 작용 시간은 문제 해결에 유용할 수 있는 자원이다. 모순이 일어나는 시간 T1과 모순이 일어나기 전의 시간 T2로 구분할 것을 권장한다. 특히 문제가 순간적으로 일어나는 경우 모순은 T2(모순이 일어나기 전의 시간)에서 제거하거나 방지할 수 있다.

> **예제:** 안테나 문제의 경우 작용 시간은 번개가 치는 시간 T1과 번개가 치기 전까지의 시간 또는 다음 번개가 치기 전까지의 시간 T2로 나뉜다.

2.3 사용할 수 있는 물질과 장(Field)의 탐색

문제 해결에 사용할 수 있는 시스템 또는 주위 환경의 물질과 장을 탐색한다.

> **예제:** 안테나 보호 문제에서 전도성 막대가 하나도 없는 상황을 고려하고 있으므로 주위 환경의 물질과 장만을 고려하면 된다. 이 경우 공기, 습기, 바람, 구름, 태양 등이 있을 것이다.

문제의 조건, 환경에 명시된 사용할 수 있는 물질과 장을 아리즈에서는 특별히 물질장-자원(Substance-Field Resources, SFR)이라 한다.

참고 20: 물질장-자원은 문제 내에 이미 존재하고 있어 문제 조건에 의해 쉽게 파악할 수 있다. 물질장-자원은 다음과 같은 세 가지로 분류할 수 있다.

1. 시스템 내부 물질장-자원

    1.1. 도구(tool)의 물질장-자원

    1.2. 생성물(product)의 물질장-자원

2. 문제에서 제시된 주위 환경의 물질장-자원

    2.1. 문제 조건에 의해 주어지는 주위 환경의 물질장-자원

    2.2. 지구의 중력장, 자기장 또는 물과 같은 아주 보편적인 주위 환경의 물질장-자원

3. 상위 시스템(Super-system)의 물질장-자원

    3.1. 불필요하다고 생각하는 부산물

    3.2. 공기, 바람과 같이 비용이 무시될 정도의 저렴한 외부 자원

최소 문제(minimal problem)를 해결할 때는 물질장-자원을 최소한으로 사용할 것을 권장한다. 따라서 시스템 내부의 자원을 활용하는 것을 먼저 검토하는 것이 좋다. 그러나 기술 예측과 관련된 개념적인 해결책을 제시할 때는 최대한으로 다양한 물질장-자원을 검토하는 것이 바람직하다.

참고 21: 생성물(product)은 변화할 수 없는 물질이다. 특히 최소 문제를 해결할 때는 생성물을 변경하는 것이 부적절하지만 생성물은 다음과 같은 방법으로 물질장-자원을 제공할 수 있다.

    1. 생성물은 스스로 변경될 수 없다.

    2. 충분한 양의 생성물이라면 생성물은 생성물 일부분을 소모할 수 있다.

    3. 생성물이 상위 시스템(super-system)으로 이동할 수 있다.

    4. 생성물은 내부적으로 미시적 구조를 적용할 수 있다.

    5. 아무것도 없는 공간과 결합할 수도 있다.

    6. 일시적으로 다른 어떤 것, 또는 성질로 변할 수 있다.

생성물이 물질장-자원, 즉 자원이 되는 경우가 흔하지는 않지만, 위와 같이 간단히 생성물이 변경될 수 있다면 가능한 일이다.

참고 22: 물질장-자원은 문제 해결에 당장 사용할 수 있는 자원이다. 이러한 자원을

문제 해결에 먼저 사용할 것을 권장한다. 만약, 문제에서 제시되는 물질장-자원 등의 가용 자원이 충분하지 않다면, 다른 물질이나 장을 수고스럽게 가져와서 사용할 수도 있다.

제3단계: 이상 해결책과 물리적 모순의 정의

3.1. 이상 해결책(IFR)-1의 정의

3.2. 이상 해결책(IFR)-1의 심화

3.3. 매크로 수준의 물리적 모순

3.4. 마이크로 수준의 물리적 모순

3.5. 이상 해결책(IFR)-2의 정의

3.6. 표준해 적용으로 물리적 모순 해결

제3단계에서는 이상 해결책을 정의하고 물리적 모순을 도출한다. 물리적 모순은 이상 해결책에 도달하는 것을 어렵게 하는 것이다. 이상 해결책을 항상 달성할 수 있는 것은 아니지만, 이상 해결책은 가장 강력한 해결책으로 가는 방법을 제시한다.

3.1 이상 해결책(IFR: Ideal Final Results)-1의 정의

X-요소란 시스템을 복잡하게 하지 않고 동시에 추가적인 유해 작용 없이, [작용 시간] 중에 [작용 영역] 내에서 [도구]가 수행하는 [유용한 작용]을 계속하면서 [유해 작용]을 제거하는 것이다.

> **예제:** X-요소는 시스템을 복잡하게 하지 않고 동시에 추가적인 유해 작용 없이, [번개가 치는 시간 (T1) 또는 다음 번개가 치는 시간 전(T2)에,] [전도성 막대가 차치하던 공간]에서, [안테나의 전파 수신을 방해하지 않으면서도] [전도성 막대가 없어서 번개를 유인하지 못하는 점]을 제거한다.

참고 23: 유용한 기능을 다른 기능의 저하 없이 달성하거나, 하나의 유해한 기능 제거가 또 다른 유해한 기능의 출현 없이 달성되는 것이 이상 해결책이다. 이상 해결책의 기본 의미로 인해 다음과 같은 상황을 해결할 수 있다.

  1. 유해 작용과 유용한 작용이 연관되는 상황.

  2. 새로운 유용한 작용이 시스템을 복잡하게 만드는 상황.

3. 하나의 유용한 작용이 다른 작용과 상충하는 상황.

3.1 단계에서는 첫 번째 상황이 이상 해결책과 관련되어 있다.

3.2 이상 해결책(IFR: Ideal Final Results)-1의 심화

X-요소에 대해 새로운 물질과 장(Field)을 도입하지 않고 2.3. 과정에서 제시한 물질장-자원을 사용한다.

> **예제:** 안테나 보호 문제에서 전도성 막대가 전혀 없는 상황이므로 도구가 없는 상황이다. 이상 해결책-1을 더 구체적으로 표현하기 위해 X-요소는 "공기" 또는 "공기 막대"라는 단어로 대체할 수 있다.

참고 24: 문제 해결 과정에서 다음과 같은 순서로 물질장-자원을 검토한다.

1. 도구(tool)의 물질장-자원: 시스템의 내부 자원

2. 주위 환경의 물질장-자원: 확보할 수 있는 외부 자원

3. 상위 시스템(super-system)의 물질장-자원

4. 생성물(product)의 물질장-자원

위의 4가지 종류의 물질장-자원은 곧 4가지 종류의 문제 분석 방향을 의미한다. 물론 문제 조건에 따라 4가지 종류 모두 가능하지 않을 때도 있다. 최소 문제의 경우 문제 해결안을 도출할 수 있을 때까지 분석을 진행하면 충분하다.

아리즈에 숙달하게 되면 이러한 순차적인 분석은 점차 병렬적이고 동시다발적인 분석으로 바뀐다. 해결안을 한 방향에서 다른 방향으로 전환하여 생각할 수 있는 능력을 '다차원 사고(Multi-Screen Thinking)'라 한다. 이는 현재 시스템의 해결안으로 인한 변화가 상위 시스템에 미치는 변화와 하위 시스템에 미치는 영향을 동시에 생각할 수 있는 능력이다.

3.3 매크로 수준의 물리적 모순

아래의 양식으로 매크로 수준의 물리적 모순을 기술한다.

[선택된 물질장-자원]은 [작용 영역]에서 [작용 시간] 동안 [모순되는 작용 중 하나]를 수행하기 위해 [매크로 수준에서 어느 하나의 물리적 상태이어야 하고, [모순되는 작용 중 하나]를 수행하기 위해 [매크로 수준에서 또 다른 물리적 상태]이어야 한다.

> **예제:** [공기 기둥]은 [작용 시간] 동안 [번개를 차단]하기 위해 [전도성이 있어야]하고 [전파를 흡수하지 않기] 위해 [전도성이 없어야]한다.
>
> 이러한 물리적 모순의 정의를 통해 다음과 같은 해결안을 가질 수 있다. 공기 기둥은 번개가 치는 동안에는 전도성이 있어야 하고, 그 외의 시간에는 전도성이 있으면 안 된다. 번개가 치는 것은 드물게 발생하는 현상이고 매우 빠르게 일어난다. 기술 진화 제3 법칙인 리듬, 조화 법칙이 적용되어, 공기 기둥이 전도성을 가지는 시기는 번개가 나타나는 시기와 같아져야 한다.
>
> 물론 이러한 해결안은 아직 완전하지 않다. 어떻게 번개 치는 동안 공기 기둥이 전도체로 변환하고 번개가 친 후에 즉시 전도성이 사라질 수 있겠는가?

참고 25: 물리적 모순이란 작용 영역에서 상반되는 물리적 상태를 요구하는 상황을 말한다.

참고 26: 만약 물리적 모순을 기술하기가 어렵다면 다음과 같은 양식으로 간단히 작성해도 된다. [어느 한 물질장-자원]은 [이러한 작용]을 수행하기 위해 [이렇게]해야하고, [또 다른 작용]을 수행하기 위해 [이렇게] 되면 안 된다.

주의: 아리즈를 통해 문제를 해결할 때, 해결안은 천천히 발전되어 간다. 또한 어떠한 해결안이라 해도 계속해서 발전해 나갈 가능성이 있다. 처음 해결안이 떠오른 뒤에 문제 해결 과정을 중단하는 것은 바람직하지 않다. 문제 해결 과정에서 아리즈는 끝까지 진행해야 한다.

3.4 마이크로 수준의 물리적 모순

아래의 양식으로 마이크로 수준의 물리적 모순을 기술한다.

[3.3 과정의 매크로 수준의 물리적 모순]을 달성하기 위해 [작용 영역]에는 [어느 한 물리적인 상태나 동작]의 물질 입자가 있어야 하고 [3.3 과정의 또 다른 매크로 상태]를 위해 [반대의 물리적인 상태나 동작]의 물질 입자가 있어야 한다.

> **예제:** [번개 차단을 위해 전도성을 가지기] 위해 [번개 치는 동안] [공기 기둥]은 [자유 전하(free charge)가 있어야] 하며 동시에 [전파가 흡수되는 것을 방지하기] 위해 [공기 기둥]은 [자유 전하가 없어야]한다.

참고 27: 3.4. 과정에서 입자를 구체적으로 정의할 필요는 없다.

참고 28: 입자는 다음과 같은 것들이 가능해진다.

1. 물질의 입자

2. 입자들과 장(field) 간의 결합

3. "장(field)의 입자" (흔하지 않은 경우로 장의 입자란 말은 장 그 자체를 입자로 본다는 뜻이다)

참고 29: 만약 문제의 해결책이 매크로 수준에서 제시되어야만 하는 경우라도, 마이크로 수준의 물리적 모순을 설정해 보는 것은 유익하다. 왜냐하면 마이크로 수준의 물리적 모순도 결국 매크로 수준의 물리적 모순이 해결됨과 동시에 해결되기 때문에, 마이크로 수준의 물리적 모순을 설정하면, 매크로 수준의 물리적 모순 해결에 대한 많은 정보를 받게 되는 것이다.

3.5 이상 해결책(IFR)-2의 정의

아래의 양식으로 이상 해결책(IFR)-2를 기술한다.

[작용 영역]에서 [작용 시간] 동안 스스로 [매크로 또는 마이크로 수준에서의 상반되는 상태]가 이루어져야 한다.

> **예제:** [공기 기둥 속의 중립 분자]는 [번개가 치는] 동안 스스로 [자유 전하가 되어야] 하며 [번개가 치고 난 후]에는 스스로 [중립 분자가 되어야] 한다.
>
> 새로운 문제의 의미는 다음과 같다. 번개가 치는 동안 공기 기둥 속에서 자유 전하가 스스로 생겨나야 한다. 이렇게 되면 이온화된 공기 기둥이 피뢰침, 전도성 막대의 역할을 하여 번개를 끌어당겨 차단한다. 번개가 친 직후에는 공기 기둥 내의 자유 전하는 스스로 중립 분자로 다시 바뀌어야 한다. 이러한 문제를 풀기 위해서는 중학교에서 가르치는 물리 지식만으로도 가능하다.

3.6 표준해 적용으로 물리적 모순 해결

이상 해결책-2로 기술된 새로운 물리적 문제를 푸는 데 표준해를 적용할 수 있는지 확인한다. 만약 표준해를 적용하고도 문제가 풀리지 않는다면 제4 단계로 간다. 만약 표준해를 적용하여 해결안을 도출했으면 제7 단계로 갈 수 있다. 그러나 표준해로 해결안이 도출되어도 단계 4의 과정을 계속 진행할 것을 권장한다.

제4단계: 물질장-자원의 활용

4.1. 작은 사람 모델

4.2. 이상 해결책(IFR)으로부터 한 발짝 물러나기

4.3 물질장-자원을 결합하여 활용

4.4 공간, 기공(void) 활용

4.5 유도된 자원 활용

4.6 전기장 활용

4.7 장(field)과 그 장에 민감한 물질 활용

2.3 과정에서는 별도의 비용 없이 활용할 수 있는 물질장-자원(SFR)을 열거하였다. 아리즈 4단계에서는 이러한 물질장-자원의 활용성을 증가시키기 위한 체계적인 접근법을 다루고 있다. 추가적인 비용이 거의 없이 기존에 존재하는 물질장-자원에 최소한의 변형을 가하여 문제 해결에 활용될 수 있는 요소를 찾고자 한다. 3.3, 3.5 과정부터는 해결안이 도출되기 시작할 수 있다. 제4단계도 이러한 방향의 연속선상에서 진행된다.

규칙 4: 하나의 상태에 있는 입자는 하나의 기능만을 수행하는 것이 권장된다. 예를 들어 "A 입자가 기능 1과 기능 2를 수행한다"라는 것보다는 "a 입자는 기능 1을 수행하고" 기능 2를 수행할 b 입자를 추가하는 것이 좋다. a 입자와 b 입자는 서로 다른 상태의 A 입자이다.

규칙 5: 새롭게 추가되는 입자 b도 b1과 b2의 두 그룹으로 나눌 수 있다. 이렇게 함으로써 두 개의 b 그룹, b1, b2 간에 상호작용을 적절히 추가하여 새로운 기능 3을 추가 비용 없이 수행할 수 있게 한다.

규칙 6: 시스템에 입자 A만 있는 경우에도, 이 입자를 개념상 두 그룹으로 나눌 수 있다. 한 그룹은 기존과 같은 상태를 유지하고, 다른 입자들은 문제에 따라 주요 파라미터를 바꾸어 준다.

규칙 7: 나뉘었거나 추가된 입자들은 기능을 수행한 후 서로 간에 같은 상태로 되거나 처음에 존재했던 입자의 상태로 되돌아가야 한다.

참고 30: 규칙 4-7은 아리즈의 제4단계의 모든 과정에 적용된다.

4.1 작은 사람 모델

작은 사람 모델링 방법(난쟁이 모델이라고도 한다).

1. 작은 사람 모델을 이용하여 모순의 도식화된 모형을 묘사한다.

2. 작은 사람들이 모순 없이 주어진 조건에 따라 활동할 수 있도록 명령한다.

예제 A: 공기 기둥 속의 작은 사람들은 공기 기둥 밖의 작은 사람들과 기본적으로 같다. 이 둘 모두의 작은 사람들은 어떤 전하를 가지지 않고 모두 중성이다. 작은 사람들은 서로가 손을 잡고 있으므로(중성), 손이 매우 바빠서 번개를 잡을 수 없는 것이다.

예제 B: 규칙 6에 따라 이들 작은 사람들을 두 그룹으로 나눌 필요가 있다. 기둥 바깥쪽의 작은 사람들은 변함없이 서로 손을 잡고 중성으로 존재하고, 기둥 안쪽의 작은 사람들은 서로 손을 내밀어 잡고 있되 한 손은 뻗어 번개를 잡게 한다.

다른 도식 모형도 가능하지만, 어떠한 경우라도 작은 사람들을 두 그룹으로 나누어서 기둥 내의 작은 사람들의 상태를 바꿀 필요가 있다.

예제 C: 공기 기둥 속의 공기 분자의 중성 상태는 쉽게 이온화되어야 한다. 이것을 달성할 수 있는 가장 간단한 방법은 공기 기둥 속의 압력을 낮추는 것이다.

참고 31. 작은 사람 모델이란 '모순되는 요구 조건'이 작은 사람들에게 적용된다면 작은 사람들이 어떻게 움직이는지 그림으로 묘사하는 방법이다. 모델은 하나 또는 연속적인 여러 그림으로 표현될 수 있다. 문제 모델에서 변형할 수 있는 부분들이 작은 사람들로 묘사되어야 한다. '모순되는 요구 조건'이란 문제 모델의 모순 또는 3.5 과정에서 정의된 상반되는 물리적 상태를 의미한다. 과정 3.5에서 정의된 상반되는 물리적 상태를 작은 사람 모델로 만드는 것이 가장 좋지만, 과정 1.6에 제시된 문제 모델의 기술적 모순을 작은 사람 모델로 만드는 것이 더 쉽다.

참고 32. 과정 4.1은 부가적인 과정이다. 이 과정의 기능은 물질장-자원을 활용하기 전에 작용 영역 내, 작용 영역 주변에서 입자들이 어떻게 움직여야 하는지를 그림으로 표현해 보는 것이다. 작은 사람 모델은 물리학에 대한 고려 없이 이상적인 동작을 명확히 볼 수 있게 해준다. '어떻게 가능하게 하는가?'라는 질문보다 '무엇이 되어야 하는가?'를 명확하게 하는 심리적 방법이다. 모든 기술 시스템은 기술 시스템의 진화 법칙에 따라 발전해 나가는데, 작은 사람 모델을 이용한 시뮬레이션의 개념도 실현되므로, 종종 작은 사람 모델을 이용하여 해결안을 도출할 수 있다. 그러나 해결안이 도출되었다고 여기서 문제 해결 과정을 멈추지 말고 사용할 수 있는 모든 물질장-자원에 대한 체계적인 분석을 계속하기를 권장한다.

주의: 최소 문제 해결 과정에서 자원을 활용하는 목적은 모든 자원을 사용하는 것이 아니라, 그와 정반대로 최소한의 자원을 사용하여 개념 해결책(Concept Solution)을 얻는 데 있다.

4.2 이상 해결책으로부터 한 발짝 물러나기

작은 사람 모델로부터 시스템이 어떠한 상태로 되어야 하는지가 명확하고 이러한 상태에 도달하는 방법을 찾는 것이 문제라면, 이상 해결책보다는 약간 '부족한' 상황을 일부러 상상해 보는 것이 도움이 될 수 있다.

예를 들어 이상 해결책에 따라 두 요소가 서로 접촉해야 한다면, 이상 해결책으로부터 한 발짝 물러나는 것은 두 요소 간에 작은 간격을 주는 것에 해당한다. 여기서 "작은 간격이라는 결함을 어떻게 제거해야 하나"라는 문제가 발생한다.

대부분 이러한 문제 해결은 쉬우며, 이 문제의 개념 해결책은 원래 문제를 해결하는 데에도 힌트를 제공할 수 있다.

4.3 물질장-자원들을 결합하여 활용

물질장-자원들의 혼합물을 활용할 수 있는지 검토한다.

참고 33. 기존에 있던 자원을 활용하여 문제를 해결할 수 있었다면, 처음부터 어려운 문제가 발생하지 않았거나 자동으로 해결되었을 것이다.

일반적으로 문제를 해결하기 위해 새로운 물질이 필요하지만, 새로운 물질의 도입은 동시에 시스템을 더욱 복잡하게 만들거나 다른 유해 작용이 발생하기도 한다. 제4단계에서는 새로운 물질을 도입하지 않으면서도 새로운 물질을 만들어내야 하는 모순을 해결하는 과정이다.

참고 34. 과정 4.3은 서로 다른 두 개의 단일물질(mono-substance)을 이용하여 새로운 성질의 복합물질(bi-substance)로 바꾸는 것이다.

서로 다른 두 개의 단일물질을 이용하여 이질적인 복합물질(bi-substance)이나 다중물질(poly-substance)로 변경하는 것이 가능할까?

표준해 3.1.1에서와 같이 복수의 시스템이 모여 동질의 복합시스템이나 다중시스템으로 만드는 것은 광범위하게 이용되고 있다. 그러나 4.3 과정에서 제시하는 것은 물질 간의 결합이고 표준해 3.1.1에서 설명하는 것은 두 시스템 간의 결합니다.

물질을 결합하여 새로운 물질을 만드는 방법의 하나는 결합된 물질의 경계면을 적극적으로 활용하는 것이다. 예를 들어 한 장의 종이는 단일 물질(mono-substance), 단일시스템(mono-system)이고 노트는 복합시스템(poly-system)이지만, 두꺼운 종이 한 장은 여러 장의 종이를 결합해서 만든 것으로 볼 수 있다. 두꺼운 종이 한 장은 복합시스템이 아닌 새로운 성질의 복합물질이다. 이렇게 여러 장이 결합된 두꺼운 종이 한 장을 만들 때는 각각의 종이들이 결합할 때의 경계면이 적극적으로 활용된 것으로 생각할 수 있다. 따라서 4.4 과제에서는 경계면 물질인 비어 있는 공간도 복합물질과 유사한 개념으로 제시된다. 그러나 비어 있는 공간은 신기한 물질이다. 원래 물질과 비어 있는 공간이 결합하면 항상 경계면이 명확하게 드러나는 것은 아니지만 최종 결과에서 요구하는 새로운 특성이 나타나기도 한다.

4.4 공간, 기공(void) 활용

기존의 물질장-자원을 비어 있는 공간 또는 비어 있는 공간과 기존 물질과의 혼합물로 변경하여 문제를 해결할 수 있는지 검토한다.

예제. 공기와 비어 있는 공간의 결합이란 저밀도의 공기를 의미한다. 가스의 압력을 낮추면 방전에 필요한 전압을 낮출 수 있다는 것은 잘 알려진 물리학의 이론이다. 결국 안테나 문제에 대한 개념의 해결안은 이렇게 얻어질 수 있다.

절연성 밀폐 튜브를 이용하여 전파가 흡수되지 않고 통과할 수 있는 피뢰침을 만드는 것이 제시될 수 있다. 튜브 내부의 공기압은 낮게 설정되어 있어 번개의 전기장에 의해 가스 방전이 가능하다.

폭풍이 치는 동안은 절연 밀폐 튜브 내의 저압 공기가 이온화되며, 이온화된 공기는 번개 전류를 땅으로 전달할 수 있다. 폭풍이 끝나면 이온들이 다시 결합하여 공기는 다시 중성으로 되며 절연 밀폐 튜브는 전파의 수신을 방해하지 않는다.

참고 35. 비어 있는 공간은 문제 해결의 자원으로 활용될 수 있는 매우 중요한 '물질'이다. 비어 있는 공간은 양의 제한이 없으며 가격도 매우 저렴하며 다른 물질과 쉽게 혼합하여 속이 비거나, 다공성 구조나 거품, 방울 등을 형성할 수 있다.

비어 있는 공간이 반드시 진공일 필요는 없다. 만약 기존 물질이 고체이면 그 내부의 비어 있는 공간은 액체나 기체로 채워질 수도 있다. 특별한 물질 수준의 입장에서 낮은 수준의 구조들은 비어 있는 공간으로 간주할 수 있다. 예를 들어 각각 분리된 분자들은 결정격자의 개념에서는 비어 있는 공간으로 간주할 수 있으며, 원자들은 분자의 개념에서는 비어 있는 공간으로 간주할 수 있다.

4.5 유도된 자원 활용

기존 자원에서 유도된 물질 또는 유도된 자원과 빈 공간의 혼합물을 사용하여 문제를 해결할 수 있는지 검토한다.

참고 36. 기존 자원의 상(phase)을 변경하여 문제 해결에 유용한 자원을 도출할 수 있다. 예를 들어 기존 자원으로서 액체가 있다면 얼음이나 증기를 유도 자원으로 간주할 수 있고, 기존 자원을 분해하여 유도 자원을 도출할 수도 있다. 예를 들어 수소와 산소는 물로부터 유도된 물질이다. 각 성분은 복합성분 물질로부터 유도할 수 있다. 즉 기존 물질을 분해하거나 연소하여 얻어진 물질들도 유도 자원이다.

규칙 8. 문제를 해결하기 위해 물질 입자(예: 이온)가 필요하다. 문제 조건으로 직접 얻을 수 없을 때는 상위 구조의 물질(예: 분자)을 분해하여 얻을 수 있다.

규칙 9. 문제를 해결하기 위해 물질 입자(예: 분자)가 필요하나, 문제 조건으로 직접 얻을 수 없거나 규칙 8을 사용해도 얻을 수 없을 때는 하위 구조의 물질(예: 이온)을 결합하여 얻을 수 있다.

규칙 10. 규칙 8을 적용하는 가장 간단한 방법은 근접한 상위 구조의 '완전한 물질'이나 그 '여분'을 분해하는 것이다. 규칙 9를 적용하는 가장 간단한 방법은 근접한 '불완전한' 구조의 하위 물질을 완전하게 결합하는 것이다.

참고 37. 물질을 계층적 시스템(multi-layer hierachical system)이라고 생각할 수 있다. 실제 문제의 적용 시에는 다음과 같은 정도로 계층 구조를 파악할 수 있다.

1. 최소로 가동된 일상적인 물질(간단한 물질, 예를 들어 지우개)

2. 결정격자, 고분자 물질, 분자 화합물과 같은 초분자 물질

3. 분자

4. 분자의 일부분, 원자 그룹

5. 원자

6. 원자의 일부분

7. 근본 입자

8. 장(field)

4.6 전기장 활용하기

물질 대신 하나의 전기장 또는 두 개의 상호작용하는 전기장을 사용하여 문제를 해결할 수 있는지를 검토한다.

> **예제:** 잘 알려진 파이프의 강도를 측정하는 방법은 파이프가 파괴될 때까지 비트는 것이다. 이 방법을 사용하려면 파이프가 클램프에 고정되어야 하는데, 움직이지 못하게 고정하는 강한 힘으로 인해 측정하기 전부터 파이프에 변형이 일어난다.
>
> 파이프 내부에 전기장을 가하여(electrodynamic force) 파이프를 비트는 방법이 제안되었다.

참고 38. 만약 문제의 조건상 기존 또는 유도 자원만 사용해야 하는 제약 조건이 있다면, 전하(전류)를 사용할 수 있다. 전하란 어느 물질 내부에도 존재하는 물질이고 조절이 용이한 전기장과 밀접하게 관련되어 있다.

4.7 장과 그 장에 민감한 물질 활용하기

"장과 그 장에 민감한 물질"의 쌍을 이용하여 문제를 해결할 수 있는지를 검토한다.

> **예제:** "자기장 + 강자성 물질", "자외선 + 형광체", "열 + 형상 기억 합금" 등을 이용할 수 있다.

참고 39. 기존의 물질장-자원들은 2.3 과정에서 열거하였다. 과정 4.3~4.5에서는 유도할 수 있는 물질장-자원들을 검토했다. 과정 4.6에서는 기존 물질장-자원이나 유도된 물질장-자원과는 달리 외부에서 장(field)을 도입하였다. 4.7은 또 다른 추가적인 변형으로 새로운 외부 장과 외부 물질을 도입했다.

최소한의 자원을 사용할수록 개념 해결안(concept solution)의 이상성은 더욱 증가한다. 그러나 항상 제한된 자원만을 사용하여 문제를 해결할 수 있는 것은 아니다. 기존의 물질장-자원의 활용을 충분히 검토한 후, 때로는 한 걸음 뒤로 물러나 새로운 외부 물질과 장을 도입해 볼 필요가 있다. 단, 기존 물질장-자원을 활용하여 충분한 해결안이 도출되지 못한 경우 꼭 필요한 때만 검토해야 한다.

제5단계: 지식 DB의 활용

5.1 표준해 활용

5.2 유사 문제 활용

5.3 물리적 모순 해결에 분리의 원리 활용

5.4 물리적 모순 해결에 물리적 효과(physical effects) 활용

보통 아리즈의 제4단계는 개념 해결책(concept solution)을 찾도록 도와준다. 개념 해결책을 찾은 후에는 아리즈의 제7단계로 갈 수 있지만, 만약 4.7과정 이후에도 해답을 찾을 수 없다면 제5단계로 가야 한다.

아리즈에서 제5단계의 목적은 각종 기술적 지식(지식 DB)을 이용하는 것이다. 제5단계에서 문제는 더욱 명확해지고, 지식을 직접 활용함으로써 문제 해결 가능성이 더 커진다.

5.1 표준해 활용하기

표준해를 활용하여 이상 해결책-2와 제4단계에서 고려한 물질장-자원을 이용하여 문제를 해결할 수 있는지 검토한다.

> **참고 40.** 사실상 4.6과 4.7 과정에서 이미 표준해를 활용했다. 4.6과 4.7 과정 이전에는 새로운 물질장-자원의 도입 없이 기존의 물질장-자원만을 활용하는 것이 주된 접근법이었다. 만약, 기존의 또는 유도된 물질장-자원만으로 문제를 해결하는 것이 불가능할 경우 새로운 물질과 장을 도입하는 것이 필요하다. 표준해의 대부분은 새로운 첨가물과 장을 도입하는 방법에 관한 것이다.

5.2 유사 문제 활용

아리즈를 사용하여 이미 해결되었던 비표준 문제의 개념 해결안을 활용하여 문제(이상 해결책-2와 제4단계에서 고려한 물질장-자원의 이용 문제)를 해결할 수 있는지 검토한다.

> **참고 41.** 발명 문제는 매우 많으나 발명 문제와 관련 있는 물리적 모순의 개수는 상대적으로 그렇게 많지는 않다. 그러므로 유사한 물리적 모순을 가지고 있는 문제의 유사성을 끌어내면 많은 문제를 해결할 수 있다. 문제의 관점에서 보면 모두가

다른 문제로 보일 수 있으므로, 물리적 모순의 관점으로 분석을 수행해야만 유사성과 공통점을 발견할 수 있다.

5.3 물리적 모순 해결에 분리의 원리 활용

일반적인 물리적 모순의 해결 방법을 사용하여 물리적 모순을 해결할 수 있는지 검토한다.

규칙 11. 이상 해결책과 완전히 일치하거나 거의 근접하는 개념 해결책을 도출해야 한다.

5.4 물리적 모순 해결에 물리적 효과 활용

물리적 효과와 현상을 사용하여 물리적 모순을 해결할 수 있는지 검토한다.

참고 42. 물리적 효과 및 현상과 관련된 내용은 주변의 전문가, 인터넷이나 백과사전을 참조한다.

제6단계: 문제의 변경 또는 재구성

6.1 기술적 해결안으로 전환

6.2 해결하고자 하는 문제가 여러 문제와 결합된 문제인지 확인

6.3 문제 변경

6.4 최소 문제(minimal problem)로 재서술

일반적이고 단순한 구조의 문제는 물리적 모순을 직접 제거하여 해결할 수 있다. 예를 들어 상충하는 특성을 공간이나 시간으로 분리한다. 그러나 복잡한 문제를 해결하기 위해서는 심리적 관성(mental inertia)을 초래하는 초기의 제약 조건을 제시하여 문제의 표현을 달리하는 것으로부터 실마리를 찾을 수 있다.

예를 들어 쇄빙선(icebreaker)의 속도를 증가시키는 문제는 쇄빙선이라는 명칭 자체에 얼음을 깬다(ice+breaker)는 초기의 제약 조건이 있다. '얼음을 안 부수고 가는 배(ice No Breaker)'로 문제의 표현을 전환할 필요가 있다. 심리적 관성은 새로운 종류의 배를 만들려 하기보다는 실제 사용하는 얼음을 깨는 장비의 효율을 향상시켜려고만 한다.

문제를 정확하게 이해하기 위해서는 처음부터 문제를 풀어야 한다(문제를 풀면 그제서야 정확히 문제를 이해한다는 뜻). 문제 해결 과정은 문제 표현을 수정(재서술)해 가는 과정이다.

6.1 기술적 해결안으로 전환한다.

문제가 해결되었으면 개념 해결안을 기술적 해결책으로 전환하라. 작동 원리를 서술하

고 이 원리를 구현하는 장치의 개략적인 설계도(개념도)를 작성한다.

6.2 해결하고자 하는 문제가 여러 문제가 결합된 문제인지 확인

문제가 해결되지 않았다면 1.1 과정에서의 문제가 여러 문제가 결합된 상태를 서술한 것인지 확인한다. 만약 그렇다면 각각 다른 별도의 문제로 분리하여 1.1 과정을 재서술하여 하나씩 해결해야 한다(보통 분리된 여러 문제 중 가장 중요한 문제를 푸는 것이면 충분하다).

> **예제:** 미세한 금속 조각을 납땜하여 1m 길이의 금으로 된 사슬을 만들어야 한다. 1m 사슬의 무게가 단지 1g 정도로 미세한 금 조각들이다. 몇백 m의 사슬을 하루 만에 납땜하는 방법을 찾아야 한다. 이 문제는 다음과 같은 문제로 분리할 수 있다.
>
> 1. 어떻게 미소량의 땜납을 연결부위 사이에 삽입하는가?
>
> 2. 어떻게 금 사슬을 망가뜨리지 않고 삽입된 미소량의 땜납을 가열하는가?
>
> 3. 만약, 땜납이 너무 많이 붙었다면 어떻게 제거하는가?

여기서 가장 중요한 문제는 미소량의 땜납을 연결부위 사이에 어떻게 삽입하는가이다.

6.3 문제 변경

문제가 해결되지 않으면 1.4 과정에서 문제를 변경하여 다른 기술적 모순을 선정한다.

> **예제:** 검출이나 측정의 문제에서 다른 기술적 모순을 선정하는 것은 측정부를 개선하는 것이 아니라 전체 시스템을 변경하여 측정해야 할 필요성을 없애는 것이다(표준해 4.1.1).

예를 들어 같은 파이프라인에 다른 종류의 기름을 이송할 필요가 있다. 만약 분리용 액체를 바로 연결하여 이송한다면 곧바로 다른 액체를 이송할 수 있다. 이송된 후 두 종류의 기름은 분리해서 저장되어야 하므로 문제는 분리용 액체가 있는 연결 지점을 어떻게 정확하게 측정하는가이다.

이 측정 문제를 변형 문제로 변경할 수 있다. "어떻게 분리용 액체와 기름이 섞이는 것을 완벽하게 방지할 수 있는가?"

분리용 액체는 기름과 쉽게 혼합될 수 있다. 그러나 분리용 액체는 필요한 때에 기체로 바뀌거나 용기로부터 스스로 제거되어야 한다. 다음과 같은 성질이 분리용 액체에 요구된다.

1. 기름에 녹지 않는다.

2. 이송하는 기름의 밀도와 같은 밀도를 가진다.

3. 영하 50도까지 얼지 않는다.

4. 가격이 싸고 안전하다.

참고 서적을 통해 이러한 종류의 액체로 암모니아를 발견했다.

6.4 최소 문제 재서술

문제가 해결되지 않으면 1.1 과정으로 돌아가서 상위 시스템의 관점에서 최소 문제를 재서술한다. 필요에 따라 여러 연속된 상위 시스템의 관점에서 최소 문제를 재서술한다.

예제: 구조복(가스와 열로부터 보호, 가스-열-반사복)에 대한 개념 해결안이 전형적인 예이다.

이 문제는 냉각할 수 있는 구조복을 개발하는 것으로 정의되었다. 그러나 냉각에 필요한 동력을 공급하기 위해서는 무게가 증가하여 결국 문제를 해결할 수 없었다.

이 문제는 상위 시스템을 살펴본 후 해결할 수 있었다. 즉, 상위 시스템으로의 전이를 통해 문제가 해결된 것이다. 냉각 시스템과 호흡 시스템의 기능을 동시에 제공하는 구조복을 만드는 것이 제시되었다. 구조복은 액체 산소를 이용하여 작동한다. 액체 산소가 증발하면서 냉각 시스템으로 작동하여 증발된 산소 기체는 호흡 시스템으로 작동한다. 문제를 상위 시스템으로 전이시켜 전체 무게를 2~3배 줄일 수 있었다.

제7단계: 물리적 모순 해결 방법 분석

7.1 개념 해결안의 점검

7.2 개념 해결안의 예비 평가

7.3 특허를 검색하여 특허 등록 가능성 점검

7.4 개념 설계안의 실행 시 발생할 수 있는 부가 문제 추정

아리즈 제7단계의 목적은 얻어진 해결안의 우수성을 점검하는 것이다. 물리적 모순은 거의 이상적으로 '아무것도 없이' 해결되어야 한다. 새롭고 더욱 강력한 해결안을 찾기 위해 3~4시간을 더 할애하는 것이 엉성하고 구현하기 어려운 아이디어에 반평생을 보내는 것보다 낫다.

7.1 개념 해결안의 점검

개념 해결안을 검증한다. 도입된 모든 물질과 장을 검토한다. 새로운 물질이나 장을

도입하지 않고 기존의 또는 유도된 물질장-자원을 활용하는 것이 가능한가? 스스로 조절하는 물질의 사용이 가능한가? 이에 따라 기술적 해결안을 적절하게 수정한다.

> **참고 43.** 스스로 조절하는 물질이라 하면 외부 환경 조건에 따라 자신의 물리적 특성을 바꾸는 것을 말한다(예: 큐리 점 이상으로 온도가 올라가면 자성이 사라진다). 스스로 조절하는 물질을 사용함으로써 부가적인 장치 없이 시스템이 변경되거나 상태를 변경하게 한다.

7.2 개념 해결안의 예비 평가

미리 개념 해결안을 평가한다.

1. 개념 해결안이 이상 해결책-1의 주요 요구사항을 만족하는가?, 시스템을 복잡하게 하는가?

2. 어떤 물리적 모순이 개념 해결안에 의해 해결되었나?

3. 새로운 시스템이 최소한 하나 이상의 손쉽게 제어되는 요소를 가지고 있는가? 어떤 요소가 어떻게 제어되는가?

4. 여러 사이클 사용 시에도 내구성에 문제가 없는가?

만약 얻어진 해결안이 위의 모든 질문에 만족하지 않으면 과정 1.1로 돌아간다.

7.3 특허를 검색하여 특허 등록 가능성 점검

얻어진 개념 해결안의 신규성을 특허 시스템을 통해 점검한다. 인터넷에 공개된 각국의 특허청 특허 DB를 활용하면 된다.

7.4 개념 해결안 실행 시 발생할 수 있는 부가 문제 추정

새로운 시스템의 설계 구체화(구현 설계) 단계에서 발생할 수 있는 부가 문제를 추정한다. 부가 문제의 목록을 만든다. 추가 발명, 설계도, 계산, 조직의 변화에 대한 저항 극복 등.

제8단계: 도출된 해결안의 적용

8.1 상위 시스템이 어떻게 변경되어야 하는지 추정

8.2 도출된 해결안의 새로운 유용한 효과 검색

8.3 다른 문제에 개념 해결안을 적용

정말 혁신적인 아이디어는 특정 문제뿐만 아니라 다른 유사 문제를 해결하는 데에도 다양하게 사용할 수 있다. 아리즈 제8단계의 목적은 도출된 해결안에 의해 모습을 나타낸 문제 해결에 사용된 자원의 활용을 극대화하는 것이다.

8.1 상위 시스템이 어떻게 변경되어야 하는지를 추정

변경된 시스템을 포함하는 상위 시스템이 어떻게 변경되어야 하는지를 정의한다.

8.2 도출된 해결안의 새로운 유용한 효과 검색

변경된 시스템 또는 상위 시스템이 새로운 유용한 효과를 낼 수 있는지를 검토한다.

8.3 다른 문제에 개념 해결안을 적용

다른 발명 문제에 개념 해결안을 적용한다.

1. 일반적인 해결 원리를 기술한다.

2. 다른 문제에 해결 원리를 바로 적용할 수 있는지 검토한다.

3. 다른 문제에 해결 원리를 반대로 적용할 수 있는지 검토한다.

4. 형태학적 테이블을 만든다(예를 들어 가로축에 부품의 위치, 적용된 장 등이 있고, 세로축에 생성물의 상태, 외부 환경의 상태 등을 배열한다). 이 테이블은 개념 해결안의 가능한 모든 변조와 재구성을 포함한다.

5. 시스템과 주요 부품의 치수를 변경하여 얻어질 수 있는 해결 원리를 검토한다. 즉, 치수를 0으로 또는 무한대로 될 때 어떻게 될지 상상한다.

참고 44. 일의 목적이 단지 특정 기술적 문제를 해결하는 것이 아니라면, 8.3 과정을 잘 활용하여 해결 원리에 바탕을 둔 일반 이론을 개발할 수 있다.

제9단계: 문제 해결 과정 분석

9.1 이론적 문제 해결 과정과 실제 문제 해결 과정을 비교한다.

9.2 도출된 개념해와 트리즈의 지식을 비교한다.

아리즈를 사용하여 해결한 모든 문제는 개인의 창의력을 증진시켜야 한다. 그러나 이를 위해서는 문제 해결 과정을 철저하게 분석해야 한다. 이것이 아리즈의 마지막 부분인 제9단계의 목적이다.

9.1 개념 해결안 실행 시 발생할 수 있는 부가 문제 추정

새로운 시스템의 설계 구체화(구현 설계) 단계에서 발생할 수 있는 부가 문제를 추정한다. 부가 문제의 목록을 만든다. 추가 발명, 설계도, 계산, 조직의 변화에 대한 저항 극복 등.

9.2 도출된 개념해와 트리즈의 지식을 비교한다.

도출된 해와 트리즈의 지식(발명 원리, 표준해, 물리적 효과 및 현상)을 비교한다. 만약, 트리즈의 지식에 이러한 원리가 없으면 그것을 자신만의 지식으로 기록한다.

7 트리즈 적용 사례

사례 1. 1994년 9월 989명의 승객과 선원을 싣고 에스토니아의 수도 탈린에서 스웨덴의 스톡홀름으로 향하던 여객선이 전복하여 757명이 실종, 95명이 사망하고 137명만이 구조된 최악의 해난 사고가 있었다.

스웨덴의 선박회사는 이에 대한 대책이 필요하게 되었다. 여객선을 이용하는 사람들은 대개 자동차와 함께 왕래하는 경우가 빈번하여 엔진룸 위의 여객선 중간 내부 갑판에는 자동차들이 실려 있었다. 폭풍우가 심하게 치는 날 높은 파도로 인해 순식간에 바닷물이 배 안으로 밀려들어 아래 그림과 같이 배가 전복된 것이다.

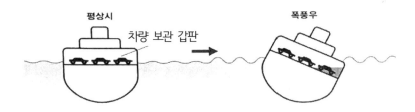

1994년 선박회사의 사장은 트리즈 전문가를 초청하여 해결책을 내어보라고 제안했다.

제안받은 뒤 사흘째 되던 날 트리즈 전문가는 이상 해결책(IFR)을 생각해냈다. 트리즈 전문가가 제안한 이상 해결책은 아래 그림과 같이 자동차가 선적되는 갑판에 구멍을 뚫는 것이라고 했고, 그 말을 들은 선박회사 사장은 당장 그 아이디어를 채택했다.

트리즈 전문가는 트리즈가 제시하는 40가지의 발명 원리 중 22번 원리인 "안 좋은 것을 좋은 것으로 활용하기(convert harmful to useful)"를 적용했다. 폭풍우가 몰아칠 때 물이 배 안으로 들어와 배가 전복되므로 물은 유해한 자원(harmful resource)이지만, 이왕 들어온 물을 잘 활용하여 물이 들어오면 들어올수록 배가 뒤집히지 않고 더 안정되게 할 수 없을까 고민했다. 갑판에 구멍을 뚫어 들어온 물을 배의 밑바닥으로 유도하면 폭풍우 치는 바다 한가운데에서도 배는 무게 중심이 더욱더 밑으로 쏠려 마치 오뚝이처럼 풍랑에 잘 견딜 수 있게 된다. 모든 선박은 선체 밑바닥으로 들어온 물을 밖으로 배출할 수 있는 충분한 배수 능력이 있으므로 아무런 문제가 없다.

사례 2. S사와 L사 냉장고의 고급 모델에는 홈바(home bar)가 장착되어 있다. 홈바에는 아래 그림과 같이 양옆의 링크를 부착하고 있으며 냉장고 특성상 스테인리스강으로 제작해야 하므로 링크 단가가 비싼 편이다. 이 상황에서 트리즈 전문가에게 해결책을 요청했다. 이에 트리즈 전문가는 아래 그림과 같이 링크를 아예 사용하지 않아도 되는 이상 해결책을 제시했다.

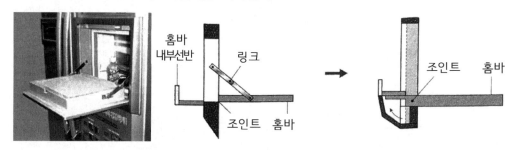

사례 3. 얼어붙은 땅에 말뚝을 박기 위해서는 말뚝의 끝은 뾰족해야 하지만, 들어간 후 쉽게 흔들리지 않고 안정되려면 끝이 뾰족하지 않아야 한다는 물리적 모순이 있다. 트리즈는 이 문제를 시간에 의한 분리로 해결했다.

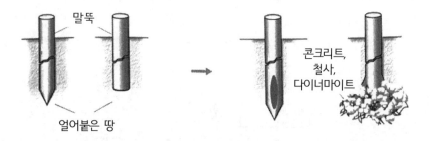

말뚝의 끝부분에 다이너마이트를 설치하여 말뚝이 들어갈 때는 뾰족하고 말뚝이 다 들어간 후에는 다이너마이트를 폭발시켜 말뚝의 끝이 불규칙한 모양이 되게 하면, 말뚝이 안정되게 땅 밑에 박혀 있게 되어 쉽게 들어가지만, 절대 뽑히지 않는 완전한 말

뚝이 될 수 있다. 이 문제는 말뚝이 들어갈 때와 박혀 있을 때를 시간으로 분리하여 해결할 수 있었다.

사례 4. 식탁에 오르내리는 피망은 내부의 씨를 제거하는 작업에 많은 시간이 요구된다. 이 문제를 해결하기 위해 자동으로 씨를 빼내는 특허가 1960년에 출원되었다. 이 특허는 일단 피망을 대기압의 10배 정도로 압력을 가한 다음, 순간적으로 압력을 제거하면 피망이 순간적으로 팽창하여 씨가 빠른 속도로 피망 밖으로 토출되는 원리를 적용한 것이다.

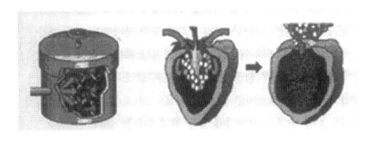

사례 5. 다이아몬드를 흠집 없이 원하는 형상으로 절단해야 하는 문제가 제기되었다. 다이아몬드를 흠집 없이 파쇄하는 특허가 1980년대 일본에서 출원됐다. 이 특허에서는 다이아몬드의 흠집을 없애는 방법으로 흠집을 기준으로 두 개의 작은 다이아몬드로 쪼개는 방법을 사용했다. 흠집을 기준으로 다이아몬드를 쪼개기 위해서는 작은 망치와 정을 사용해야 하는데 뛰어난 숙련자가 아니면 추가적인 흠집 없이 쪼개기가 매우 어렵다. 이 문제를 해결하기 위해 수백 기압으로 다이아몬드를 가압하다, 순간적으로 압력을 해제하면 흠집이 있는 부분이 출발점이 되어 다이아몬드가 쪼개지게 된다.

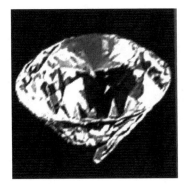

제2부 공학 설계 프로세스

제1장 개요

설계 회의는 공학 설계 프로세스의 첫 번째 단계 중의 하나이다. 설계 회의를 통해 엔지니어(Engineer), 기술자(Technician) 및 그 외 직원이 특정 고객의 요구사항을 충족할 수 있는 솔루션을 제시한다. (Zsolt Nyulaszi/Shutterstock)

1.1 학습 목표

이장의 학습을 통해 다음과 같은 사항을 이해할 수 있다.

1. 공학 설계에 대해 정의할 수 있다.
2. 공학 설계의 중요성을 인식할 수 있다.
3. 공식화된 체계적 설계 프로세스의 중요성을 이해할 수 있다.
4. 설계 프로세스 단계를 이해하고 이를 간략하게 설명할 수 있다.
5. 서로 다른 체계적 설계 모델을 구별할 수 있다.
6. 공학의 윤리 문제와 직업윤리 강령을 주제로 토론할 수 있다.

1.2 공학 설계의 정의

공학 설계의 공식적 정의는 미국 공학 및 기술 인증 위원회(ABET : Accreditation Board for Engineering and Technology)의 교과과정 지침에서 확인할 수 있다. ABET의 정의에 의하면 공학 설계는 원하는 요구사항을 충족할 수 있는 시스템, 구성 요소 또는 공정을 고안하는 프로세스로 기본 과학, 수학 및 공학적 지식을 적용하여 명시된 목표를 달성하기 위해 자원을 최적으로 변환하는 의사 결정 프로세스(종종 반복적)라고 정의되어 있다. 설계 프로세스의 기본 요소는 목표와 기준의 수립, 종합, 분석, 구성, 시험, 그리고 평가라고 할 수 있다. 공학 설계 교과과정의 구성 요소는 학생의 창의성 계발, 개방형 문제사용, 현대 설계 이론 및 방법론의 개발 및 사용, 설계 문제서술(description), 사양의 공식화, 생산 프로세스, 동시 공학적 설계, 상세 시스템 서술(description)과 같은 기능을 대부분 포함해야 한다. 또한 경제적 요인, 안전성, 신뢰성, 심미성, 윤리성 및 사회적 영향 등과 같은 다양한 현실적 제약사항도 반드시 포함되어야 한다.

1.2.1 설계 수준 (Design Levels)

인간 활동의 모든 분야에서 수행하는 난이도가 다르듯이, 설계 또한 난이도에 따라 적응 설계(Adaptive Design), 개발 설계(Development Design), 그리고 새로운 설계(New Design)로 분류할 수 있다.

(1) 적응 설계 (Adaptive design)

설계 작업은 대부분 기존 설계를 상황에 맞게 적응시키는 것과 관련이 있다. 예를 들어 사실상 개발이 중단되었던 것을 후속 설계해야 할 때 설계자가 실제로 해야 할 일은 제품의 치수를 약간 수정하는 것 외에 거의 없다. 이런 유형의 설계 활동은 특별한 지식이나 기술이 필요하지 않으므로, 일반 기술 교육을 받은 설계자라도 주어진 문제를 쉽게 해결할 수 있다. 이러한 사례의 하나가 엘리베이터인데, 엘리베이터는 현재까지 기술적으로나 개념적으로 변한 것이 거의 없다. 이 외에 또 다른 예로 세탁기를 들 수 있는데, 이는 지난 몇 년 동안 동일한 개념 설계를 기반으로 이루어졌으며 단지 치수, 재료 및 세부 전력 사양과 같은 몇 가지 매개 변수만이 다를 뿐이다.

(2) 개발 설계 (Development design)

개발 설계를 위해서는 훨씬 더 많은 과학적 훈련과 설계 능력이 필요하다. 개발 설계의 경우 설계자는 기존 설계로부터 설계를 시작하지만, 최종 결과물은 초기 제품과 현저하게 다를 수 있다. 이러한 개발의 예로 자동차의 수동 기어박스에서 자동 기어박스로, 전통적인 튜브 기반의 텔레비전에서 현대적인 플라즈마 및 LCD 버전으로의 개발을 들 수 있다.

(3) 새로운 설계 (New design)

모든 설계에서 단지 소수의 설계만이 새로운 설계에 해당한다. 새로운 개념을 생성한다는 것은 적응 설계, 개발 설계에서 필요한 모든 기술에 정통해야 함은 물론, 창의성과 상상력, 통찰력 그리고 예지력을 추가로 필요로 한다는 점에서 가장 어려운 수준의 설계라고 할 수 있다. 이러한 설계의 예로는 처음 개발된 자동차, 비행기, 심지어 아주 오래전 처음 개발 당시의 바퀴(wheel)의 설계를 들 수 있다. 독자 여러분은 지난 10년 동안 소개된 완전히 새로운 설계가 어떤 것이 있는지 생각해 보라.

1.3 공학 설계의 중요성과 과제

앞 절의 설계의 정의에 의하면 설계란 과학적이고 창조적인 과정임이 명백한 사실이다. 알베르트 아인슈타인(Albert Einstein)은 "지식은 유한하지만, 상상력은 무한하므로 상상력이 지식보다 더 중요하다"라고 했다.

설계가 Solid Works 또는 AutoCAD와 같은 컴퓨터에서 작동하는 컴퓨터 기반 설계 도구로 만들어진 기술 도면으로부터 시작하지 않는다는 사실을 깨닫는 것이 무엇보다도 중요하다고 할 수 있다. 물론, 컴퓨터 기반 설계 도구가 더욱 발전함에 따라, 설계자는 설계를 돕기 위해 기술 도면으로 설계를 시작할 수도 있으나, 설계는 창조적인 과정이므로 대부분의 입력은 설계자로부터 시작되어야 한다. 설계는 제품개발 과정에서 가장 중요한 단계로 여겨지고 있으며, 실제로 설계가 없다면 제품도 존재하지 않는다. 이뿐만 아니라 아무리 우수한 제조, 생산, 판매 시스템을 구축하고 있어도, 제품의 설계가 부실하면 최종 제품은 여전히 나쁜 아이디어가 되어 결국 실패하게 될 것이다. 왜냐하면 누구라도 나쁜 아이디어를 구매하는 것을 좋아할 사람은 없기 때문이다. 최종 기술 도면은 어떤 면에서 최종 설계 단계의 '실험실 보고서'로 간주 되어 다른 사람들과 소통하는 방법으로 사용된다. 실제로 기술 도면 작성 단계 전에 여러 단계가 있는데, 이러한 단계는 이 장의 전체 과정과 이 책의 나머지 부분에서 더 자세히 설명할 것이다.

소비자의 대부분은 제품의 상세한 기술 사양(technical specifications)이나 제조 공정(manufacturing process)의 효율성에 대해 알지 못하거나 관심이 없다. 소비자가 구매를 결정하기 전 가장 먼저 보는 것은 '제품이 어떻게 보이는가?'이며, 그다음으로 상품의 신뢰성과 품질, 그리고 가격을 보게 될 것이다. 한 예로 사람들이 커피머신이나 휴대폰을 어떻게 선택하는지 생각해 보라.

여기서 주목할 점은 소비자가 가장 먼저 고려하는 요소가 항상 가격이 아니라는 것이다. 만약 제품으로부터 어떤 유익한 점을 발견한다면, 많은 사람이 기꺼이 비용을 조금 더 지불할 의향이 충분히 있으므로 이러한 요인을 설계에 반영해야 한다. 어떤 사람은 품질과 자신의 명성을 보증하기 위해 비싼 품목만 사기도 한다(단순히 가격이 저렴하다고 해서 롤스로이스나 롤렉스를 구매하는 사람은 아무도 없을 것이다). 그러나 대부분의 설계 프로세스는 제품이 시장에서 경쟁력을 가질 수 있도록 최소한의 비용이 될 수 있도록 설계해야 한다.

영국 통상 산업부(DTI)의 자료를 포함한 다른 많은 자료에 의하면 설계 단계에 돈과 자원을 투자하면 가장 큰 투자 수익을 낼 수 있다고 한다. 그 이유 중 하나가 설계 초기 단계에서는 전체를 쉽게 변경할 수 있지만, 제조 단계에서 제조 방법을 변경하게 되면 시간과 비용 모두가 많이 들기 때문이다.

역사를 통틀어 인간은 문명의 욕구를 충족시키기 위해 인공물을 성공적으로 설계해 왔으며, 필요에 따라 위대한 설계와 발명품이 가득 차 있다. 최근에는 기존의 요구사항을 충족하거나 위험이나 불편을 줄이거나 새로운 접근 방식을 개발하기 위해 설계가 추진되고 있다. 공학자가 구축한 모든 설계가 성공적이지는 않으므로 때로는 치명적 오류가 발생하기도 했다. 공학 시스템과 관련하여 잘 알려진 몇 가지 재해 사례를 살펴보면 다음과 같다.

- 1996년 체르노빌 원전의 참사가 발생했다. 세계보건기구(WHO)에 따르면, 336,000 명 이상의 대피와 재정착, 56명의 직접 사망, 4,000명의 어린이가 갑상선암에 걸렸

으며, 대략 660만 명 이상이 방사선에 크게 노출되었다.

- 1986년 우주 왕복선인 챌린저호의 오른쪽 고체 로켓 부스터의 O-링 밀봉의 실패로 인한 폭발로 화염이 누출되어 외부 연료 탱크에 도달하여 우주 왕복선은 이륙 후 73초 만에 파괴됐고, 승무원 전원이 사망했다.

- 1988년 보잉 737기가 비행 도중 객실 지붕이 손실되어 승무원 1명이 비행기 밖으로 `날아갔다. 사고 원인은 궁극적으로 구역을 독립적으로 제어 함으로써 응력(stress)을 완화하는 방식에 의존한 항공기 설계와 피로파괴로 인한 것이었다. 조사관들이 사고기의 외피를 분석한 결과 동체는 매우 심각하게 부식된 상태였으며, 육안으로도 보일 정도의 피로파괴로 인한 균열(2~5mm 내외)이 다수 있었다는 것이 밝혀졌다. 원래 보잉 737기의 외피는 균열이 발생하더라도 $250mm^2$ 구멍만 뚫리도록 안전설계가 되어 있었지만, 엄청난 양의 균열 때문에 안전설계가 무용지물이 되어 천장이 통째로 뜯겨 날아간 것이다.

- 1981년 캔자스시의 하얏트 리젠시 호텔 개장 직후 스카이워크(skywalk)가 붕괴되었다. 이것은 스카이워크의 봉(Rod)이 스카이워크 위에 2,000명이 모였을 때의 무게를 지탱하도록 설계되지 않았기 때문이다. 이 사고로 인해 200명이 다쳤고 114명이 사망했다.

- 1979년 엔진 주탑(engine pylon)의 균열로 엔진이 손실되어 DC-10 비행기가 추락

하여 273명이 사망했다. 조사관들은 비행기의 사고 원인을 조사했고, 날개와 엔진을 연결하는 플랜지 부분에 치명적인 문제가 있음이 밝혀졌다.

• 2000년 연료 탱크의 설계 배치로 인해 콩코드가 추락하는 사고가 발생하여 113명이 사망했다. 항공기가 활주로의 잔해에 부딪히고, 뒤이어 타이어가 폭발함과 동시에 탱크가 파열되었다. 이 사고로 인해 콩코드의 내항 증명서(내공 증명서: Concorde's airworthiness certificate)가 취소되어 모든 콩코드 비행기가 15개월 동안 이륙하지 못하게 되어 결국 초음속 여객기의 종말을 맞이하게 되었다.

• 2003년 컬럼비아 우주 왕복선이 추락한 것은 부 탱크 양각대(bipod)의 부착 부분에서 파편 조각이 떨어져 나가 컬럼비아호의 날개 아래쪽 또는 가장자리(leading edge)와 충돌했기 때문이다.

Walton은 공학적 사고 원인을 면밀히 분석한 결과 대부분의 공학 설계가 실패하는 이유를 다음과 같이 나열했다.

- 부정확하거나 과장된 가정

- 해결해야 할 문제에 대한 이해 부족

- 부정확한 설계 사양

- 제조 및 조립의 오류

- 설계 계산 오류

- 불완전한 실험 및 부적절한 자료수집

- 도면 오류

- 좋은 가정으로부터 잘못된 추론

위의 사례에서 보는 바와 같이 주어진 모든 재해의 사례와 치명적인 오류의 원인은 Walton이 나열한 하나 이상의 항목으로 요약 및 분류할 수 있다. 그러나 설계가 기술적으로 성공하여 결함이 발생하지 않더라도, 여전히 많은 설계가 원하는 목표를 달성하지 못하는 경우가 있고, 실제로 많은 설계가 목표를 달성했다 해도 사용자에게 채택되지 않는 경우가 있다. 그렇다면 왜 많은 사람이 설계에 실패할까? 이에 대한 대답 중 하나가 설계는 본질적으로 어려운 큰 도전이라는 사실이다. 설계자는 아이디어를 현실화하기 위해 창의적이고 기술적인 능력을 갖추어야 할 뿐만 아니라 어떤 방식으로든 미래를 예측할 수 있어야 한다. 설계자는 제품 수명의 각 단계를 시각화로부터 실현까지, 그리고 최종적으로 수명주기가 끝날 때까지를 예측하고 제품이 어떻게 폐기되거나 재활용될 것인지도 예측할 수 있어야 한다. 이것은 설계자가 유통업체, 공급업체, 사용자, 운영자 등과 같은 사회 전반에 걸쳐 자금을 지원할 수 있는 후원자가 좋아할 만한 제품을 개발해야 한다는 것을 의미한다.

설계 문제를 더욱 복잡하게 만드는 것은 모든 사람이 제품을 어떻게 설계할지에 대해 의견이 서로 다르거나 욕구가 다르다는 것이다. 같은 환경에서 자란 일란성 쌍둥이라 할지라도 상점에 들어가 한 사람은 휴대 전화를 집어 들고 이것이 그가 본 것 중 가장 아름답다고 말할 수 있지만, 다른 사람은 그것을 끔찍하게 생겼다고 생각할 수 있다. 따라서 설계자가 개발한 제품을 사람들이 좋아하고 사용할 것인지를 예측한다는 것은 다소 어려운 일이라고 할 수 있다. 이 책에서는 이런 이유로 인해 설계자가 창의성을 저해하지 않고 목표를 달성할 수 있도록 안내하기 위한 체계적인 설계 프로세스를 도입하였다.

1.4 체계적 설계법의 소개

공학도는 교육기관으로부터 많은 양의 이론적 자료와 정보를 제공받고 있지만, 배운 것을 특정 목적에 맞게 논리적으로 적용하는 과제에 직면했을 때 비로소 자신의 약점을 깨닫게 된다. 설계해야 할 작업이 이미 친숙한 모델이거나 이전 설계를 기반으로 한 것일 경우, 기존 방식을 이용하여 솔루션을 찾는다면 그들이 보유한 지식을 완벽하게 적용할 수 있을 것이다.

그러나 이미 존재하는 것을 더 발전된 단계로 발전시키거나 이전 설계가 존재하지 않는 완전히 새로운 것을 창조해야 할 경우, 설계자가 더 높은 수준의 지식을 이해하지 못하면 그 과제는 비참하게 실패하게 될 것이다. 설계자는 정해진 지침이 없으면 설계의 명확한 최종 목표 결정에 어려움을 겪게 될 것이다.

체계적인 설계 프로세스는 이러한 문제를 해결하기 위해 체계적인 접근 방식으로 설계할 수 있고, 창의성과 기술적 문제 해결 능력을 기반으로 만족스러운 결과물을 만들 수 있도록 안내하는 공식화된 설계 프로세스이다.

체계적인 설계 프로세스는 다양한 형태가 있으며, 사람마다 적게는 4단계에서 많게는 9단계까지 나열했으나. 모든 체계적인 설계 프로세스는 다음과 같은 기본 원칙을 중심으로 진행된다.

- 요구사항(Requirements)
- 제품의 개념(Product concept)
- 솔루션 개념(Solution concept)
- 구현 설계(Embodiment design)
- 상세 설계(Detailed design)

고객의 욕구(need) 또는 요구사항(Requirements)을 파악하는 단계는 설계 프로세스에서 가장 중요한 단계라고 할 수 있다. 그러나 이 단계를 시작하기 전에 누가 고객인지를 확인하는 것이 중요하다. 여기서 파악해야 할 중요한 개념은 고객은 최종 사용자만이 아니라 제품 수명 기간 중 어느 단계에서나 제품을 취급하는 모든 사람이라는 사실이다. 예를 들어, 제품을 판매할 사람 또한 고객이다. 설계자는 판매자가 제품을 광고하고 마케팅하는 것에 동의할 수 있도록 매력적으로 제품을 만들어야 한다. 고객의 또 다른 예로 제품의 서비스를 제공하고 유지 관리하는 사람을 들 수 있다. 제품을 유지 관리하고 서비스하기가 어려우면, 독립적인 서비스 제공업체는 다른 제품을 추천하거나 서비스 비용을 더 많이 청구할 것이다. 한 예로 항공기의 가능한 고객을 살펴보면 다음과 같다.

- 승객(Passengers)
- 승무원(Crew)
- 조종사(Pilot)
- 공항(Airport)
- 기술자 및 서비스 직원(Engineers and service crew)
- 연료 공급 회사(Fueling companies)
- 항공사(Airlines)
- 제조 및 생산 부서(Manufacturing and production departments)
- 수하물 취급자(Baggage handlers)
- 청소 및 출장 급식 회사(Cleaning and catering companies)
- 영업 및 마케팅 부서(Sales and marketing)
- 회계 및 재무 부서(Accounts and finance departments)
- 군용/택배/화물 등(Military/Courier/Cargo/etc)
- 당국과 공식 기관(Authorities and official bodies)
- 외부 용역 품목과 관련 회사(Companies involved with the items that will be outsourced)

이러한 각 고객은 동일한 제품에 대해 요구사항이 완전히 다를(때로는 상충하는) 수 있다. 따라서 먼저 고객을 파악해야만 이들에 대한 모든 요구사항을 제대로 파악할 수 있어 요구사항에 대한 우선순위와 실현 가능성에 따라 적절한 타협점을 찾을 수 있다.

일반적으로 고객의 대부분은 자신에게 필요한 요구사항만 제공하므로, 구체적인 고객의 요구사항을 파악하는 일은 설계자에게 달려 있다. 예를 들어, 어린이가 사용할 수 있는 의자를 설계해달라는 요청을 받았다면, 모든 사람이 의자에 앉는 방법을 알고 있다는 관점에서 보면 그들은 의자가 어떻게 작동하는지를 알고 있다는 것이다. 의자는 앉기 위해 사용하는 것이지만, 불행하게도 설명서에는 의자가 어떻게 만들어지는지, 어떤 재료로 만들어지는지? 유연한지 단단한지? 회전하는지 아니면 고정되어 있는지? 어린이가 의자를 사용한다는 것이 무엇을 의미하는지? 안전이 가장 큰 관심사인지? 의자 비용은 얼마인지? 아이는 몇 살인지? 등과 같은 구체적인 요구사항이 나와 있지 않다.

공학 설계의 많은 요소가 수학 모델에 기초하고 있지는 않지만, 공학 설계 프로세스는 체계적으로 유지되어 있다. 앞의 예제에서, 우리는 뉴턴의 평형 법칙을 사용하여 의자의 다리에서 발생하는 힘을 설명할 수 있고, 또한 사람이 앉았을 때 다리의 변형을 묘사할 수 있다. 심지어 유한 요소 해석을 통해 다리, 의자와 등의 응력을 추정할 수도 있다. 또한 의자에 사용되는 제조 공정과 조인트에 관해서도 설명할 수 있다. 이러한 요소 중 일부는 수학 모델을 사용하여 나타낼 수 있지만, 어떠한 수학 모델로 의자의 색상을 설명하고, 어떠한 수학 모델로 의자가 어린이가 사용하기에 안전한지를 측정할 것인지와 같은 의자의 기능은 수학 모델로 완벽하게 표현할 수 없다. 이러한 기능은 추론(reasoning)을 통해 제어할 수 있다. 특정 설계를 설명하기 위해서는 다수의 적용 방식(schemes)이 필요할 수 있다(예를 들어, 해석 모델은 제품의 기하학적 표현을 식별하고, 경제적 적용 방식은 제품의 생산 비용을 설명하고, 구두(verbal) 내용은 제품의 기능을 설명하는 등). 설계 프로세스에서 수학적 모델링이 중요하지만, 이것으로 제품을 설계하기에는 충분하지 않다.

설계자는 독립적으로 생각하고, 결론을 내리고, 솔루션을 결합하는 방법을 배워야 한다. 많은 사람이 강의에 참석하고 교과서를 읽음으로써 이 기술을 습득할 수 있다고 믿고 있으나, 이것은 단지 지식의 새로운 항목을 차례로 축적하고 있을 뿐이라는 사실을 깨닫지 못하고 있다. 이해, 논리적 추론, 판단은 외부로부터 부여받을 수 있는 것이 아니라 이미 소유한 지식을 활용하여 부지런히 사고하고 노력해야만 습득할 수 있다. 독자적 설계의 기본 전제조건은 생동감 있는 상상력이다. 이러한 상상력은 독창적 작업을 위해 필요하다.

1.5 설계 프로세스 (DESIGN PROCESS)

설계란 어떤 방식으로든 사회에 도움이 되고 이익을 창출할 수 있는 새로운 제품을 만드는 것이다. 설계 프로세스는 설계자가 상상 속에서 제품을 시각화하는 것으로부터 시작하여 일련의 사건을 체계적인 방식으로 실생활에서 실현할 수 있도록 명확한 출발점을 정의하는 데 도움을 주는 가이드라인의 조합이다.

설계 능력을 갖추기 위해서는 과학적 지식과 예술적 능력이 모두 필요하다. 과학은 체계적인 과정, 경험 및 문제 해결 기법(이 모든것이 대학의 교육 과정에서 숙달됨)을 통해 배울 수 있다. 예술적 능력은 숙련자가 되기 위한 연습과 완전한 헌신을 통해 얻을 수 있다.

장치 또는 시스템의 설계는 다음과 같은 두 가지 중 하나로 수행할 수 있다.

1. *진화적 변화 (Evolutionary change):* 일정 기간에 걸쳐 제품에 약간의 개선만이 허용된다. 이러한 진화는 경쟁력이 없을 때 이루어지는데, 이때, 설계자의 창조적 능력은 제한된다.

2. *혁신 (Innovation):* 급속한 과학적 성장과 기술적 발견뿐만 아니라 시장 점유율을 높이기 위한 회사 간의 경쟁으로 인해 신제품에 많은 관심을 기울이게 되는데, 신제품 개발에 강력한 혁신이 필요하다. 이 경우, 설계자의 창의적 기술과 분석 능력이 중요한 역할을 하게 된다.

전화기의 발명은 참으로 혁신적인 설계였다. 전화기가 발명된 후, 많은 사람이 수십 년에 걸쳐 진화하고 개선하려 노력했지만, 휴대폰이란 혁신적이고 기술적인 도약이 일어나기 전까지 실제로 변화가 거의 없었다. 휴대폰은 새로운 경쟁과 함께 완전히 새로운 시장을 만들었으며, 그 이후 이 기술은 카메라와 영상 통화를 포함하고 PDA, 인터넷 액세스 및 MP3 시설을 하나의 기기에 통합하는 등 새로운 혁신을 불러일으켰다.

유능한 설계자는 진화와 혁신이 동시에 일어나도록 제어할 수 있다. 비록 설계자가 혁신에 중점을 두고 있을지라도, 설계자는 그들의 아이디어를 이전 설계와 비교하여 시험해야 한다. 기술자는 미래를 위한 설계할 수 있지만, 과거의 결과에 기반해야 한다.

1.5.1 고객 요구사항 파악

새로운 설계 요구는 다음과 같은 여러 곳으로부터 에서 올 수 있다.

- *클라이언트 요청(Client request):* 클라이언트가 설계 회사에 제품개발 요청서를 제출하는 경우가 있는데, 이 경우, 보통 요구사항이 명확하게 표현되지 않을 수 있다, 클라이언트는 단지 "안전한 사다리가 필요하다"와 같이 자신이 원하는 제품의 종류만 말하는 경우가 대부분이다.

- *기존 설계의 변형(Modification of an existing design):* 기존 제품을 더 단순하고 쉽게 사용할 수 있도록 클라이언트가 수정을 요청하는 경우가 종종 있다. 또한 고객이 새롭고 사용하기 쉬운 제품을 제공하기를 기업이 희망하기도 한다. 예를 들어, 시장을 검색해 보면 커피 메이커에 대한 많은 브랜드를 발견할 수 있는데, 이들 사이에는 모양, 사용된 재료, 비용 또는 특수 기능에서 차이점이 있다는 것을 발견할 수 있다.

- *신제품 개발(Generation of a new product):* 모든 이익 지향적 산업은 관리, 엔지니어링, 생산, 검사, 광고, 마케팅, 판매 및 서비스에 관한 관심, 재능, 능력

이 제품을 통해 회사의 이익을 창출하여 회사의 주주에게 돌아갈 수 있도록 초점이 맞추어져 있다. 그러나 불행하게도, 모든 제품은 조만간 다른 제품에 의해 선점되거나 수익성 없는 가격 경쟁을 해야 하는 상황으로 전락하게 된다. 오늘날 기업이 산업 분야에서 살아남으려면 계속 성장해야 한다. 즉, 정적 상태를 유지해서는 안 된다. 역사를 통틀어 이러한 성장은 신제품을 기반으로 이루어지고 있다. 신제품은 아래 그림과 같이 판매량과 이윤 폭 간의 특징적 수명주기 형태 (characteristic life cycle pattern)를 가지고 있다. 제품은 시장이 포화 되었을 때 정점에 도달한 다음 감소하기 시작한다. 업계가 새로운 제품에 대한 아이디어의 흐름을 찾아내고 이를 촉진해야 한다는 것은 명백한 사실이다. 이러한 신제품은 일반적으로 특허를 통해 보호된다.

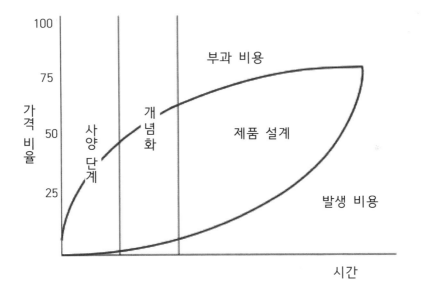

1.5.2 시장 분석 (고객 요구사항)

설계자는 시장에서 이미 사용할 수 있는 것이 무엇이고 무엇을 제공해야 할지를 알아야 하므로, 정보 수집은 매우 중요한 작업이다. 일부 회사는 기술특허 사용료를 지급하지 않으려고 특허 보유자를 설계 엔지니어를 고용하기도 한다. 설계 엔지니어는 시장의 가용성을 결정하기 위해 다음과 같은 정보원을 참조할 수 있다.

- 기술 및 무역 저널 (Technical and trade journals)

- 초록 (Abstracts)

- 연구 보고서 (Research reports)

- 기술 도서관 (Technical libraries)

- 부품 공급업체 카탈로그 (Catalog of component suppliers)

- 특허청 (Patent Office)

- 인터넷 (The Internet)

목표 달성을 위해 사용할 수 있는 설계 솔루션과 하드웨어를 수집된 정보를 통해 알수 있다. 때때로 제품 생산의 목표를 변경하도록 요청받거나 제품이 이미 존재한다는 것을 알게 되면 요청된 생산을 포기할 수도 있다. 기존 제품에 대한 지식은 설계자와 고객의 시간과 비용을 절약할 수 있게 해 준다. 설계자가 무엇을 시장에 출시할지를 결정하면 설계 대안을 만들기 위해 창의성을 발휘해야 한다. 3장에서는 시장 분석 및 정보 수집에 대해 자세히 설명할 것이다.

1.5.3 목표 정의 (고객 요구사항)

설계 프로세스의 이 단계에서는 설계자가 요구사항 확인을 위해 수행해야 할 작업을 정의한다. 여기서 작업의 정의란 원하는 최종 제품에 대한 일반적인 서술을 말한다. 설계할 때 직면하는 많은 어려움은 목표를 잘못 설정하였거나 성급하게 작성하여 혼란을 초래했기 때문이다.

대부분 클라이언트의 요청 사항은 "알루미늄 캔 분쇄기(aluminum can crusher)가 필요하다." 또는 "안전한 사다리가 필요하다"와 같은 모호한 언어로 주어진다. 설계자는 고객의 요구사항이 제품사양과 같지 않다는 점을 인식해야 한다. 이때 요구사항은 기능적 용어로 표현되어야 하는데, 고객은 솔루션을 제시할 것이다. 그러면 설계자는 실제 요구사항을 결정하고 문제를 정의하고 그에 따라 행동해야 한다. 고객과 인터뷰할 때 설계자는 고객의 말을 주의 깊게 들어야 한다. 설계자의 역할은 클라이언트의 설계 요구사항을 명확히 하는 것이다. 요구사항을 명확히 하기 위해 목표 트리(*objective tree*)를 구성할 수도 있다.

종종 요구사항과 목표가 하나의 프로세스로 결합된다. 목표 트리(*objective tree*)는 설계자가 고객의 요구사항을 범주(categories)별로 구성하는 데 사용하는 도구로 4장에서 요구사항과 목표에 대해 자세히 설명할 것이다.

1.5.4 기능 설정 (제품 개념)

요구사항 서술에 대한 일반성과 문제와 요구사항이 전체 시스템의 어디에 있는지를 인식하는 것은 설계 프로세스의 기본 요소이다. 자동차 서스펜션 시스템을 설계하도록 요청받는 것과 자동차를 설계하는 것은 큰 차이가 있다. 따라서 설계자에게 작업을 요청하는 수준을 고려하는 것이 매우 중요하다. 잠재적 솔루션 대신 기능을 식별하는 것 또한 매우 유용한데, 이를 '솔루션 중립'이라고 부르기도 한다(즉, 이 단계에서는 구체적 솔루션이 언급되지 않는다). 설계자는 제품의 수명주기 동안 실제로 어떤 동작을 수행해야 하는지를 평가한다. 이러한 기법은 고객이 의도치 않게 초기에 제공하는 솔루션을 고정하는 대신 요구사항과 목표를 해결할 수 있는 대안을 모색할 수 있도록 해야 한다. 예를 들어, 클라이언트가 특정 교차로에 신호등 시스템을 설치하도록 요청할 수 있으며, 이 경우 지하도는 교통 혼잡을 완화할 수 있는 실제 작업 목표를 달성하기 위한 실행 가능한 솔루션이 될 수 있다. 설계 프로세스의 이 단계에서 설계자는 솔루션 중심 설계가 아니라 문제 중심 설계로 안내하는 체계적 설계의 장점 중 하나를 보여주게 된다. 또 다른 예로 고장이 자주 발생하는 원심분리기에 대한 해결책을 찾기 위해 혈액은행이 설계자에게 접근한 경우를 들 수 있다. 원심분리기가 고장 나면 혈액 분리 장치가 작동을 멈추게 된다. 혈액은행에서는 원심분리기를 교체했지만 몇 달 만에 고장났다. 여기서 요구사항은 고장 시간을 줄이는 방식으로 원심분리기를 수리하는 것이다. 설계 프로세스를 알고 있는 설계자는 원심분리기를 수리하려 뛰어들지 않고 다음과 같은 질문을 할 것이다. "원심분리기로 수행하려는 기능은 무엇입니까?" 이에 대한 답은 중력을 강화하여 혈액을 분리하는 것이고, 그런 다음 전체 혈액으로부터 혈구를 분리하는 것이다. 이 명확한 설명을 통해 설계자는 원심분리기 외의 대안 솔루션을 찾을 수 있다. 종종 기능은 하위 기능으로 분리되어 제품의 요구사항을 정의한다.

다른 예로 잔디 깎는 기계를 설계할 때 기능은 잔디를 줄이는 방법이라고 정의되어야 한다. 잔디 깎는 기계(잔디 깎는 기계 설계 또는 잔디를 줄이는 방법)에 대한 두 가지 정의에 대한 차이점은, 하나는 상상력과 창의성을 제한할 수 있지만, 다른 하나는 창의력에 대한 자유로운 영역을 제공할 수 있다는 것이다.

1.5.5 작업 사양(제품 개념) (Task specifications)

설계자는 이 단계에서 원하는 목표로 안내할 수 있는 적절한 모든 데이터와 매개 변수를 나열하는데, 여기서는 수용 가능한 솔루션에 대한 제한을 둔다. 이때 설계자가 허용 가능한 솔루션을 제거할 수도 있으므로 너무 좁게 정의해서는 안 된다. 그러나 설계자가 설계 목표를 만족시킬 수 없을 정도로 너무 광범위하거나 모호하게 정의해서도 안 된다. 잔디 깎는 기계의 예를 통해 설정된 몇 가지 작업 사양은 다음과 같다.

1. 어린이 근처에서 사용할 때 안전하게 작동해야 한다.

2. 일반인이 쉽게 조작할 수 있어야 한다.

3. 장치에 전원이 공급되어야 한다(수동 또는 다른 방법으로).

4. 장치를 차고에 쉽게 보관할 수 있어야 한다.

5. 장치는 다양한 종류의 잔디 깎는 작업을 허용해야 합니다.

   a. 나뭇잎을 모으고 잔디를 깎는다.

   b. 잎을 자르고 비료를 준다.

   c. 뿌리를 덮기 위해 가지를 자른다.

6. 장치는 사용 가능한 하드웨어를 사용해야 하며 판금, 유리 섬유 또는 플라스틱을 사용한다.

7. 재료는 비용, 제조성, 강도, 외관 및 다양한 기상 조건에 견딜 수 있는 능력을 기준으로 선택해야 한다.

8. 장치는 신뢰할 수 있어야 하며 빈번한 유지 보수가 필요하지 않아야 한다.

9. 판매가격이 시중가보다 낮아야 한다.

1.5.6 개념화 (솔루션 개념) (Conceptualization)

명시된 목표에 대한 대안 솔루션을 개념의 형태로 생성하는 프로세스에는 창의적 능력이 필요하다. 개념화는 새로운 아이디어를 생성하는 것으로부터 시작된다. 설계자는 이 단계에서 혁신과 창의성의 프로세스에 참여하게 되는데, 여기서 시장 분석(market analysis)과 작업 사양(task specifications)을 검토해야 한다. 일반적으로 이 활동에서 일련의 대체 솔루션을 생성하기 위한 프리핸드 스케치가 필요하다. 대안을 상세하게 작업할 필요는 없지만 테스트해야 할 수도 있으므로 이것을 기록할 수 있어야 한다. 이 단계에서 기능을 수행할 수 있는 대안을 체계적인 방식으로 나열해야 한다. 예를 들어, 새로운 운송 시스템을 설계하기 위해 설계자는 다음과 같은 방법을 나열할 수 있다.

1. 자연적 방법 (Natural way)

   a. 인간 (Human)

      i.   걷기

      ii.   수영 (Swim)

   b. 동물 (Animal)

      i.   동물에 타기 (Ride)

      ii.   카트로 끌기 (Pulled in a cart)

2.   보조기구 사용 (With aids)

   a. 땅 (Land)

      i.   자전거 (Bike)

      ii.   스케이트 (Skate)

   b. 물 (Water)

      i.   카누 (Canoe)

      ii.   튜브 (Tube)

   c. 공기 (Air)

      i.   연 (Kite)

   d. 기계적 방법 (Mechanical)

      i.   땅 (Land)

         • 자동차 (Car)

         • 기차 (Train)

         • 튜브 (Tube)

      ii.   물 (Water)

         • 배 (Ship)

         • 썰매 (Sled)

      iii.   공기 (Air)

         • 비행기 (Plane)

         • 로켓 (Rocket)

7장에서는 설계 프로세스의 이 단계에 대해 더 자세히 다룰 것이다.

1.5.7 대안 평가 (솔루션 개념) (Evaluating Alternatives)

일단 많은 개념이 상세히 생성되고 나면, 비용이 가장 많이 드는 설계 프로세스인 다음 단계에서 전 단계에서 생성된 개념 중 어떤 것이 선택할 것인지를 결정해야 한다. 설계자가 이러한 대안에 대해 최선의 결정을 내릴 수 있도록 안내하는 하나의 훌륭한 기법이 지정된 기준(specified criteria)으로 각 대안을 깊이 있게 연구할 수 있는 평가 행렬(*scoring matrix*)이다. 평가 행렬에 대해서는 8장에서 더 자세히 다룰 것이다.

1.5.8 구현 설계 (Embodiment Design)

개념이 확정되고 나면, 다음 단계는 설계할 제품이 형태를 갖추기 시작하는 구현 설계 단계이다. 이 단계에서는 아직 세부 사항(치수 또는 공차 등이 없음)이 포함되지 않지만, 부품의 명확한 정의, 형상, 그리고 제품 조립에서 부품이 인터페이스 하는 방법을 설명한다. 이 단계는 완전히 동일한 개념을 기반으로 전에 적용된 기술을 새로운 기술로 대체할 수 있다는 점에서 개념 설계 및 상세 설계와 구분된다. 예를 들어, 신호등 시스템은 개념이 그대로 유지된 채(빨강, 주황색, 녹색의 세 가지 조명) 기능이 동일하게 적용되지만, 기술이 발전에 따라 전구에서 LED로 조명 자체가 바뀔 수도 있고, 조명이 바뀌는 방식이 타이머를 사용하여 조명을 순환하는 것에서 현대 교통 네트워크에 연결된 시스템을 사용할 수도 있다. 아마도 미래에는 신호등이 교차로의 가장 효율적인 빛을 감지하여 혼잡을 완화할 수 있도록 신호등을 변경할 수 있는 시스템이 나올 수도 있다. 개념은 그대로 유지되지만, 설계 실행과 부품 또는 설계의 구현 형태는 변경될수 있다.

1.5.9 해석 및 최적화 (Analysis and Optimization)

명시된 목표를 실현할 수 있는 솔루션이 결정되는 설계 통합 단계(synthesis phase)가 완료되면 해석 단계(analysis phase)가 시작된다. 이것을 상세 설계(Detailed Design)라고 하는데, 이는 대부분의 공학 과정의 학사 학위 프로그램에서 다루고 있다. 본질적으로 솔루션은 물리적 법칙을 기반으로 테스트해야 하며, 제품의 유용성을 보장하기 위해 제품의 제조 가능성을 확인해야 한다. 만약 제품이 물리적 법칙을 만족하지만, 제조할 수 없다면 이는 아무런 쓸모가 없다. 이 단계는 본래의 통합 단계(original synthesis phase)를 순차적으로 반복한다. 종종 해석과 통합 사이에서 설계가 지속적으로 전환될 수 있도록 해석할 때 개념을 변경하거나 재정의한 후 다시 해석해야 한다. 해석은 추정(estimation)으로 시작하여 크기 계산 순서로 진행된다.

추정은 경험을 바탕으로 설정한 추측이다. 크기 해석은 지정된 문제에 적용하는 물리적 크기를 대략 계산하는 것이다. 크기 해석은 정확한 솔루션을 제공하는 것은 아니지만 예상되는 솔루션을 제공하는 것이다. 10장에서는 해석에 필요한 몇 가지 측면을 다룰 것이다. 그러나 상세 설계(detailed design)는 제품마다 다르므로 이에 대한 세부 사항은 이 책의 범위를 벗어난다.

1.5.10 실험 (Experiment)

공학 설계에서의 실험 단계에서는 개념 검증과 작업성, 내구성 및 성능 특성에 대한 설계 해석을 위한 하드웨어를 구성해야 한다. 실험을 통해 종이 위에 작성된 설계가 물리적 현실로 변형된다. 설계자는 살험에 다음과 같은 세 가지 구성 기술을 사용할 수 있다.

1. *모형(Mock-up):* 모형은 일반적으로 플라스틱, 목재, 판지 등으로 실물과 비례하여 만든 것이다. 이와 같은 실물모형은 공차, 조립 기술, 제조 고려 사항 및 외관을 확인하는 데 주로 사용된다. 이것은 가장 비용이 적게 드는 기술로 최소한의 정보를 얻을 수 있도록 빠르면서도 상대적으로 쉽게 구축할 수 있다.

2. *모델(Model):* 모델은 수학적 유사성을 통해 물리 시스템을 표현한 것으로, 실제 시스템의 동작을 예측하기 위해 다음과 같은 네 가지 유형의 모델이 사용된다.

   a. **실제 모델(True model):** 실제 모델은 실제 시스템을 기하학적으로 정확하게 재현하기 위해 설계 매개 변수와 그에 부과된 모든 제한 사항을 충족할 수 있도록 제작된 모델이다.

   b. **적정 모델(Adequate model):** 적정 모델은 설계의 특정한 특성을 시험하기 위해 제작한 모델이다.

   c. **왜곡 모델(Distorted model):** 왜곡 모델은 의도적으로 하나 이상의 설계 조건을 위반하여 제작한 모델이다. 이러한 위반은 종종 지정된 조건을 충족하기 어려울 때 필요하다.

   d. **비 유사 모델(Dissimilar model):** 비 유사 모델은 실제 시스템과 겉보기에도 유사하지 않게 제작되었지만, 적절한 유추를 통해 행동 특성에 대한 정확한 정보를 제공하는 데 사용된다.

3. *프로토타입(Prototype):* 프로토타입은 가장 비용이 많이 드는 실험 기법으로

가장 많은 유용한 정보를 얻기 위해 실제 규모와 같은 물리적 시스템을 작동시키기 위해 만들어진 것이다. 여기서 설계자는 설계자의 아이디어가 실현되는 것을 볼 수 있으므로, 실제 환경 조건에서 적절한 제작 기술, 조립 절차, 작업성, 내구성 및 성능 등을 알 수 있다.

일반적으로 설계 프로세스의 실험 단계에 들어가기 전에 먼저 모형을 다루고, 다음에 모델을 다룬 다음, 마지막으로 프로토타입(모형과 모델이 설계의 실제 가치를 입증한 후)을 다루어 개념 및 해석이 유익한 상호작용을 할 수 있도록 해야 한다.

1.5.11 마케팅 (Marketing)

이 단계에서는 장치, 시스템 또는 프로세스를 정의하는 특정 정보가 필요한데, 여기서 설계자는 타인과의 소통을 위해 설계에 관한 생각을 종이에 적어야 한다. 커뮤니케이션은 경영진이나 고객에게 아이디어를 판매하고, 설계 구상 방법을 공장에 지시하고, 상업화 초기 단계에서 경영부서에 서비스를 제공하는 것과 관련된 것으로, 다음과 같은 형식 중 하나로 표현해야 한다.

1. **보고서(Report)** : 보고서는 장치에 대한 상세한 설명, 설계 요구사항을 충족시키는 방법 및 작동 방식, 상세 조립도면, 구성 사양, 표준 부품 목록, 비용 분석 등 설계자가 의도하는 것을 정확히 이해할 수 있는 모든 정보가 포함되어야 한다.

2. **전단지(flyer)** : 전단지에는 설계가 제공할 수 있는 특수 기능 목록, 광고, 홍보자료, 시장 시험 결과 등이 포함되어야 한다.

1.6 과제

1.6.1 팀 과제 (Team Activities)

설계 프로세스의 각 단계를 나열하라.

1. 설계 프로세스의 각 단계를 정의하라.

2. 고객 요구사항 서술과 문제 정의의 차이점은 무엇인가?

3. 설계 프로세스에서 사양 단계와 문제 정의 단계의 차이점은 무엇인가?

4. 기능 분석이란 무엇이며 문제 정의와 무엇이 다른가?

5. 기능 분석이 개념화 단계보다 먼저 수행되는 이유는 무엇인가?

제2장 핵심 전달 기술

설계는 설계자가 모든 수준에서 최종 제품의 성공을 예측하고 의도한 대로 사용되는지 확인해야 하는 어려운 과제이다. 이를 위해 설계자는 기술 및 창의적 전문 지식 외에도 핵심적인 전달 기술을 많이 보유해야 한다. (RAGMA IMAGES/Shutterstock)

2.1 목표 (OBJECTIVES)

이 장의 학습을 통해 다음과 같은 사항을 수행할 수 있다.

1. 설계 프로세스의 전제조건인 필수 기술을 확인할 수 있다.

2. 팀 내 작업의 중요성과 역동성을 알 수 있다.

3. 기존 도구를 활용하여 프로젝트 일정을 개발할 수 있다.

4. 연구 및 커뮤니케이션 기법을 연습하고 발전시킬 수 있다.

설계 프로세스를 논하기 전 필요한 몇 가지 전제조건을 명시하는 것이 중요하다. 전달 기술(Transferable skills)은 전체 설계 프로세스에서 사용되는데, 전문 엔지니어가 선택한 전문 분야나 특정 엔지니어링 경력 경로와 관계없이 실제로 전문 기술자의 전 생애에 걸쳐 필요한 기법이다.

팀 작업(Working in Teams): 팀의 역동성과 팀 내에서 작업하는 방법은 모든 프로젝트의 성공을 위해 매우 중요하다.

스케줄링(Scheduling): 스케줄링은 프로젝트를 관리하고 시간을 효율적으로 활용하기 위한 것으로, 성공적으로 결과를 달성하는 데 필요한 방식이다. 또한 이것은 통합 솔루션을 제공하기 위해 팀 구성원이 프로젝트의 각 관련 단계에서 분산하고 수렴할 수 있도록 초점을 맞추고 있다.

연구 기술(Research Skills): 연구는 데이터와 정보를 수집하고, 기술적으로나 경쟁적으로 최신 정보를 유지하기 위해 중요한 요소이다.

기술적 글쓰기(Technical Writing): 의사소통과 보고서 작성과 같은 기술적 글쓰기는 설계의 중요한 구성 요소이지만, 때로는 단순히 해야만 하는 사소한 부담으로 간과되기도 한다. 그러나 사람들의 삶의 방식을 혁신적으로 바꿀 수 있는 가장 혁신적인 설계라 할지라도, 그것이 세상에 보고되지 않는다면, 그것은 결코 채택되거나 채용되지 않을 미지의 존재로 남게 될 것이다.

발표 기술(Presentation Skills): 발표 기술은 기술적인 글쓰기만큼 중요하며 때로는 이보다 더 강력하기도 하다. 이 기술은 아이디어를 구매할 대중들로부터 이 아이디어를 지지하는 중요한 사람에게 도달할 수 있는 능력을 제공할 수 있는 매우 강력한 마케팅 도구이다. 발표자는 잠재적으로 이해관계가 있는 당사자들과 직접 소통하기 때문에, 다른 방법으로는 간과될 수 있는 아이디어를 설득하고 홍보할 수 있다는 분명한 이점과 기회가 있다.

2.2 팀 작업 (WORKING IN TEAMS)

현대 사회에서 팀 작업은 피할 수 없는 필수 요소이다. 출시 시간이 중요한 경쟁 요소가 된 현 세계에서 팀 작업은 의심할 여지 없이 개별적으로 하는 것보다 훨씬 짧은 시간 내에 프로젝트를 완료할 수 있다. 또한 많은 경우 프로젝트의 시각화와 실현을 위해 필요한 전문 지식의 양과 폭은 비록 시간이 문제가 되지 않는다해도 한 사람이 달성한다는 것은 불가능하다.

Mohrman and Mohrman은 업무가 상호 의존적이고 성과 달성에 집단적인 책임이 있는 개인들의 집합체를 팀이라고 정의했다. 따라서 음악 연주회에 참석한 개인이 같은 목적을 위해 같은 시간에 같은 장소에 있다고 해도 이것이 반드시 팀을 구성한 것은 아니라는 것이다. 여기서 키워드는 집합적이라는 것이다. 학기 초에 모인 학생 그룹에서 각각의 학생들이 결과를 달성하기 위해 함께 노력하지 않는 한 팀을 구성한 것이 아니다.

팀을 음식에 비유하기도 한다. 성공적인 음식을 만들기 위해서는 '재료'와 '레시피'가 모두 필요하다. 여기서 재료가 개별 팀원이라면, 레시피는 팀의 역동성, 즉 서로 어떻게 상호 작용하고 어떻게 행동하는지에 대한 것이다. 이 두 가지 항목이 모두 한곳에 있지 않다면, 음식에 상당하는 팀은 만족스러운 결과를 얻지 못할 것이다.

2.2.1 팀 구성 (Forming a Team)

성공적인 팀 구성을 위해 팀 구성원을 선택할 때 상호보완할 수 있는 개인을 선택하는 것이 중요하다. 당연히, 각각의 사람들은 각 개인에게 주어진 고유의 선호하는 방식으로 생각하고 행동한다. 이러한 지배적인 사고방식은 개인의 고유한 성격이 가족, 교육, 일, 사회적 환경과 상호 작용한 결과이다. 사람들은 문제 해결을 위한 접근방법, 창의성, 타인과의 의사소통 방식에 의해 자신만의 선호하는 사고방식이 특징지어진다. 예를 들어, 어떤 사람은 합리적이고 논리적인 결정을 내리기 전에 사용할 수 있는 데이터를 기반으로 상황을 신중히 분석할 수 있을 것이고, 어떤 사람은 더 넓은 맥락에서 동일한 상황을 보고 여러 대안을 찾을 수 있을 것이다. 어떤 사람은 매우 상세하고 신중한 단계별 절차를 사용할 것이고, 어떤 사람은 사람들과 문제를 논의하며 직관적으로 문제를 해결할 것이다.

인간의 뇌가 어떻게 작동하는지에 관한 몇 가지 모델이 제안되었는데, 이 중 널리 알려진 모델 중 하나가 허만(Hermann) 모델이다. 허만은 네 개의 사분면으로 구성된 뇌의 은유적 모델을 개발했다. 비록 우리가 사분면의 뇌를 사용하고 있지만, 어떤 사람들은 뇌의 특정 사분면을 더 많이 사용할 수도 있다. 다음은 뇌의 사분면 특징을 나타낸 것이다.

좌상 뇌 *(Upper left):* 이 사분면의 특성은 분석적이고, 논리적이며, 양적이며, 사실 기반이다.

좌하 뇌 *(Lower left):* 이 사분면의 특성은 조직적이고, 계획적이며, 상세하고, 순차적이다.

우상 뇌 *(Upper right):* 이 사분면의 특징은 전체적이고, 직관적이며, 종합적이고, 통합적이다.

우하 뇌*(Lower right):* 이 사분면의 특징은 정서적이고, 사회적이며, 의사소통적이다.

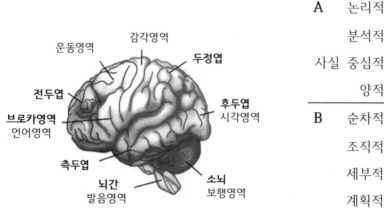

A	논리적	전체적	D
	분석적	직감적	
	사실 중심적	통합적	
	양적	종합적	
B	순차적	사교적	C
	조직적	감정 중심적	
	세부적	운동 감각적	
	계획적	감정적	

좌뇌의 기능	우뇌의 기능
순차 논리적	직감적
분석적	본능적
언어/수리	창의적
구체적	전체적
암기	미술과 음악
반복적인 일	새로운 일
한 가지 일에 몰입	사회성

2.2.2 팀 구성 (Forming Teams) 방법

아래의 설문지를 활용하여 팀을 구성한다.

질문	선택사항	등급			
샘플 질문	▪ 각 질문에 대해 등급 1, 2, 3, 4중 하나를 선택한다. ▪ 여기서 4는 가장 유사한 것을 1은 가장 덜 유사한 것을 의미한다. ▪ 각 질문에 하나만 사용한다.	3	4	1	2
1. 프로젝트를 시작할 때 다음 중 무엇을 가장 선호하는가?	a. 데이터와 정보를 찾는다. b. 체계적인 솔루션과 지침서를 개발한다. c. 다른 사람의 아이디어와 직감을 청취하고 공유한다. d. 세부적인 것이 아닌 큰 그림과 맥락을 찾는다.				
2. 프로젝트를 수행하는 동안	a. 틀 속에서 논리적 정보를 구축하지만 상세하게 나누지는 않는다. b. 과제에 대한 문제를 깔끔하고 공들여 상세하게 처리한다. c. 왜라는 질문을 통해 자신에게 동기부여 한다. d. 흥미로운 학습을 위해 적극적으로 활동에 참여한다.				
3. 선호하는 새로운 자료를 연구할 때	a. 새로운 자료에 관한 정보를 얻기 위해 강의를 듣는다. b. 이론과 절차를 통해 결함과 단점을 찾는다. c. 목적에 대한 단서를 얻기 위해 책의 서문을 읽는다. d. 시뮬레이션을 수행하고 가상 질문을 한다.				
4. 다음 중 어떤 것을 가장 좋아하는가?	a. 교과서를 읽는다. b. 단계적으로 실험실 작업을 한다. c. 보고, 시험하고, 들은 것에 대해 말한다. d. 문자보다 시각적 자료를 이용한다.				
5. 새로운 것을 공부할 때 어떤 것을 더 좋아하나?	a. 예제와 해(solution)를 분석한다. b. 실험 결과에 대한 순차적인 보고서를 작성한다. c. 만지고 보며 직접 배운다. d. 개방적 방식으로 접근하여 여러 해(solution)를 찾는다.				
6. 문제를 풀 때와 문제를 푼 후	a. 아이디어에 대해 합리적으로 생각한다. b. 배운 지식의 실용적인 사례를 찾는다. c. 그룹 연구와 그룹 토의를 한다. d. 문제의 아름다움과 해(solution)의 우아함을 감상한다.				
7. 다음 중 무엇을 가장 선호하는가?	a. 과학적 방법을 사용하여 연구를 수행한다. b. 소프트웨어 지침서에 따라 컴퓨터를 사용한다. c. 그룹 연구와 그룹 토의를 한다. d. 폭넓은 아이디어가 수용될 수 있도록 브레인스토밍법 활용				
8. 프로젝트를 수행할 때 무엇을 가장 선호하는가.?	a. 가설을 세우고 가설이 참인지를 확인하기 위해 검증한다. b. 설정된 시간에 따라 프로젝트의 계획, 스케줄링을 실행한다. c. 실험을 통해 확인한 사항을 원장에 기록한다. d. 아이디어의 가능성을 실험하고 시행한다.				

9. 어떻게 최선의 새로운 아이디어를 얻는가?	a. 새로운 아이디어를 확실한 상황에 적용해 본다.				
	b. 집중하여 새로운 아이디어를 신중하게 분석한다.				
	c. 새로운 아이디어를 다른 아이디어와 비교해 본다.				
	d. 새로운 아이디어를 현재 또는 미래 활동과 관련시킨다.				
10. 기사를 읽을 때 어떤 부분에 가장 주의를 기울이는가?	a. 정보로부터 끌어낸 아이디어				
	b. 정보로부터 뒷받침되는 발견물의 진실성 여부				
	c. 권고사항을 수행할 수 있을지 여부				
	d. 결론과 경험과의 관계				
11. 다른 사람과 논쟁할 때 어떻게 하나?	a. 사실과 논리에 기반하여 아이디어를 제시한다.				
	b. 나의 주장을 가장 강력하고 간결하게 표현한다.				
	c. 나의 개인적인 의견을 반영한다.				
	d. 미래를 계획하고 전체 그림을 보여준다.				
12. 새로운 것을 선택할 때 가장 의존하는 것은?	a. 미래의 가능성보다는 현실과 현재.				
	b. 상세하고 종합적인 연구.				
	c. 사람들과의 대화				
	d. 직관(Intuition)				
13. 문제에 어떻게 접근하나?	a. 더 넓은 문제나 이론과 연관시키려고 노력한다.				
	b. 해결하기 위한 최선의 절차를 찾는다.				
	c. 다른 사람들은 어떻게 해결할지를 상상해 본다.				
	d. 문제를 신속히 푸는 방법을 찾는다.				
I, II, III, IV의 상자에 해당하는 수직 열의 값을 모두 더해 기재한다.		I	II	III	IV

14. Total : [   ]
- 도서관에서 데이터와 정보를 찾는다.
- 주어진 틀에서 정보를 논리적으로 구축한다.
- 정보를 제공하는 강의를 듣는다.
- 책을 읽는다.
- 예제 문제를 연구한다.
- 아이디어를 통해 생각한다.
- 가설을 세운 다음 그것이 사실인지를 확인하기 위해 검증한다.
- 사실, 기준 및 논리적 추론을 기반으로 아이디어를 판단한다.
- 기술 및 재무 사례 연구를 수행한다.
- 어느 정도의 비용이 소요되는지 알아본다.
- 수학적인 문제와 정보처리를 위해 컴퓨터를 사용한다.

15. Total : [   ]
- 즉흥적으로 처리하기보다 주의 깊게 지침을 따른다.
- 이론과 절차를 테스트하여 결점과 장점을 찾는다.
- 실험실 작업을 단계적으로 수행한다.
- 강의를 자세히 듣는다.
- 상세하고 포괄적으로 메모를 작성한다.
- 질서 정연한 환경에서 확정된 계획에 따라 연구한다.
- 예산을 세부적으로 작성한다.
- 반복적 연습을 통해 새로운 기술을 습득한다.
- 프로젝트 수행 방법에 대한 사용 설명서를 작성한다.
- 소프트웨어의 사용 지침서를 기반으로 컴퓨터를 사용한다.
- 배운 지식을 실제 활용할 분야를 찾는다.

16. Total : [   ]
   - 다른 사람의 말을 경청하고 아이디어를 공유한다.
   - 정신적 감정이나 가치를 기록한다.
   - 배경음악을 틀어놓고 연구한다.
   - 다른 사람의 권리와 견해를 존중한다: 일보다는 사람이 중요하다.
   - 신체언어를 활용하기 위해 시각적 단서를 사용한다.
   - 도구나 물체를 만지고 사용하며 실제로 학습한다.
   - 모험 영화보다 드라마를 감상한다.
   - 감각적인 입력방식을 통해 배운다(움직이고, 느끼고, 테스트하고, 듣고).
   - 이유를 묻고 개인적인 의미를 찾아 동기를 부여한다.
   - 다른 사람을 만나고 그들의 문화를 배우기 위해 여행한다.

17. Total : [   ]
   - 새로운 주제의 세부 사항이 아닌 큰 그림과 맥락을 찾는다.
   - 능동적으로 참여하여 학습을 더욱 흥미롭게 만든다.
   - 개방형 문제를 풀고 몇 가지 가능한 해결책을 찾는다.
   - 트렌드에 대해 생각한다.
   - 미래에 대해 생각하고 장기적인 목표를 설정한다.
   - 세부 사항이 아닌 발명품의 우아함에 감탄한다.
   - 아이디어와 정보를 종합하여 어떤 새로운 것을 제시한다.
   - 직감에 의존하여 해를 찾는다.
   - 미래 기술이 어떤 모습일지 예측한다.
   - 솔루션을 달성할 수 있는 대안을 찾는다.
   - 학습할 때 문자 대신 그림을 사용한다.

1) 절차 (Procedure)

위 설문지의 질문 항 1-13의 오른쪽에 있는 상자에 숫자 4, 3, 2 또는 1을 적는다. 여기서 4는 가능성이 가장 크고 1은 가능성이 가장 낮음을 나타낸다. 각 질문에 대해 1~4중 하나만 사용한다. 옳고 그른 답은 없다. 여러분의 지식과 경험을 최대한 활용하여 답변하라.

13번 문항의 질문지의 I, II, III, IV의 바로 아래 행에 그 열에 해당하는 모든 값을 더한다.

1. 14에 해당하는 총개수에 4를 곱한 결과와 I에 해당하는 합계의 값을 더하고 이를 A라고 한다.
2. 15에 해당하는 총개수에 4를 곱한 결과와 II에 해당하는 합계의 값을 더하고 이를 B라고 한다.
3. 16에 해당하는 총개수에 4를 곱한 결과와 III에 해당하는 합계의 값을 더하고 이를 C라고 한다.

4. 17에 해당하는 총개수에 4를 곱한 결과와 IV에 해당하는 합계의 값을 더하고 이를 D라고 한다.

2) 샘플 결과 (Sample Result)

다음은 한 학생의 설문 결과에 대한 샘플을 나타낸 것이다.

질문 문항	점수			
문항 1	1	3	4	2
문항 2	3	4	1	2
문항 3	4	3	1	2
문항 4	2	1	4	3
문항 5	4	1	3	2
문항 6	4	2	3	1
문항 7	4	2	3	1
문항 8	3	4	1	2
문항 9	3	4	2	1
문항 10	4	1	3	2
문항 11	3	2	4	1
문항 12	4	1	3	2
문항 13	3	4	1	2
유형	I	II	III	IV
Total	42	32	33	23

- **문항 14 Total [7]**

- **문항 15 Total [5]**

- **문항 16 Total [4]**

- **문항 17 Total [4]**

각 항목에 대한 총합은 다음과 같이 계산할 수 있다.

A = (4 × 7) + 42 = 70

B = (4 × 5) + 32 = 52

C = (4 × 4) + 33 = 49

D = (4 × 4) + 23 = 39

A 선호도가 있는 사람은 분석적, 합리적, 기술적, 논리적, 사실적, 정량적이고, B 선호도가 있는 사람은 절차적, 계획적, 보수적, 조직적, 순차적, 신뢰할 수 있고

전술적이며 관리적이다. C 선호도가 있는 사람은 지원적이고, 대인 관계가 좋고, 표현력이 좋고, 민감하고, 상징적이고, 음악적이며, 손을 내밀고 있으며, D 선호도가 있는 사람은 전략적이고 시각적이며 상상력이 풍부하고 개념적이며 동시적이다.

2.2.3 팀의 역동성 (Dynamics of a Team)

일단 팀이 구성되면 팀의 역동성은 성공 또는 실패를 가르는 중요한 요인이 된다. McGoutry와 De Muse의 관찰에 의하면 모든 팀은 성과와 관계없이 다음과 같은 특징이 있음을 알아냈다.

1. 팀 구성원 간의 정보 및 자원을 역동적으로 교환한다.

2. 그룹 내에서 개인 간의 작업 활동이 조정된다.

3. 팀 구성원 간에 높은 수준의 상호 의존성이 존재한다.

4. 팀과 개인 작업의 요구사항이 지속적으로 조정된다.

5. 성과에 대한 권한과 상호 책임이 공유된다.

많은 학생이 그룹 프로젝트를 두려워하는 경향이 있는데, 이것은 과거에 제대로 작동하지 않는 팀에서 일했던 경험과 시스템 교육이 부족한 학교에서 프로젝트를 수행했던 경험으로 인해 학생들에게 이러한 두려움이 생겼을 수 있다.

Larson과 LaFasto는 효과적으로 작동하는 팀의 특성을 연구한 결과 성공적인 팀은 다음과 같은 특성이 있다고 보고했다.

1. 명확하고 도전적인 목표를 가지고 있다. 이 목표는 그룹 구성원들에게 하고자 하는 무언가를 제공하며, 그룹 전체가 목표를 이해하고 수용한다.

2. 결과 중심의 구조로 구성되어 있다. 각 구성원의 역할이 명확하고 일련의 책임 척도가 정의되며, 효과적인 커뮤니케이션 시스템이 구축된다.

3. 유능하고 재능있는 팀원으로 구성되어 있다.

4. 헌신적이다. 팀 구성원은 개인의 욕구보다 팀 목표를 우선시한다.

5. 긍정적 팀 문화를 가지고 있으며, 이 요소는 다음과 같은 4가지 요소로 구성되어 있다.

    (a) 정직 (Honesty)

    (b) 개방성 (Openness)

    (c) 존중 (Respect)

(d) 성과의 일관성 (Consistency in performance)

6. 탁월한 표준(Standard of excellence)을 가지고 있다.

7. 외부로부터 지원과 인정을 받고 있다. 효과적인 팀은 그룹 외부에서 필요한 자원과 격려를 받는다.

8. 효과적인 지도력(Effective leadership)이 있다.

설계는 필요한 산출물을 생산하기 위해 팀의 집단적인 노력이 이루어지는 사회적 활동이라고 할 수 있다. 성공적인 팀은 자동으로 또는 하룻밤 사이에 발생하지 않는다는 점을 명심하라. 성공적인 팀이 되기 위해서는 노력과 시간을 쏟아야 하는데 팀은 다음과 같은 단계를 거쳐 진화한다.

형성(Forming): 이 단계에서 팀 구성원은 여전히 개별적으로 작업을 수행한다. 이들은 전체로써 그룹에 기여하기보다는 개별적으로 기여한다.

폭풍(Storming): 팀 구성원은 이 단계에서 작업에 집단적 기여가 필요하게 되며, 아직까지 팀이 수행한 작업이 많지 않다는 것을 깨닫게 되며, 프로세스에 대한 의견이 일치하지 않고 비난 및 조급함이 유발된다. 이때 일부 구성원들은 모든 것을 스스로 하려 하고 팀원들과의 협업을 피하게 된다.

규범화(Norming): 다수에 의해 팀의 목표가 구성되고 여전히 개인의 책임감이 매우 강하기는 하지만, 공통적인 문제나 목표가 개인을 하나의 그룹으로 끌어들이기 시작한다. 팀원들 간의 대화가 더 나은 팀워크를 위해 노력하게 되며 팀의 목표 달성을 위한 팀원들의 책임감이 높아지기 시작한다.

실행(Performing): 팀원들은 이 단계에서 서로의 장단점을 받아들이고 실행할 수 있는 팀 역할을 정의하게 된다.

McGourty, et al. De Meuse, Erffmeyer는 효과적인 팀 성과에 필요한 네 가지 행동을 다음과 같이 제시했다.

1. **커뮤니케이션 팀 행동(Communication team behavior):** 팀원들은 모든 구성원이 자유롭게 말하고 주의 깊게 들을 수 있는 환경을 만들어야 한다. 이를 위해 다음과 같은 행동 수칙을 따라야 한다.

   a. 다른 사람의 말을 해석하지 않고 주의 깊게 듣는다.

   b. 다른 사람이 말하는 것에 관심을 보인다.

c. 다른 사람에게 건설적인 피드백을 제공한다.

d. 이해 정도를 보여주기 위해 말한 것을 다시 서술한다.

e. 확실한 이해를 위해 다른 사람이 한 말을 명확하게 확인한다.

f. 아이디어를 명확하고 간결하게 표현한다.

g. 사실을 사용하여 다른 사람에게 요점을 전달한다.

h. 다른 사람이 특정 관점을 채택하도록 설득한다.

i. 아이디어에 대한 설득력 있는 이유를 제시한다.

j. 다른 사람들의 지지를 얻는다.

2. **의사 결정 팀 행동(Decision-making team behavior):** 의사 결정은 팀을 위해서가 아니라 팀에 의한 것이므로, 다음과 같은 행동 수칙을 따라야 한다.

   a. 다양한 관점에서 문제를 분석한다.

   b. 문제를 예측하고 비상 계획을 수립한다.

   c. 문제와 문제 사이의 상호관계를 인식한다.

   d. 반대되는 관점에서 솔루션을 검토한다.

   e. 문제 해결에 논리를 적용한다.

   f. 필요하면 악마의 옹호자 역할(devil's advocate)을 한다.

   g. 현재 진행되고 있는 방식에 도전한다.

   h. 다른 사람들에게 새로운 아이디어를 요청한다.

   i. 변경을 수용한다.

   j. 다른 사람들이 사실과 관계없이 성급하게 결론 내리는 것을 막는다.

   k. 정보를 의미 있는 범주로 구성한다.

   l. 의사 결정에 도움이 되는 외부 자원의 정보를 가져온다.

3. **협업 팀 행동(Collaboration team behavior):** 협업은 팀 작업의 본질이다. 이것은 다른 사람들과 긍정적이고, 협력적이고, 건설적인 방식으로 일하는 것을 포함하는 것으로 다음과 같은 행동 수칙을 따라야 한다.

   a. 팀이 직면하고 해결해야 할 문제를 확인한다.

b. 아이디어와 의견이 달라도 격려한다.

c. 모두가 수용할 수 있는 솔루션을 위해 나아가고 타협한다.

d. 의견 차이를 조정하는 데 도움이 된다.

e. 공개적이고 방어적이지 않게 비판을 수용한다.

f. 성공에 대한 믿음을 다른 사람과 공유한다.

g. 다른 사람들과 협력한다.

h. 다른 사람들과 정보를 공유한다.

i. 다른 사람들의 기여를 강화한다.

4. ***자가 팀 관리 행동(Self-management team behavior):*** 팀을 자가 관리하기 위해서는 다음과 같은 행동 수칙을 준수해야 한다.

a. 목표에 부합하는지 확인하기 위해 진행 상황을 감시한다.

b. 작업 세션의 목표를 달성하기 위해 실행 계획 및 일정표를 작성한다.

c. 작업 세션의 작업 우선순위를 정의한다.

d. 회의 중에는 업무에 집중한다.

e. 회의 시간을 효율적으로 사용한다.

f. 작업 세션 전반에 걸쳐 진행 상황을 점검한다.

g. 다른 사람의 역할과 책임을 명확히 한다.

이러한 각 행동을 따르면 효과적인 팀이 보장된다. 이때 팀의 역할을 명확히 정의하는 것이 중요한데 다음과 같은 역할을 4명으로 구성된 팀에 적용하면 효과적이다.

1. ***팀장(Captain):*** 자가 팀 관리 행동에 서술된 행동을 하는 사람.

2. ***수석 엔지니어(Chief engineer):*** 의사 결정 팀 행동에 서술된 행동을 하는 사람.

3. ***인사 담당자(Human resources person):*** 협업 팀 행동에 서술된 행동을 하는 사람.

4. ***대변인(Spokesperson):*** 커뮤니케이션 팀 행동에 서술된 행동을 하는 사람.

2.3 스케줄링 (SCHEDULING)

설계 프로세스에 의한 신제품 개발은 개발기간이라는 제약사항을 고려해야 한다. 이를 고려한 방안으로 수년에 걸쳐 제품을 관리하고 계획하기 위한 몇 가지 절차가 제안되었다. 실제로 많은 프로젝트가 세부 사항이 부족하여 실패한 사례가 있다. 역사적으로 보면 일반적으로 공학 프로젝트는 한 명의 엔지니어에 의해 단독으로 수행되었다. 이 경우 설계자, 제도자, 그리고 기획자가 모두 같은 사람이었다. 그러나 최근 수년 동안 급격한 기술의 발달로 인해 엔지니어와 기술 지원자로 구성된 팀이 프로젝트를 수행하도록 요청받고 있다. 현재 제품을 관리하고 기획하기 위해 널리 사용되고 있는 기존의 스케줄링 기법은 다음과 같다.

2.3.1 갠트차트 (Gantt Chart)

갠트차트는 1900년대 초 프로젝트를 쉽게 관리하기 위해 Henry L. Gantt와 Frederick Taylor가 제안한 것으로, 갠트차트는 막대 관리도의 형태로 다음과 같은 내용으로 구성되었다.

1. 프로젝트의 모든 이벤트 또는 마일스톤을 순서대로 나열한다.
2. 각 이벤트를 설정하는 데 필요한 시간을 추정한다.
3. 각 이벤트의 시작시간과 종료시간을 나열한다.
4. 막대 차트에 정보를 표시한다.

갠트차트 (Gantt Chart)

사건	사건	할당 시간 (Allocated time (months))											
		1	2	3	4	5	6	7	8	9	10	11	12
문제 정의	①	■											
시장 조사	②		■	■									
사양 결정	③			■									
기능 분석	④				■	■							
설계 개념	⑤						■	■					
상세도 작성	⑥						■	■					
프로토타입 제작	⑦							■	■				
프로토타입 시험	⑧								■	■			
프로토타입 분석	⑨										■		
적절성 분석	⑩											■	
판매 분석	⑪								■	■			
상품 출시	⑫												■

갠트차트에서 각 이벤트는 음영 처리된 사각형으로 시작시간과 기간이 할당되어 표시된다. 특정 이벤트가 병렬로 시작하면 시작 날짜가 같을 수도 있다. 그러나 특정 이벤트는 이전 이벤트가 완료될 때까지 시작하지 못할 수도 있다. 갠트차트는 어떤 사건이 서로 독립적인지를 확인하여 가능한 한 가장 이른 시간에 시작함으로써 프로젝트를 효율적인 방식으로 성공적인 결론에 도달하도록 구성할 수 있다.

2.3.2 CPM/PERT

프로젝트 계획에 가장 널리 사용되는 방법은 1950년대와 1960년대에 개발된 **CPM**(Critical Path Method, 임계경로법)과 **PERT**(Program Evaluation and Review Technique, 프로그램 평가 및 검토 기법)이다.

PERT는 미 해군의 특수 프로젝트 사무소(U.S. Navy Special Projects Office)의 지도 하에 록히드 미사일 시스템 부서(Lockheed Missile Systems Division)와 부즈, 앨런, 해밀턴컨설팅 회사(consulting firm Booz, Allen, and Hamilton)의 구성원에 의해 개발되었다. 이 기술은 폴라리스 미사일 프로젝트(Polaris missile project)와 관련된 250개의 주 계약업체와 9,000개의 협력업체의 작업을 감시하기 위해 개발되었다.

CPM은 설계 및 시공과 관련된 활동을 관찰하기 위해 E.I. duPont de Nemours & Company의 통합 엔지니어링 제어 그룹에 의해 개발되었다.

미국의 제조업체를 대상으로 한 설문조사에 따르면 **CPM/PERT**는 다른 모든 방법 중 65% 이상을 사용하는 것으로 나타났으며, **CPM/PERT** 프로젝트는 일반적으로 다음과 같은 특성이 있다.

1. 프로젝트를 완료할 수 있는 활동(Activity) 또는 작업(Job)이 명확하게 정의되어 있다.

2. 프로젝트가 시작되면 활동(Activity)이나 작업(Job)은 중단 없이 계속된다.

3. 활동 또는 작업은 독립적이므로 지정된 순서에 따라 개별적으로 시작하고 중지할 수 있다.

4. 활동 또는 작업의 순서가 정해져 있어 각자 지정된 방식으로 수행된다.

CPM과 **PERT** 기법이 독립적으로 개발되었지만, 두 기법의 기본 이론과 기호가 본질적으로 같다.

2.3.3 CPM/PERT의 정의 (CPM/PERT Definitions)

CPM/PERT 네트워크를 개발할 때 다음과 같은 기호, 용어 및 정의가 사용된다.

1. *이벤트(노드) (Event (node)):* 프로젝트 수명에서의 한 시점을 나타낸다. 이벤(Event)트는 활동(Activity)의 시작 또는 끝이 될 수 있다. 원은 이벤트를 나타내며, 일반적으로 각 네트워크의 이벤트는 숫자로 식별한다.

2. *활동(Activity):* 프로젝트의 일정 부분을 수행하는 데 필요한 작업이다.

3. *네트워크 경로(Network paths):* 프로젝트 종료 점(또는 프로젝트 시작점이나 이벤트로부터 이벤트)까지 도달하기 위해 사용되거나 필요한 경로이다.

4. *임계 경로(Critical path):* 시간의 관점에서 **PERT/CPM** 네트워크를 통과하는 가장 긴 경로이다. 다시 말해, 임계 경로는 모든 개별 네트워크 경로 중 활동 기간의 합이 가장 큰 경로이다.

5. *가장 빠른 이벤트 시간(Earliest event time (EET)):* 모든 활동이 예상 시간 내에 완료되는 경우 이벤트가 가장 빨리 끝나는 시간이다.

6. *가장 늦은 이벤트 시간(Latest event time (LET)):* 예상 프로젝트 완료 날짜를 지연시키지 않고 이벤트에 도달할 수 있는 가장 늦은 시간이다.

7. *총유동 시간(Total float):* 가장 늦은 이벤트 시간에서 이전 이벤트(preceding event)의 가장 빠른 시간과 중간 활동(in-between activity)의 지속 시간을 뺀 값이다.

아래 그림은 **CPM** 또는 **PERT** 차트의 예를 보여준 것이다. 여기서 가장 긴 경로 또는 임계 경로(Critical Path)는 Task A-B-E-H로 14일이 소요된다. Task D는 12일(3일간의 Task A가 끝난 후에 9일간의 Task D 할당) 후에 완료되므로 프로젝트가 종료되는 다음 이벤트까지 이틀이 남는다. 따라서 Task D에는 2일의 유동 시간이 있으며, 마찬가지로 Task H가 시작되기 전에 Task C, F, G를 완료하기 위한 1일의 유동이 있음을 확인할 수 있다.

2.3.4 CPM/PERT 네트워크 개발

CPM 네트워크 구성에 필요한 단계는 다음과 같다.

1. 설계를 개별 활동(Activity)으로 분해하고 각 활동을 확인한다.

2. 각 활동(Activity)에 필요한 시간을 추정한다.

3. 활동(Activity) 순서를 결정한다.

4. 정의된 기호를 사용하여 CPM 네트워크를 구성한다.

5. 네트워크의 임계 경로를 결정한다.

CPM 네트워크와 마찬가지로 PERT 네트워크 개발에 필요한 단계는 다음과 같다.

1. 설계를 개별 활동(Activity)으로 분해하고 각 활동을 확인한다.

2. 활동(Activity) 순서를 결정한다.

3. 정의된 기호를 사용하여 PERT 네트워크를 구성한다.

4. 다음 가중 평균 공식을 사용하여 각 활동의 수행 예상 시간을 구한다.

$$T_e = \frac{x + 4y + z}{6}$$

여기서, T_e = 활동(Activity) 예상 시간

x = 낙관적 추정 활동(Activity) 시간

y = 가장 높은 추정 활동 가능 시간

z = 비관적 추정 활동(Activity) 시간

5. 네트워크의 임계 경로를 결정한다.

6. 아래 공식을 사용하여 각 활동의 추정 예상 시간(Te)과 관련된 분산을 계산한다.

$$S^2 = \left(\frac{z - x}{6} \right)^2$$

7. 다음 공식을 사용하여 지정된 날짜에 설계 프로젝트를 완료할 확률을 구한다.

$$w = \frac{T - T_L}{\left| \varSigma S_{cr}^2 \right|^{1/2}}$$

where, S_{cr}^2 = 임계 경로에서의 활동(Activity)의 분산

T_L = 네트워크를 통해 계산된 최근 활동의 예상 완료 시간

T = 시간 단위로 표시된 설계 프로젝트 마감일.

아래 표는 w의 선택적 값에 대한 확률을 나타낸 것이다.

w	확률
-3.0	0.0013
-2.5	0.006
-2.0	0.023
-1.5	0.067
-1.0	0.159
-0.5	0.309
0.0	0.5
0.5	0.69
1.0	0.84
1.5	0.933
2.0	0.977
2.5	0.994
3.0	0.999

EXAMPLE 2.1

기계 설계 프로젝트는 아래 표와 같이 여러 가지 주요 작업(Job) 또는 활동(Activity)으로 분류되었다. 아래 표에 제시된 자료를 이용하여 CPM 네트워크를 개발하고, 예상 프로젝트의 지속 기간과 함께 네트워크의 중요 경로를 결정한다.

정의된 기호와 아래 표에 주어진 데이터를 이용하여 CPM 네트워크가 아래 그림과 같이 도시되었다.

활동 내용	활동 기호	직전 활동	활동 기간(주)
요구사항, 목표, 시장 분석	A	–	1
기능 분석	B	A	2
사양	C	B	1
대안	D	C	4
평가	E	D	3
프로토타입 제작	F	D	4
해석	G	E, F	2
	H	G	2
제조	I	G	4
마케팅	J	H, I	3

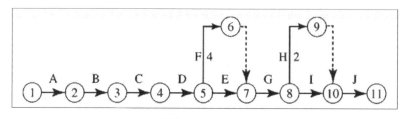

CPM Network

이벤트 1에서 시작하여 11에서 종료되는 경로는 다음과 같다.

1. A-B-C-D-E-G-I-J: time _20

2. A-B-C-D-F-G-I-J: time _21

3. A-B-C-D-E-G-H-J: time_18

4. A-B-C-D-F-G-I-J: time _19.

이 결과에 의하면 가장 긴 경로는 (A-B-C-D-F-G-I-J)이며, 설계 프로젝트의 예상 시간은 21주임을 알 수 있다.

2.4 연구 기법 (RESEARCH SKILLS)

연구란 자료를 수집하고 정보를 모아 지식을 기반으로 문제를 해석하는 능력으로, 이것은 성공과 평생 학습을 위한 필수 기술이다. 여기서 평생 학습이란 교실 밖에서 계속 발전하고 배울 수 있는 능력을 말한다. 연구 기능을 통해 최신 기술 및 시장 정보를 파악할 수 있으며, 연구 능력을 통해 최신 기술 및 시장에 대한 최신 정보를 얻을 수 있다. 데이터, 정보 및 지식을 구별하는 것은 연구 기술을 습득하고 실행하는 데 필요한 것을 이해하는 좋은 출발점이다. 데이터는 실험실 테스트 또는 기타 여러 소스를 통해 수집할 수 있는 가공되지 않은 원시 재료라고 정의할 수 있다. 일단 이 데이터가 의미 있는 것으로 처리되면 정보가 되는데, 이 정보를 성공적으로 적용할 수 있을 때만 지식이 된다.

Eisenburg와 Berkowitz는 Big6를 개발하여 다음과 같은 여섯 가지 범주로 연구 기술을 분류했다.

1. 작업 정의 (Task Definition)

2. 정보 탐색 전략 (Information Seeking Strategies)

3. 위치 및 접속 (Location and Access)

4. 정보 이용 (Use of Information)

5. 통합 (Synthesis)

6. 평가 (Evaluation)

다음은 이러한 점에 대한 저자들의 해석을 나열한 것이다.

1단계에서는 작업을 정의하고, 수집해야 할 데이터 또는 정보를 식별한다. 이 작업이 완료되면 정보 검색을 시작할 수 있으며, 2단계에서는 필요한 정보를 검색하거나 수집하는 방법을 계획하는 수단을 제공한다. 3단계는 출처(예: 교과서, 인터넷, 저널, 잡지 등)를 식별하고, 여기서 수집된 모든 자료를 작업과 관련된 정보로 처리한다. 일부 자료는 이미 정보로 처리되어 있으므로, 이 단계에서 필요한 것은 조직적인 방법으로 접근하고 저장할 수 있는 능력이다. 4단계에서는 필요한 정보를 추출하고, 5단계에서는 이 정보를 처리하여 최종 지식으로 제시한다. 지식을 얻은 후에는 이 지식에 도달하는 데 사용된 프로세스가 정확하고 완전하다는 것을 확인하는 평가가 핵심이다. 많은 경우, 지식은 정확하지만 불완전할 수 있으며 추가 개발을 위한 범위를 열어줄 것이다.

설계 프로세스 내에서의 연구는 모든 단계에서 적용된다. 그러나 이것은 고객의 요구와 목표를 파악한 후 가장 명확하게 알 수 있으므로, 연구는 프로젝트에 대한 시장 분석 및 정보 수집 단계에서 수행된다.

2.5 기술 문서 작성 및 발표

공학 및 과학 분야에서의 소통 기법은 다른 분야에서만큼 중요하다. 비용 산정을 통해 혁신적인 제품을 설계하고 개발하여 큰 이익을 발생할 수 있다고 판단되면 설계자는 그 결과를 다른 사람들과 소통 할 수 있어야 한다. 이는 숲에 쓰러진 나무는 들어주는 사람이 없으면 소리가 나지 않는다는 옛 속담을 떠오르게 한다. 마찬가지로, 세계 최고의 공학 설계라 할지라도 설계자가 올바른 방식으로 이것이 필요한 적절한 사람에게 설계를 전달하지 않는 한 구현되지 않을 것이다. 이처럼 기술 보고서의 품질은 독자의 마음에 좋은 이미지를 제공하여 작업 품질에 대한 독자의 인상에 크게 기여할 수 있다. 물론 훌륭한 보고서 작성이 엉성한 조사 결과를 숨길 수는 없지만, 많은 경우 우수한 설계 결과라도 어설프게 기술 보고서가 작성되어 보고되면 적절한 관심과 평가를 받지 못하는 경우가 많다. 일반적으로 공식적인 기술 보고서는 프로젝트가 끝날 때 작성되는데, 기술 보고서는 다양한 배경을 가진 사람들을 위해 작성된 완전한 독립된 문서이므로, 훨씬 더 자세한 정보가 필요하다.

일반적인 공식 보고서의 구성은 다음과 같다.

1. **표지 *(Cover page)***

    a. 보고서 제목 (Title of the report)

    b. 작성자 이름 (Name of author(s))

    c. 주소 (Address)

2. **요약 *(Summary):*** 작업 내용을 요약한 것으로 여기에는 짧은 결론도 포함되어야 한다. 이것은 일부 사람들이 읽을 수 있는 유일한 부분일 수 있으므로 (프로젝트를 후원할 수 있는 임원 포함) 독립적으로 작성되어야 한다. 기술 보고서 작성은 소설을 쓰는 것과 달리 책의 시작 부분에서 '결말을 양보하는 것'은 용납되지 않는다. 기술 보고서의 경우, 요약에서 '결말'은 허용될 뿐만 아니라 실제로 예상되는 것이다.

3. **목차*(Table of contents.)***

4. **해당 페이지 번호를 포함한 그림 및 표 목차.**

5. **서론*(Introduction):*** 작업 수행의 문제점과 목적을 독자에게 알리기 위한 작업의 배경(시장 분석).

6. **설계 프로세스*(Design process):*** 설계 프로세스를 따르는 세부 절차.

7. **토론*(Discussion):*** 이 부분에서는 결과에 대한 포괄적 설명이 포함되어야 한다. 토론은 다음과 같은 여러 개의 하위 부분으로 나눌 수 있다.

    a. 기술적 분석(힘 요구사항, 속도 등)

    b. 제품개발에 관한 상세 사항

    c. 사용 장비

    d. 조립 및 설정(setup) 절차

    e. 실험 설정 및 결과

    f. 최종 결과물에 대한 세부 사항

8. **결론*(Conclusions):*** 이 부분에서는 연구를 통해 도출할 수 있는 결론을 가능한 한 간결한 형식으로 설명한다.

9. **참고 문헌*(References):*** 이 부분에서는 작성자가 참조한 모든 문서를 나열한다.

각 문서의 정보는 완전해야 하며 전체적으로 동일한 형식을 따라야 한다.

10. **부록(Appendices):** 부록에는 보고서 본문의 범위를 벗어나는 것으로 간주하는 자료가 포함되어 있다. 이 부분은 필요한 만큼 많은 하위 부분으로 나눌 수 있다.

2.5.1 보고서 작성 단계 (Steps in Writing a Report)

고품질 보고서 작성과 관련된 다섯 가지 작업을 **POWER**라는 약어로 잘 기억할 수 있다.

1. **P**: 작성 계획(Plan the writing)
2. **O**: 개요(Outline the report)
3. **W**: 작성(Write)
4. **E**: 수정(Edit)
5. **R**: 재작성(Rewrite)

일반적으로 좋은 글을 쓰려면 다음과 같은 사항을 준수해야 한다.

1. 가능하면 객관적으로 작성하라. 문제나 해결책에 감정적으로 관여하거나 애착을 갖지 마라.
2. 합리적이고 체계적이어야 한다.
3. 배운 것은 무엇이든 기록하고, 수행한 작업은 모두 문서화해야 한다는 점을 명심하라.
4. 항상 글을 명료하게 쓰도록 노력하고, 글은 단순하고 직설적이어야 함을 명심하라.
5. 작성된 자료를 제시간에 전달하라.

좋은 보고서는 다음과 같은 특정 특성이 있다.

1. 예정일(Due Date)을 지킨다.
2. 독자의 질문이 있을 때 효과적으로 답변한다.
3. 좋은 첫인상을 준다.
4. 일관되게 읽을 수 있다.
5. 효과적인 요약과 결론을 포함하고 있다.
6. 명확하고 간결하게 작성하고, 모호하거나 불필요한 문구를 피한다.
7. 적절한 정보를 제공한다.

2.5.2 삽화 가이드라인 (Illustration Guidelines)

기술 보고서의 시각적 요소(예: 그림, 차트 및 그래프)는 특정 목적으로 특정 정보를 전달할 수 있다. 시각적 자료는 서면 자료를 설명, 도해, 시연, 확인 또는 지원하는 데 사용할 수 있으며, 시각적 자료는 프레젠테이션이 효과적일 때만 가치가 있다. 효과적인 시각 자료(삽화)를 준비하기 위한 일반적인 지침은 다음과 같다.

1. 본문의 모든 그림을 참조하라.
2. 데이터 소스를 참조한다.
3. 그림 배치를 신중하게 계획한다.
4. 도면에 사용된 모든 측정 단위와 배율을 지정한다.
5. 식별할 수 있는 캡션과 제목으로 각 그림에 레이블을 지정한다. 다른 문서에서 그림을 가져오면 그림 출처를 포함한다.
6. 약어를 사용하지 말고 모든 철자를 사용한다.
7. 문서에 5개 이상의 그림이 있으면 보고서 시작 부분에 그림 목록을 포함한다.
8. 삽화에 너무 많은 데이터를 넣지 않는다.

다음 두 그림은 같은 그림을 보여준 것이다. 첫 번째 그림은 레이블을 하지 않았고, 선과 데이터 표시 기호의 두께 또한 그래프에서 정확히 판독하기에 너무 크고, 측정 단위와 설명도 빠져 있다. 두 번째 그림은 같은 그림의 더 나은 예를 나타낸 것이다. 두 번째 그림에서 개선된 것이 무엇인지 확인하라.

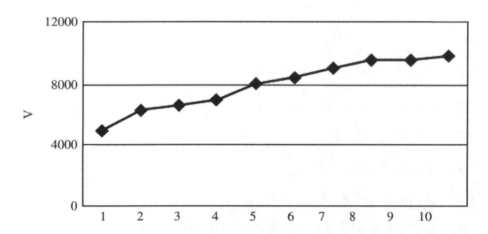

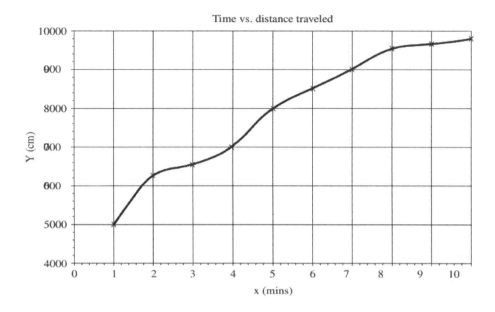

2.5.3 글쓰기 메커니즘 (Mechanics of Writing)

다음과 같은 제안은 글쓰기 할 때 가장 많이 발생하는 일반적인 실수를 방지하는 데 도움이 될 것이다.

- **단락 구조(Paragraph structure):** 각 단락은 단락의 전반적인 이해를 제공하는 주제 문장으로 시작해야 한다. 각 단락에는 하나의 주제나 결론이 있어야 하며, 주제 문장은 그 주제나 결론을 기술해야 한다.

- **문장 길이(Sentence length):** 문장은 구조가 단순하고 읽기 쉽도록 가능한 한 짧아야 한다. 긴 문장은 복잡한 구성이 필요하고, 문법 오류가 발생할 가능성이 크고, 작성 시간이 오래 걸리고, 읽는 속도가 느리다. 긴 문장은 종종 별도의 문장으로 더 잘 표현할 수 있는 두 개의 독립적인 생각을 조합한 결과이다.

- **대명사 (Pronouns):** 대명사와 명사 중 어떤 것을 사용해야 할지는 분명하다. 일반적으로 초보자는 여러 명사 중 하나를 사용해야 할 곳에 이것, 그것, 저것 등과 같은 대명사를 사용한다. 대명사의 사용이 작성자에게는 의미가 분명할 수 있지만, 독자에게는 의미가 모호할 경우가 많다. 일반적으로 나, 너, 그, 그녀, 우리와 같은 인칭 대명사는 보고서에 사용하지 않는다.

- **철자 및 구두점 (Spelling and punctuation):** 이러한 기본 작성 요소의 오류는 보고서의 최종 초안에서 용인할 수 없다.

- **시제 (Tense):** 동사의 시제를 선택할 때 다음 규칙을 적용하라.

a. ***과거 시제 (Past tense):*** 설계할 때 이미 수행된 작업을 설명하거나 일반적으로 과거 사건을 참조할 때 사용한다.

b. ***현재 시제 (Present tense):*** 보고서 자체에서 항목 및 아이디어를 참조할 때 사용한다.

c. ***미래 시제 (Future tense):*** 미래에 적용할 데이터나 결과를 예측하는 데 사용한다.

2.6 프레젠테이션 스타일 (PRESENTATION STYLE)

기술자는 광고 중역과는 달리 자신이 고안한 아이디어를 판매할 준비가 되어 있지 않다. 회사 관계자가 제공하는 간접 정보는 고객의 모든 질문에 답하지 못할 수 있으므로, 이 절에서는 구두 프레젠테이션의 세부 사항과 기술에 관해 설명할 것이다.

2.6.1 목표 (Objective)

모든 프레젠테이션에는 목표가 있어야 한다. 발표자의 주요 목적은 청중에게 메시지(목적)를 전달하는 것이다. 목표는 프레젠테이션마다 다를 수 있으며, 실제 목표를 알려면 다음과 같은 질문을 하라.

"만약 모든것이 완벽하다면, 내가 이루고자 하는 것은 무엇인가?"

청중이 누구이며 그들의 교육 수준이 무엇인지를 파악하라. 프레젠테이션은 대부분 시간이 제한되어 있다. 질의응답 시간에는 정해진 시간을 지키는 것이 무엇보다 중요하다. 제한된 시간을 유지하려면 세부적인 계획이 필요하다. 슬라이드, 모델, 투명 필름, 시청각 및 웹과 같은 다양한 도구를 프레젠테이션에 사용할 수 있으나, 한 매체에서 다른 매체로 이동하는 데 필요한 시간을 고려해야 한다.

팀에서 프레젠테이션의 효과를 평가하는 쉬운 방법은 역할극을 통한 연습이다. 한 사람이 발표자 역할을 하고, 나머지 팀은 청중 역할을 할 수 있으며, 악마의 옹호자(devil's advocate) 역할을 할 수도 있다. 이러한 방식으로 팀은 실제 프레젠테이션을 시도하기 전에 귀중한 경험을 얻을 수 있다.

2.6.2 구두 프레젠테이션의 장애물

아이디어를 다른 사람들에게 팔기 위해서는 먼저 아이디어가 당면한 과제를 완수할 수 있다는 확신을 주어야 한다. 구두 발표는 높은 수준의 창의성을 요구한다.

사람이 변화를 수용한다고 선언할지라도, 일반적으로 사람은 변화에 저항하는 경향이 있다. 일반적으로 인간은 익숙한 방법을 좋아하므로, 변화를 유도하기 위해서는 인간의 저항에 대한 추가적 노력이 필요하다. 변화에 대한 일반적인 반응은 다음과 같다.

- 우리도 전에 해봤다.
- 너무 급진적인 변화이다.
- 전에 해본 적이 없다.
- 현실로 돌아가자.
- 우리는 항상 이런 식으로 해왔다.
- 아이디어가 마음에 들지 않는다.

발표할 때 발표자는 다음과 같은 사항에 유의해야 한다.

- 단지 말한 것의 70%만이 실제로 전달되고 이해된다. 말의 반복과 중복을 통해 완전히 이해할 수 있다.
- 사람들은 대부분 3차원 물체를 이해한다. 2차원은 세부적인 추가 정보를 전달해야 한다.
- 사람들은 대개 자신의 관점에서 문제를 인식한다.
- 최소한의 노력으로 이해할 수 있도록 아이디어를 전달한다.

2.6.3 구두 발표 시 해야 할 것과 하지 말아야 할 것

구두 발표 할 때 다음 사항을 기억하라.

1. 청중을 철저히 파악하라.
2. 단순히 노트, 시트 또는 오버헤드 프로젝터로부터 읽지 마라. 메모는 참조용으로 사용할 수 있지만, 때때로 청중과 눈을 마주쳐야 한다는 것을 잊지 마라.
3. 처음 몇 분 이내에 청중이 빠르게 집중하도록 해라.
4. 할당된 시간을 지켜라.
5. 발표에 적당히 유머러스한 이야기, 일화 또는 농담을 포함하라(잘하는 경우에만).
6. 전문 기술 용어를 사용하지 마라. 청중이 모를 수도 있다고 생각하는 용어는 쉽게 설명하라.

7. 메시지를 명확하게 이해시켜라. 구두 발표의 전체 목표는 메시지를 명확하게 전달하는 것이다.

8. 연습, 연습, 연습이다! 서론과 맺는말은 외우는 것이 좋다.

9. 드라이런은 총연습이다. 이것은 메시지 전달, 구성 및 타이밍의 문제를 해결하기 위해 사용한다.

10. 타성(mannerism)을 피하라. 자신감 있게 말하되 공격적이지 않게 말하라.

11. 청중과 시선을 유지하고 대화를 통해 시선 접촉을 계속 바꿔라.

12. 절대 보드나 빈 곳을 보고 말하지 마라.

13. 영리한 방법으로 자료를 제시하되 싸구려 감각적인 방법은 피하라. 발표는 진정으로 성실하고 전문적이어야 한다.

14. 논리적인 발표는 글로 작성된 발표보다 구두 발표에서 훨씬 더 중요하다.

2.6.4 구두 발표 기법 (Oral Presentation Techniques)

다음 사항은 구두 발표를 효과적으로 만드는 데 도움이 된다.

1. 시각 자료(스케치, 그래프, 도면, 사진, 모델, 슬라이드, 투명 필름 또는 웹)는 종종 정보를 보다 효율적이고 효과적으로 전달한다. 시각 보조 도구는 청각과 시각을 모두 사용할 수 있게 해 주므로 발표자에게 도움이 된다.

2. 슬라이드는 분당 1개 이하로 제한한다.

3. 각 슬라이드에는 하나의 아이디어가 포함되어야 한다.

4. 첫 번째 슬라이드에는 프레젠테이션 제목과 공동 작업자의 이름이 표시되어야 한다.

5. 두 번째 슬라이드는 프레젠테이션의 간략한 개요를 제공해야 한다.

6. 마지막 슬라이드는 방금 전달한 메시지를 요약해야 한다.

7. 슬라이드를 두 번 이상 표시해야 하는 경우 두 번째 사본을 사용하라.

8. 주제에 관한 토론을 마치면 화면에 슬라이드를 남기지 마라.

9. 슬라이드에서 직접 읽지 마라. 구두로 발표한 단어는 슬라이드로 보완해야 한다. 각 슬라이드에 대한 메모를 준비하고 연습할 때 사용하라.

10. 변화를 설명하기 위해 그래프를 사용하라. 축, 데이터 및 제목에 명확하게 레

이블을 지정한다. 출처를 확인하라.

11. 모든 그래프에는 메시지(아이디어)가 있어야 한다. 색상은 의사소통을 방해하지 않고 도움이 되어야 한다.

12. 청중은 잘 정리된 정보에 반응한다. 그 의미는 다음과 같다.

    a. 발표가 효율적이다.

    b. 모든 가정이 명확하게 진술되고 정당화되었다.

    c. 정보 출처 및 사실이 명확하게 설명되었다.

13. 문제 제시와 결론/권고(주요 목표)로 시작하라.

14. 주어진 시간보다 일찍 끝내고 질문/답변 세션을 준비한다.

2.6.5 질의응답 세션 (Question/Answer Session)

질의응답 세션은 매우 중요하다. 이 세션에서 청중은 열정을 보이고 관심과 주목을 드러낸다. Q/A 세션에서 다음을 수행해야 한다.

1. 질문자가 대답하기 전에 질문을 완료하도록 허용하라.

2. 논쟁을 피하라.

3. 질문자가 그 질문이 어리석다고 느끼게 하지 마라.

4. 질문이 느슨하면 회의를 휴회한다.

5. 질의응답이 끝난 후 마지막으로 청중들에게 감사를 표하라.

제3장 요구사항 파악 및 정보 수집(시장 분석)

설계 프로세스를 시작할 때 시장 분석이 필요하다. 설계자는 시장을 파악하고 설계 사항을 미세 조정하기 위해 시장을 분석한다. (Wrangler/Shutterstock)

3.1 목표 (OBJECTIVES)

이 장을 학습하면 다음과 같은 사항을 수행할 수 있다.

1. 요구사항을 확인하고 추상화할 수 있다.

2. 검색할 데이터 소스를 확인할 수 있다.

3. 요구사항을 더 명확하게 서술할 수 있다.

4. 표준 산업 분류(SIC: Standard Industrial Classification) 코드를 식별할 수 있다.

5. 시장을 선도할 수 있는 더 좋은 제품을 찾을 수 있다.

6. 제품개발을 위한 시장 조사 및 시장 분석을 할 수 있다.

일반적으로 요구사항에 관한 서술은 잘 정의되어 있지 않다. 그러나 비록 요구사항이 잘 정의되어 있다고 해도 개발하려는 제품을 고객이 정말로 원하는지를 항상 확인해야 한다. 이 장에서는 시장에 출시된 제품을 검색하고 경쟁 상대를 파악하여, 고객의 요구사항을 명확히 식별하는 방법을 설명하고 있으며 4장에서는 고객의 요구사항을 고객의 이해와 일치하도록 구성하고, 우선순위를 정하는 방법에 관해 설명하고 있다. 5장에서는 문제 해결을 위한 아이디어를 구체화하는 도구를 제공하고, 6장에서는 정성적 목표를 정량적 목표 정의로 수정하는 것에 방법을 설명하고 있으며, 7장에서는 체계적인 프로세스를 통해 최종 솔루션을 개발하는 방법을 설명하고 있다.

3.2 문제 정의 : 고객 요구사항 기술

인간이 발달해 오면서 다양한 종류의 욕구들이 존재해 왔다. 다시 말해, 항상 새로운 제품을 만들고 개선하려는 요구가 있어 왔으며 앞으로도 그럴 것이다. Lincoln Steffens는 "세상은 당신 것이다, 아직 아무것도 이루어지지 않았고, 아무것도 알려지지 않았다. 가장 위대한 시는 아직 쓰여지지 않았고, 최고의 철도는 아직 건설되지 않았으며, 완벽한 국가에 대해서는 생각해 본 적도 없다. 모든것이 바르게 되어지기를 바라는 상태로 남아 있다"라고 했다. 기술자는 인류의 욕구를 충족시키기 위해 과학적 지식을 적용하는 사람이며, 설계 능력은 기술자의 특성이라는 점을 인식해야 한다.

기술자가 극복해야 할 심각한 어려움 중의 하나가 발생하는 문제의 형태에 관한 것이다. 실제 기술자에게 목표가 주어질 때도 그것이 구체적으로 명시되지 않는 경우가 많다. 예를 들어 "축(shaft)이 파손되었다." "제어가 원하는 효과를 내지 못하고 있다." "이 엔진 작동에 비용이 너무 많이 든다"와 같이 문제가 모호하게 제시될 수 있다. 따라서 기술자가 해야 하는 첫 번째 작업은 실제 문제 결정에 참여하는 것이다. 그런 다음 목표의 범위와 크기를 결정해야 한다.

그러기 위해서는 문제를 공학적 용어와 기호로 명확하고 정확하게 서술할 수 있도록 공식화하는 것이 필요하다. 또한 일반적인 상황으로부터 문제를 분리하고 그것의 형태를 묘사하는 것이 필요하다. 다시 말해, 주의를 집중해야 할 모든 측면에서 문제를 명확히 정의해야 한다. 비본질적인 문제에 관한 것은 제거하고, 문제의 개별적인 특성은 구별해야 하고, 당면한 문제가 큰 문제의 일부분 인지, 개별 문제인지를 판단해야 한다. 전체와 부품과의 관계를 결정해야 하는데, 이때 다음과 같은 예를 참고하라.

1. 설계자가 공원의 관개용수 낭비와 관련된 문제에 직면해 있다. 문제는 공원 관리인이 물을 잠그는 것을 잊어버리곤 한다는 것이다. 이 문제의 일반적인 공식은 "근무가 끝나기 전에 근로자가 물을 잠그는 것을 잊어버릴 가능성을 최소화하기 위해 무엇을 해야 하는가?"이다. 이 경우 기술자는 다음과 같은 질문을 할 수 있다. "근로자는 왜 수도 잠그는 것을 계속 잊는 걸까?" "근로자가 일상 활동 중에 하는 일련의 일은 무엇인가?" "교대 자가 나타나지 않으면 어떻게 되나?" "물을 수동으로 켜고 꺼야 할 필요가 있나?"와 같은 것이다.

   그러나 더 정확한 문제의 서술 형태는 "공원에서 관개용수 낭비를 어떻게 방지할 수 있는가?" 일 것이다.

2. 어느 회사가 밀도 기울기(density gradient)를 이용해 전혈(Whole blood)에서 적혈구(Red blood cell)를 분리하고 광활성화 약물로 백혈구(White blood cell)를 치료할 수 있는 장비를 개발하라는 제안을 받았다. 이 경우 설계자는 다음과 같은 질문을 해야 한다. "전혈에서 적혈구를 다른 분리 방법으로 분리해도 밀도 기울기를 사용해야 하나?", "백혈구를 치료해야 한다면 적혈구를 분리하는 대신 전혈에서 백혈구를 분리하는 것은 어떤가?", "빛이 혈액으로 들어가는 것을 방해하여 분리해야 할 필요성을 줄이지 않는 이유는 무엇인가?"

   설계자는 이와 같은 요구사항에 관한 서술을 현재 상태에서 설계의 기반이 될 수 있는 서술로 추상화해야 한다. 고객으로부터의 모호한 서술은 일반적으로 잘못된 설계로 이어진다.

3. 기술자가 지붕에 얼음이 형성되는 문제에 직면해 있다. 특정 유형의 날씨에 얼음이 형성되고, 지붕에서 떨어져 아래에 있는 차량과 사람에게 손상을 입힐 수 있다. 이 문제의 일반적인 공식은 "지붕에 얼음이 생기는 것을 어떻게 방지할 수 있을까?"일 수 있지만 다음과 같은 추가 질문을 할 수 있다. "얼음이 생기면 어떻게 될까?", "무엇 때문에 얼음이 떨어지나?", "얼음의 형성이 무슨 해를 끼칠까?" 이러한 질문은 첫 번째 정의가 너무 좁았다는 것을 알게 한다. 이보다 더 넓은 정의는 "지붕에 형성되는 얼음이 아래에 있는 사람과 장비에 해를 끼치거나

손상을 입히지 않도록 어떻게 방지하나?"이다.

기술자가 문제를 올바르게 정의하기 전에 존재하는 모든 문제를 인식해야 한다. 대부분의 기계 고장은 문제 분석에 실패해서가 아니라 문제가 있다는 것을 인식하지 못하기 때문에 발생한다. 예를 들어 페인트 건조 오븐의 한 해 유지 비용이 $2,000이었다(오븐의 비용 $1,700). 이처럼 유지 비용이 많이 드는 이유는 베이킹 챔버에 장착된 청동 슬리브 베어링에 있는 오일을 자주 분해해야 하기 때문이다. 정확히 문제가 인식되면 솔루션은 비교적 간단하다(오븐 외부에 베어링 장착).

4. 자기 구동 펌프를 구동하기 위해 모터가 사용된다. 모터 축에 강력한 자석이 부착되어 있는데, 자석이 모터의 고정자와 계속 상호 작용하므로 모터에 고장이 자주 발생한다. 일단 이에 대한 문제가 확인되면 해결책은 쉽다(자석을 모터에서 멀리 떨어진 위치에 놓고 벨트 시스템을 사용하여 자석을 구동할 수 있다).

이처럼 요구사항을 명확하게 식별하지 못하고 요구사항을 모호하게 서술하면 설계할 제품에 대한 이해 또한 모호해질 수 있다. 문제를 모호하게 이해하면 문제 해결을 위한 적절한 솔루션을 제공할 수 없다. 올바른 질문을 하려면 기술 지식, 실습 경험, 상식이 필요하다. 문제와 고객의 요구사항에 관한 정보를 가능한 한 많이 수집할 수 있는 기술이 있는데, 이는 이 장의 나머지 부분에서 논의하였다.

3.3 정보 수집 : 요구사항 명확화

고객의 요구사항을 파악하는 방법은 여러 가지가 있다. 고객이 특정 문제를 가지고 설계자에게 직접 접근하는 경우가 있고, 설계자가 신제품이나 제품 개선에 대한 요구를 확인함으로써 시장에서 기회를 찾는 경우가 있다. 설계과정에서 제품 개선을 위한 시간과 비용을 투자하기 전에, 해당 제품에 대한 비즈니스 기회가 존재하는지를 확인하는 것이 중요하다. 만약 시장을 분석할 때 표면만 훑어본다면 개발한 제품은 대부분 실패할 것이다. 시장을 분석하기 위해서는 전체 시장에 관한 철저한 연구가 필요하다. 여기에는 추세, 경쟁, 판매량, 이익, 기회, 소비자 요구, 제품에 대한 고객 느낌 등이 포함된다. 시장 분석은 설계 프로세스의 시작 단계에서 수행되어야 하는데, 이것은 요구사항을 추가로 정의하는 메커니즘 역할을 하며, 설계자가 당면한 문제를 해결하기 위해 다른 시도를 할 때 이를 검토할 기회를 제공하기도 한다. 대부분의 설계는 개발 설계라는 점을 기억하라. 따라서 자신의 솔루션을 제공하려고 시도하기 전에 다른 사람이 이미 솔루션으로 제공한 것이 무엇인지를 아는 것이 매우 중요하다.

요구사항을 명확히 하는 단계에서 솔루션을 제공해서는 안 되고, 설계자는 더 좋은 솔루션을 제공하기 위한 정보를 수집해야 한다. 설계 프로세스의 이 단계에서는 개발해야 할 제품에 대해 평가하고 이와 동일한 문제를 해결하기 위해 다른 사람들이 수행한 작업을 검토하는 것이 도움이 된다. 또한 요구사항의 규모와 경쟁 상대를 식별하는 것도 도움이 되며, 시중에서 유용한 제품이 무엇인지를 확인하는 것이 중요하다.

King은 시장을 공통점이 있는 잠재 고객의 그룹이라고 정의했으며, 시장 분석에는 다음과 같이 두 가지 다른 기술이 사용된다.

1. *직접 조사 (Direct search):* 이 방법은 소비자, 제조업자, 판매원 등으로부터 직접 정보를 얻는 것이다. 여기서 정보는 인터뷰와 설문조사를 통해 수집한다.

2. *간접 조사 (Indirect search):* 여기서 정보는 특허, 저널 보고서, 정부 분석 자료 및 신문과 같은 공개 자원으로부터 수집한다.

시장 조사는 체계적이고 객관적인 방식으로 이루어져야 하며, 제품과 관련된 모든 정보를 고려해야 한다. 시장 분석 보고서를 작성하기 위한 데이터를 분석할 때 편견이 없는 관점으로 분석하는 것이 매우 중요하다. 만약 시장 보고서에 편향된 관점으로 분석한 데이터가 반영된다면 그 결과는 재앙 수준이 될 것이다.

3.4 시장 분석 방법

수천 개의 정보 자원(resources)을 보면 모두가 동일한 정보의 일부분을 변형하여 제공한다는 생각이 들 것이다. 실제로 그 어떤 것도 설계자가 필요로 하는 형식으로 제공되는 정보는 없다. 설계자는 모든 연구 프로젝트를 시작하기 전에 프로세스를 세심히 계획하는 것이 중요하다. 정보 수집은 일반적으로 설계 프로세스의 첫 번째 단계 중의 하나로 많은 열정이 요구되고 있지만, 현대 기술자들은 세계 시장에서 경쟁력을 유지하려면 시장 분석이 설계 프로세스의 필수 요소임을 점차 깨닫고 있다. 공대 학생은 제품 또는 시장 조사를 할 때 종종 익숙하지 않은 정보 자원을 이용해야 하고, 종종 엄청난 양의 정보를 생성해야 한다는 것을 깨닫게 될 것이다. 이처럼 방대한 정보를 계획하고 처리할 때 공학적 기술의 적용이 중요하다. 이러한 기술에는 다음과 같은 사항이 포함된다.

- 비판적 사고 (Critical thinking)
- 전략 (Strategy)
- 분석 (Analysis)
- 시간 관리 (항상 생각한 것보다 오래 걸림)

시장 조사는 제품개발 프로세스 초기에 시장 잠재력, 시장에서의 제품의 기회를 평가하고 제품 비용, 판매 잠재력, 업계 동향, 고객의 요구와 기대에 대한 생산 비용 추정치에 대한 정보를 얻기 위해 수행된다. 시장 조사 단계는 다음과 같다.

1. 문제 정의 (Define the Problem)

2. 전략 개발 (Develop a Strategy)

3. 수집 정보 정리 및 확인 (Organize and check the information gathered)

3.4.1 문제 정의 (Define the Problem)

정보 수집을 시작하기 전에 무엇을 찾아야 하는지를 안다는 것은 매우 중요한 일이다. 이 문제는 다음과 유사한 질문에 답함으로써 파악할 수 있다.

a. 신제품을 개발할 것인가? 아니면 기존 제품의 문제를 해결할 것인가?

   이 단계는 해결책을 제공하는 것이 아니라 문제를 재정의하는 것임을 기억하라.

b. 고객은 누구이며 그들은 왜 이 제품을 구매하기를 원하거나 필요로 하나? (예: 시간 절약, 유용성, 고유한 가치)

c. 고객의 주요 요구사항은 무엇인가?

d. 한 문장으로 그리고 자신의 언어로(필요한 설명 추상화) 당면한 문제를 정의하라.

e. 제품을 고객에게 어떻게 제공할 계획인가? (예: 개발 비용, 시간, 제조, 생산 투자 등)

고객이 누구인지를 설정하는 것은 설계자가 수행해야 할 가장 중요한 초기 단계 중의 하나이다. 1장에서 언급했던 바와 같이 파악해야 할 중요한 개념 중의 하나가 고객은 최종 사용자만이 아니라는 것이다. 제품의 고객은 제품 수명 동안 어느 단계에서나 제품을 다루는 모든 사람이다. 여기에는 제품을 제조할 사람, 판매할 사람, 서비스할 사람, 제품을 유지 관리할 사람 등이 모두 포함된다. 1장에서는 비행기의 잠재 고객의 예를 언급했었다. 다른 예로 골프 카트의 잠재 고객이 누구인지 동료와 토론하라. 다음은 토론 시작을 위한 몇 가지 아이디어이다.

- 골프 선수 (The golf player)

- 골프 컨트리클럽(기관) (The golf country club (Institution))

- 카트를 운송할 카트 회사

- 골프 클럽을 카트에 보관하기 위한 골프 클럽(장비) 제조업자

가능한 모든 고객이 확인되면 그들의 요구사항을 고려해야 하는데, 대부분 그들의 요구사항은 서로 충돌할 수 있다. 이때 모든 요구사항에 대해 우선순위를 설정하여 다음에 이러한 모든 요구사항을 잘 조합하여 최적의 솔루션에 도달하게 하는 것이 설계자의 책임이다. 우선순위가 지정된 방식으로 요구사항을 식별하는 한 가지 좋은 방법은 시장 조사를 수행하는 것이다. 시장 조사 방법은 아래와 같이 여러 가지가 있다.

1. 포커스 그룹 회의 (Focus group meetings)

2. 전화 인터뷰 (Telephone interviews)

3. 일대일 면접 (One-on-one interviews)

4. 설문지 (Questionnaires)

여기에 인용된 각 방법에는 장단점이 있다. 포커스 그룹 회의는 6~12명의 잠재적인 고객 그룹이 만나 요구사항과 제품의 다양한 측면에 대해 논의한다. 제품이 이미 존재하는 경우 토론은 일반적으로 좋아하는 것과 싫어하는 것, 그리고 개선되었으면 하는 것을 "만족하는지"를 기반으로 한 피드백에 초점을 맞춘다. 그러나 신제품의 경우 일반적으로 토론은 특정 시장 부문에서 고객이 원하는 것, 삶을 개선하기 위해 도입되기를 바라는 것, 또는 시장에 나와 있는 유사한 제품에 대한 현재 존재하는 문제에 초점을 맞춘다. 이 단계에서 모든 잠재적 솔루션이 걸러지고 중립적인 요구로 전환되도록 하는 것이 중요하다. 이 방법은 비용이 많이 들고 샘플 크기가 상대적으로 작지만 시장 조사를 위한 좋은 출발점이며, 설문지 형태로 더 큰 설문조사를 하기 위한 전조로 자주 사용된다.

전화를 활용한 일대일 면접은 설문지에서 발생하는 모호성을 제거할 수 있다. 그러나 이 방법은 실행하는 데 비용이 많이 들고, 면접관이 면접을 주도하므로 편견을 유발할 수 있다는 잠재적인 단점도 있다. 예를 들어, "정말 춥고 비 오는 날에 아침 일찍 사무실에 가기 위해 먼 거리를 걸어가겠습니까?, 아니면 싸고 빠르고 편안한 대중교통을 이용하시겠습니까?"라는 질문을 할 수 있다. 이에 대해 편향되지 않은 질문은 "아침에 사무실까지 오는데 선호하는 교통수단은 무엇입니까?" 일 것이다.

설문지 방식은 상대적으로 저렴한 비용으로 다수(표본)의 의견을 수렴하기 때문에 가장 많이 사용되는 조사 방법의 하나이다. 설문지는 의미 있고 유용하며 편향되지 않은 피드백을 제공받을 수 있도록 신중하게 구성하는 것이 중요하다. 다음은 설문지를 구성할 때 지켜야 할 몇 가지 권고사항이다.

• 표준 질문 세트를 개발한다. 설문지의 주요 목표는 잠재적인 요구사항,

문제점, 좋아하는 것과 싫어하는 것을 확인하는 것이다. 이 단계에서 제품에 가장 관심이 있는 시장(있는 경우)을 식별하고, 그들이 지출할 의향이 있는 금액을 추정하는 것도 유용하다.

- 설문지가 읽기 쉽고 작성하기 쉬운지 확인하고, 간단한 언어와 형식을 사용하라. 글은 최소한으로 유지하고, 가능한 한 객관식 질문이나 "예/아니오"의 답변을 제공하라. 그리고 주관적인 글을 쓰고 싶은 사람들을 위해 글 쓸 기회를 남겨라.

- 목표(Target)하는 인구 통계를 확인한다. 메일링 리스트는 시장 조사 회사에서 구매할 수 있다.

- 설문지를 전체 표본으로 보내기 전 먼저 파일럿 표본(친구, 가족 또는 소그룹)에서 설문지를 테스트한다. 이것은 모호한 질문을 해결하고 원하는 정보를 얻을 수 있는지를 관찰할 좋은 기회이다.

- 질문당 하나의 문제만 소개한다.

- 인터뷰와 마찬가지로 질문에 편견을 부여하면 안 된다. 모든 질문에 편견이 없는지 확인하라.

- 혼란을 일으킬 수 있는 부정적인 질문을 피하라. 예를 들어, "아침에 여행하는 것을 좋아하지 않습니까?"라는 질문은 "아니오, 나는 아침에 여행하는 것을 좋아하지 않습니다"라고 대답할 수 있다. 이 글을 주의 깊게 읽으면 "나는 아침에 여행하는 것을 좋아합니다"라고 의미하는 이중 부정 응답이 된다.

- 설문지를 작성한 사람이 실제로 질문을 읽었는지 확인하기 위해 몇 가지 상충하는 질문을 하고 답을 비교하라. 예를 들어 "주전원에서 전기를 항상 끄십니까?"라고 물어보고, 나중에 "주전원에서 전기 끄는 것을 잊으셨습니까?"라고 질문한다. 설문지를 작성한 사람이 두 질문에 모두 "예 또는 아니오"로 대답했다면 이 피드백은 신뢰할 수 없다.

3.4.2 전략 개발 (Develop a Strategy)

검색 프로세스에 대한 계획을 설정하는 것이 중요하다. 도서관에서 모든 참고 도서를 살펴보는 것은(단순히 올바른 정보를 찾기를 바라는 것만으로도) 비효율적인 시간 낭비로 이어질 수밖에 없다. 먼저 어떤 정보가 필요한지를 확인 후 검색을 시작할 위치를 선택하는 것이 도움이 된다.

키워드 확인 (Identify Keywords) : 검색을 시작할 관련 용어로 찾는 것이 중요하다.

계획 작성 (Write a Plan) : 검색 프로세스가 선형적이지 않다는 것을 인식하는 것이 중요하다. 예를 들어, 산업 동향에 대한 정보를 얻기 위해 비즈니스 문헌을 검색하는 동안 조사 중인 제품에 대한 일부 고객의 요구사항을 직접적으로 확인할 수 있는 인터뷰 자료를 발견할 수 있다. 이 정보가 상황에 적절히 맞는 경우 매우 유용하므로 현재 작업 중인 구조가 무엇인지를 아는 것이 중요하다.

3.4.3 수집한 정보의 정리 및 확인

정보 수집을 위한 계획 도구 또는 관련 정보를 찾기 위한 체크리스트로 다음 목록을 사용할 수 있다.

a. **제품 (Products)**

  i. 제품명 (Product names)

  ii. 특허 (Patents)

  iii. 가격 (Pricing)

  iv. 부품 분해 (Parts breakdown)

  v. 제품 특징 (Product features)

  vi. 개발 시간 (Development time)

b. **회사 (Companies)**

  i. 주요 기업 (Major players)

  ii. 주요 기업의 재무 상태(Company financials for major players)

  • **연간 보고서 (Annual reports):** 공개 회사의 재무 상태에 대한 연간 기록으로, 회사의 대차대조표, 수입, 현금흐름표 등이 포함된 정보.

  • **10K 보고서 (10K reports):** 연간 보고서를 더 상세하게 작성한 것으로 공기업이 증권거래위원회에 제출한 공식 연차 사업 및 재무 보고서이다. 보고서에는 자세한 재무 정보, 사업 요약, 자산 목록, 자회사, 법적 절차 등이 포함되어 있다.

c. **산업 (Industry)**

  i. 트렌드 (Trends)

  ii. 인건비 (Labor costs)

iii. 산업 시장 규모(Market-size industry facts): 산업에 관한 것을 명확히 하는 데 도움이 되는 다양한 출처에서 얻은 정보

d. 시장 정보 (Market information)

i. 시장 보고서 (Market reports)

ii. 산업 내 주요 기업의 시장 점유율 (Market share of major companies in industry)

iii. 주요 경쟁사의 시장 목표 (Target markets of major competitors)

iv. 인구 통계 (Demographics)

- 나이 (Age)

- 지리적 위치 (Geographic location)

- 성별 (Gender)

- 정치적/사회적/문화적 요인 (Political/social/cultural factors)

e. 소비자 동향 (Consumer trends)

3.5 관련 정보 자원

정보를 찾을 수 있는 자원(Resources)은 문자 그대로 수백 가지가 있지만, 그중 일부는 범위, 품질 및 전반적인 유용성이 두드러지게 뛰어나다. 관련 정보의 자원을 다음과 같이 네 가지 범주로 나눌 수 있다.

1. 제품 정보 (Product information)

2. 산업 정보 (Industry information)

3. 회사 정보 (Company information)

4. 시장 정보 (Market information)

대부분의 저널 데이터베이스는 앞에서 나열한 모든 영역과 관련된 정보를 제공하므로 검색 및 분석 시 이를 염두에 두어야 한다. 이것은 세 영역 모두에서 자원의 반복을 제거하는 데 도움이 된다.

3.5.1 제품 정보 (Product Information)

특허는 특허 보유자에게 새로운 아이디어나 발명에 대한 독점권을 부여한다. 특허에는

실용 특허와 디자인 특허의 두 가지 주요 유형이 있다. 실용 특허는 아이디어가 특정 기능에 대해 어떻게 작동하는지를 다루고, 디자인 특허는 아이디어의 모양이나 형태만을 다룬다. 따라서 실용 특허는 장치의 외관이 아닌 작동 방식을 다루고 있으므로 매우 유용하다. 특허는 제품에 대한 훌륭한 아이디어의 원천이 될 수 있으며 또한 참신한 아이디어를 내놓았을 때 아이디어를 보호하는 장소가 될 수도 있다. 특허는 다른 사람들이 발명자의 참신한 아이디어로 제품을 만들고 판매하는 것을 금지하지만, 정규 법률 및 규제 채널을 거쳐야 하므로 발명자에게 아이디어로 제품을 만들고 판매할 수 있는 즉각적인 권리를 부여하지는 않는다는 점을 구별하는 것이 중요하다.

비록 좋은 출처라 하더라도 찾고자 하는 아이디어가 포함된 특정 특허를 식별하기는 쉽지 않다. 국내를 포함한 전 세계의 실용 특허가 매우 방대하므로 원하는 특허를 찾을 수 있는 몇 가지 전략을 사용하는 것이 중요하다. 먼저 특허청에서 제공하는 웹 검색을 사용하라. 키워드 검색은 물론 특허 번호, 발명자, 클래스 또는 하위 클래스를 사용하여 검색할 수 있다.

3.5.2 산업 정보 (Industry Information)

사업 진출을 고려하고 있는 산업에 대한 정보를 아는 것이 중요하다. 어떤 회사가 주요 회사인가? 현재 트렌드는 무엇인가? 관련 산업의 규모(금액)는 얼마인가? 관련 산업에서 사용되는 재료는 무엇인가? 와 같은 정보가 필요하다.

3.5.3 회사 정보 (Company Information)

회사 출처는 산업 내 주요 기업에 대한 정보를 제공한다. 이것은 회사 재무, 제품, 브랜드 또는 상표명과 전반적인 시장 평가 및 분석에 도움이 될 수 있는 기타 유용한 정보를 제공한다.

회사 정보를 검색할 때 회사가 공개 기업인지 비공개기업인지를 확인하는 것도 중요하다. 공개 기업은 증권 거래 위원회(SEC)에 등록하고 보고서를 제출해야 하지만 비공개기업은 그렇지 않다. 일반적으로 공기업에 대한 정보를 찾기가 훨씬 쉽다.

일부 회사는 연차 보고서(10K, 1년에 1번 발행) 정보를 웹에 게시한다.

3.5.4 시장 정보 (Market Information)

시장 정보는 여러 곳에서 찾을 수 있다. 정보 검색은 관련 산업, 기업, 제품 키워드를 활용해야 하는데, 이것은 종이 자료나 전자 자료를 사용할 때 해당한다. 예를 들어 시장 정보에는 시장 점유율, 목표 시장, 인구 통계 및 시장 잠재력이 포함되어 있다.

3.6 웹 도구 (WEB TOOLS)

웹은 제품 또는 시장 조사를 수행하는 데 필요한 모든 자원에 대한 접근권을 제공하지는 않는다. 그러나 사용할 수 있는 자원을 알려주는 훌륭한 사이트가 있다.

웹 검색 엔진은 회사, 유통업체, 산업 협회 및 소매업체의 웹사이트와 마찬가지로 점점 더 정교해지고 있으므로, 웹에서 사용할 수 있는 정보를 살펴보는 데 시간을 할애하는 것이 중요하다.

3.7 사례 연구: 자동 알루미늄 캔 분쇄기

이 책의 나머지 장에서 자동 알루미늄 캔 분쇄기에 대한 예로 설명할 것이다.

3.7.1 요구사항 기술 (Need Statement)

알루미늄 캔을 분쇄하는 장치 또는 기계를 설계하고 제작한다. 장치는 완전 자동이어야 한다(즉, 작업자는 장치에 캔을 올려놓기만 하면 자동으로 켜진다). 이 장치는 자동으로 캔을 분쇄하고 분쇄한 캔을 꺼내고 스위치를 꺼야 한다(캔이 적재되어 있지 않으면). 이 장치를 설계하려면 다음 지침을 준수해야 한다.

- 장치는 연속적인 캔 공급 메커니즘이어야 한다.
- 양호한 상태로 캔이 장치에 공급되어야 한다(즉, 움푹 들어가거나 눌리거나 약간 뒤틀림이 없어야 함).
- 캔은 원래 부피의 1/5로 분쇄되어야 한다.
- 장치의 최대 치수는 20 × 20 × 10ft를 초과하지 않아야 한다.
- 성능은 1분 동안 분쇄된 캔의 수를 기준으로 한다.
- 장치를 초등학생도 안전하게 작동할 수 있어야 한다.
- 장치는 독립형이어야 한다.
- 장치의 총 제작 비용은 주어진 예산($200)을 초과하지 않아야 한다.

3.7.2 시장 조사 (Market Research)

요구사항이 비교적 명확하게 서술되었지만, 설계 팀은 클라이언트와 여러 번 인터뷰하고, 질문하고, 클라이언트의 응답을 주의 깊게 경청하여 의도한 장치의 목표를 결정한다.

동시에 설계팀은 유사한 제품을 평가하고 모든 잠재적 '이해관계자' 또는 고객을 고려하기 위해 전체 시장 조사를 수행한다.

다음은 시장 분석 결과를 간략히 요약한 것이다.

잠재 고객 (Potential Customer)

- 학교 (Schools)

- 대학 (Colleges)

- 병원 (Hospitals)

- 호텔 (Hotels)

- 리조트 (Resorts)

- 쇼핑몰 (Shopping malls)

- 놀이터 및 레크레이션 구역 (Playgrounds and recreational areas)

- 아파트, 기숙사 (Apartments, dormitories)

- 스포츠 경기장 (Sports arenas)

- 사무실 빌딩 (Office buildings)

- 주거용 주택 (Residential homes)

유사 장치 보유 회사(선택)

- Edlund Company, Inc. (159 Industrial Parkway, Burlington, Vermont), Mr. R. M. Olson (President)

- Prodeva Inc. (http://prodeva.com)

- Enviro-Care Kruncher Corporation (685 Rupert St., Waterloo, Ontario, N2V1N7, Canada)

- Recycling Equipment Manufacturer (6512 Napa, Spokane, Washington, 99207)

- Kelly Duplex (415 Sliger St., P.O. Box 1266, Springfield, Ohio, 45501)

- Waring Commercial (283 Main St., New Hartford, Connecticut, 06057)

- DLS Enterprises (P.O. Box 1382, Alta Loma, California, 91701

SIC Code

- Food service industry 3556

- Recycling 359

트렌드 (Trends)

알루미늄 산업은 미국에서 연간 약 1,000억 캔을 생산한다. 이 수치는 지난 13년 동안 변동이 없었으며, 2007년에는 540억 개의 캔이 재활용을 위해 반환되었다. 미국 알루미늄 협회에 따르면 알루미늄 캔은 53.8%의 재활용률로 미국에서 가장 많이 재활용된 용기이다. 재활용 수치가 지난 6년 동안 꾸준히 증가했지만, 실제로는 연간 동일한 양을 생산했음에도 불구하고 지난 10년 동안(1997년 66.8%, 2000년 62.1%) 재활용률이 감소했다.

3.7.3 시장 정보 (Market Information)

알루미늄 음료 캔의 성장 기회는 전 세계적으로 존재한다. 글로벌 알루미늄 캔 출하량은 2000년까지 매년 5%씩 증가한 2,090억 개로 꾸준히 증가하고 있다. 미국 음료 판매의 74%는 편의점, 약국, 클럽, 대량 판매점, 자판기 및 식료품 시장에서 발생했다. 이 제품의 초기 시장은 학교이다. 예를 들어, 고등학교 수준의 플로리다 레온 카운티 공립학교에는 약 48,846명의 학생이 있다.

3.7.4 특허 (Patents)

지난 15년간 약 56개의 특허가 등록되었으며 웹 기반 특허 검색에 세부 정보가 표시된다. 다음은 1981년 이전 설계의 예이다.

US Patent No: 4,436,026, Empty Can Crusher

본 고안은 투입구, 활송장치(Chute), 스토퍼 장치, 압착 장치 및 구부러진 활송장치(Forked Chute)로 구성되어 빈 캔을 파쇄하여 평평하게 하는 빈 캔 분쇄기이다. 분쇄기에 공급된 빈 캔은 압착 장치로 분쇄되어 납작해지고 압착 장치에 내장된 자석으로 알루미늄 캔과 스틸 캔으로 분류되어 구부러진 활송장치를 통해 각각의 용기 보관소로 이동된다.

3.8 과제

3.8.1 팀 활동 (Team Activities)

1. 직접 조사와 간접 조사의 차이점은 무엇인가?

2. 시장 분석을 정의하고 정보 수집과의 차이점을 토론하라.

3. 시장 분석을 위한 팀 전략을 개발하라.

4. 시장 분석 계획을 작성하라.

5. 팀이 시장 분석 과제를 수행하는 데 필요한 시간을 추정하라.

6. 다음과 같은 요구사항 기술을 고려하라. 대부분 주택에는 중앙 제어 장치 없이 수동으로 여닫는 통풍구가 있다. 전국의 도시에서는 에너지 절약을 위해 통풍구 사용을 권장하고 있으나 대부분의 가구 거주자는 집 전체를 동시에 사용하지 않고 특정 방을 장기간 사용하는 경향이 있다. 예를 들어 거실과 주방은 하루 중 특정 시간에 사용되는 반면 가족실과 식당은 많은 시간 동안 사용되고 있다. 집 전체를 냉방 또는 난방하려면 집 전체를 냉방 또는 난방을 할 수 있는 시스템이 작동해야 한다. 사용하지 않는 방의 통풍구를 닫으면 에너지 절약 효과를 높일 수 있으므로 공조 시스템의 부하를 줄일 수 있다.

요구사항 서술을 위해 설계 팀이 시장을 분석했으나, 시장 조사를 위한 모든 정보를 채워야 한다는 것을 잊어버렸다. 사용할 수 있는 자원에서 정보를 수집하여 다음과 같은 시장 분석을 완료하라.

가) 이 설계와 관련된 SIC 코드는 다음과 같다 : (a) 공조 컨트롤러(Air Controller), 공조 및 냉동 밸브 제조(설계자가 코드 작성), (b) 에어컨 장치: 국내 및 산업용 제조(코드 작성), (c) 공기 덕트: 판금 5039

나) 업계에서 사용되는 재료는 다음과 같다: (a) 판금, (b) (코드 작성), (c) (코드 작성), d. (코드 작성)

다) 공조를 다루는 주요 협회는 다음과 같다 : (a) 공조 및 냉동 연구소, (b) (코드 작성), (c) (코드 작성), (d) (코드 작성)

라) 주요 회사 : (a) Trane, (b) (코드 작성), (c) (코드 작성)

마) 특허 검색: (a) Sarazen et al., 4,493,456, (b) (코드 제공), (c) (코드 제공)

3.8.2 개별 활동 (Individual Activities)

1. 웹 검색을 하여 최소 매년 한 번 이상 제품을 변경하는 세 가지 산업을 지정하라.

2. 지난 10년 동안 돈 분류기에 대한 특허는 몇 개나 등록되었나? 등록된 특허를 나열하고 차이점을 식별하라.

3. 특허 검색을 제공하는 웹 주소를 최대한 많이 나열하고, 사이트 간의 차이점을 설명하라.

4. 학교의 사서와 인터뷰하여 사용할 수 있는 연구 자료를 확인하라.

제4장 고객 요구사항

설계 팀은 제품을 상세 설계를 하기 전에 제품에 대한 요구사항 및 목표 목록을 공식화해야 한다. (Volodymyr Kyrylyuk/Shutterstock)

4.1 목표 (OBJECTIVES)

이 장을 학습하면 다음과 같은 사항을 수행할 수 있다.

1. 요구사항 기술서(Need Statement)부터 요구사항을 확장할 수 있다.

2. 중요도에 따라 요구사항의 우선순위를 지정할 수 있다.

3. 요구사항을 목표 트리로 구성할 수 있다.

이전 장에서는 모든 고객이 설계 제품에 기대하는 요구사항을 정확하게 인식하는 것이 왜 중요한지에 대해 논의했다. 요구사항은 본질적으로 고객이 원하고 있는 희망 사항 목록(Wish-list)이므로, 설계자는 궁극적으로 요구사항을 기술적 관점에서 제품이 어떻게 작동하는지를 확인하는 일련의 사양으로 변환해야 한다. 이러한 요구사항이 사양으로 완전히 표현되게 하려면 정확한 변환을 지원하는 중간 단계가 필요하다. 이 단계를 '요구사항' 단계라고 하며 설계자가 이러한 요구사항을 제품의 요구사항으로 해석하고 우선순위를 정하여 본질적인 제품의 목표를 확인한다.

4.2 고객 요구사항 파악

욕구(Needs)와 요구사항(Requirements)의 차이점은 무엇인가? 욕구(Needs)는 "A 지점에서 B 지점으로 빠르고 안전하게 이동하는 것"과 같이 고객이 자신을 위해 수행되기를 바라는 희망 사항인 목적(objectives) 또는 목표(goals)라고 할 수 있으며, 요구사항(Requirements)은 설계자에게 솔루션을 제공하지 않은 상태에서 제품의 목적이나 목표를 달성하기 위한 요구되는 세부적인 사항이라고 할 수 있다. 즉, 요구사항은 본질적으로 초기 상태의 욕구가 더 확장되고 조직화 된 형태로 이것을 일반적으로 '고객의 요구사항'으로 간주하고 있다. 일부 고객은 이러한 항목을 요구사항 단계로 변경할 수 있도록 욕구에 대한 충분한 세부 정보를 제공할 수도 있다.

예를 들어, 고객의 욕구는 "충분한 양의 물을 담을 수 있고, 물을 효율적으로 가열할 수 있으며, 이 물을 흘리거나 태우지 않고 안전하게 컵에 따르는 방법"일 수 있다. 얼핏 보면 전기 주전자를 떠올릴 수 있지만, 이 단계에서 성급하게 결론을 내리거나 해결책을 제시하지 않는 것이 중요하다. 다음 단계는 시장을 조사하고 이 제품의 고객에 대한 자세한 정보를 얻는 것이다. 그러면 사용 유형, 빈도 및 수량을 확인할 수 있다. 이 제품이 상업 환경에서 사용된다면 충분하다고 할 수 있는 물의 양은 대형 디스펜서(dispenser) 유형의 기계에서만 달성될 수 있다는 것을 알 수 있을 것이다. 그러나 이 제품이 가정용이라면 물을 데우고 물을 담을 수 있는 다양한 모양과 용기뿐만 아니라, 물을 데울 수 있는 에너지를 제공하는 다른 많은 방법이 있을 수 있다. 이러한 제품에 대한 솔루션 중립적인 요구사항을 발췌하면 다음과 같다.

- 다양한 양의 물을 보관할 수 있어야 한다.

- 다양한 양의 물을 가열할 수 있어야 한다.

- 물을 빨리 끓일 수 있어야 한다.

- 에너지 소모가 효율적이어야 한다.

- 이동이 쉬워야 한다.

- 물을 따를 때 안전하게 취급될 수 있어야 한다.

- 뜨거운 물을 흘리지 않고 따를 수 있어야 한다.

- 외형이 미학적으로 만족스러워야 한다.

- 에너지원이 자동으로 꺼지거나 물이 끓을 때 사용자에게 알려주어야 한다.

4.3 고객 요구사항의 우선순위 결정

요구사항 목록이 설정되면 다음 두 단계는 이러한 요구사항의 우선순위를 결정하여 설계자가 필수 요구사항뿐만 아니라 충돌 요구사항, 비용 또는 기타 이유로 인해 타협해야만 하는 요구사항도 인식할 수 있도록 해야 한다. 충돌 요구사항은 때때로 고객이 동일한 제품이 제공할 수 없는 둘 이상의 기능을 원할 때 발생한다. 예를 들어, 한 번에 10리터의 물을 담을 수 있는 휴대용 여행 주전자의 경우 설계자는 고객의 우선순위가 휴대성인지 또는 10리터의 물을 담을 수 있는 능력인지 또는 하나의 요구사항을 다른 요구사항보다 절충하거나 그중 하나를 우선시할 수 있는 것인지를 확인해야 한다.

요구사항에 대한 우선순위를 결정하기 위해 설계자는 각 요구사항에 대해 1에서 10까지의 중요도 등급을 매긴다. 여기서 10은 가장 중요하고 1은 가장 중요하지 않다는 것을 의미한다. 일반적으로 이루어지는 또 하나의 우선순위 결정 방법은 제품에 대한 특정 요구사항이 필수인지 아닌지이다. 요구사항이 필수라고 간주되면 '요구사항(Demand)'으로 분류하고 문자 'D'로 표시한다. 'D'는 항상 최고 등급 값인 '10'이 부여된다. 기타 필수적이지 않은 요구사항은 '희망 사항(Wishes)'으로 간주하고 문자 'W'로 표시한다. 이러한 '희망 사항(Wishes)'에 대한 등급은 위에서 설명한 바와 같이 1에서 10까지 다양하다.

일반적으로 설계자는 고객의 피드백과 시장 조사를 통해 각 요구사항에 대한 중요도 등급을 결정한다. 설계자는 작업 중인 제품을 고객 그룹에 설문조사를 통해 '희망 사항'에 대한 등급을 매길 수 있으며, 일반적으로 회사는 설문조사를 통해 희망 사항에 대한 등급을 매기고 있다. 희망 사항의 중요성을 숫자로 구분하기 위해 가중치를 사용하고 있으며 가중치를 할당하는 방법은 다음과 같다.

a. **절대 척도 (Absolute measure):** 절대 척도는 각 희망 사항에 대한 중요도를 절대적으로 측정한 값이다. 각 희망 사항에 대해 1에서 10까지 등급을 매길 수 있으며 중요도가 같으면 같은 값을 설정한다.

b. **상대 척도 (Relative measure):** 상대 척도는 모든 척도의 합이 100을 유지하도록 각 희망 사항에 등급을 매기는 방법이다.

고객의 대부분은 하나 이상의 독립체이다. 예를 들어, 자동차 브레이크 패드의 속성을 다르게 평가할 수 있는 필수 고객은 운전자, 정비공 및 영업 사원이 될 수 있다. 이 경우 속성은 중요도에 따라 세 가지 다른 열에서 평가될 수 있다. 따라서 세 가지 고객 범주 모두 적합하다고 판단되는 가중치 값을 입력해야 한다. 설계자는 이러한 전략을 알고 있어야 한다.

중요도 등급은 널리 사용되는 QFD(Quality Function Deployment) 기법을 사용하여 제품 설계가 얼마나 잘 진행되고 있는지를 정량적으로 평가하는 데 사용된다. 이에 대한 자세한 내용은 6장에서 다룬다.

EXAMPLE 4.1 휠체어 회수 장치 (Wheelchair Retrieval)

환자가 간호사와 함께 산책하다 환자가 피곤함을 느끼면 간호사가 약 30m 정도에서 보조할 수 있는 휠체어 회수 장치를 설계하고자 한다. 간호사는 환자를 지원하기 위해 환자와 함께 있어야 하며 한 손으로 휠체어 회수 장치를 작동시킬 수 있어야 한다.

Solution

다음과 같은 요구사항에 따라 휠체어 회수 장치를 설계한다.

- 단위 치수는 $30cm^3$ 이내이어야 한다.

- 1분 안에 환자에게 도달해야 한다.

- 간호사로부터 30m 이내에서 응답해야 한다.

위와 같은 요구사항을 만족할 수 있는 제품은 외관에 주의를 기울여야 하며, 완제품은 2년 안에 시판되어야 한다. 제조 비용은 월 1,000개를 생산할 때 개당 $50을 초과하지 않아야 한다. 설계 프로세스에 따라 설계자가 목적 트리(Objective tree)와 기능 트리(Function tree)를 생성한 후 사양 표를 완성한다. 설계자는 사양의 일반성 수준을 결정해야 하는데, 이에 대한 요구사항은 아래 표와 같다.

휠체어 회수 장치에 대한 우선순위 지정

D or W	요구사항	중요도 (1-10)
D	크기 30 × 30 × 30㎤	10
D	1분 이내에 환자에게 도달	10
D	방수	10
D	안정성	10
D	환자의 중량 지탱 능력	10
D	이동 및 앉는 능력	10
D	작동이 쉽다.	10
D	보수 유지가 적어야 한다.	10
D	내구성	10
D	안전성	10
W	빠른 정지	7
W	안락함	6
W	제어가 쉽다.	7
W	비작동시 낮은 전력 소모	5
W	최소 부품	6
W	가볍다.	4
W	소형이고 접이식이다.	3
W	낮은 생산비용	7
W	자가 동작	3
W	작은 회전 반경	5
W	효율적 장애물 통과	8

이 예제는 간호사가 한 손으로 환자의 휠체어를 회수할 수 있도록 도와주는 휠체어 회수 장치에 대한 중요도를 평가한 표이다.

위의 표를 보면 초기 요구사항에 관한 서술이 상당히 확장되었다는 것을 알 수 있다. 이것은 사용자의 범위도 고려했고, 안전도 고려했으며, 요구사항(D)과 희망 사항(W)도 구분했다.

4.4 사례 연구: 자동 알루미늄 캔 분쇄기- 요구사항

이제 앞 절의 알루미늄 캔 자동 분쇄기 사례에 이어서 요구사항을 고려할 것이다. 앞 절에서의 요구사항을 상기하면 다음과 같다.

알루미늄 캔을 분쇄하는 장치/기계를 설계하고 제작한다. 이 장치는 완전 자동이어야 한다(즉, 작업자는 장치에 캔을 올려놓기만 하면 된다. 장치는 자동으로 켜진다). 이 장치는 자동으로 캔을 분쇄하고 분쇄된 캔을 꺼내고 스위치를 꺼야 한다(캔이 적재되어 있지 않으면).

이 장치는 다음과 같은 지침을 준수해야 한다.

- 연속적인 캔 공급 메커니즘이 있어야 한다.
- 장치에 공급되는 캔은 양호한 상태여야 한다(즉, 움푹 들어가거나 눌리거나 약간 뒤틀리지 않아야 한다).
- 캔은 원래 부피의 1/5로 분쇄되어야 합니다.
- 장치의 최대 크기는 30 × 305 × 30ft를 초과하지 않아야 한다.
- 성능은 1분 동안 분쇄한 캔의 수를 기준으로 한다.
- 초등학생도 안전하게 작동할 수 있어야 한다.
- 독립된 장치여야 한다.
- 장치의 총비용은 주어진 예산($200)을 초과하지 않아야 한다.

세부적인 시장 조사가 완료되면 기술팀은 각 사항이 요구사항(D)인지 희망 사항(W)인지를 결정하고 중요도를 지정한 후 최종적으로 다음과 같이 우선순위가 결정된 요구 사항 목록을 작성한다.

알루미늄 캔 분쇄기 요구사항

심미적	W	5	단독 형	D	10
내부 부품 완전 밀폐	D	10	대용량 캔 수거 용기	W	4
주변환경과 조화	W	5	자동으로 캔 제거	D	10
크기 1 × 1.5 × 1.5	D	10	주변의 낮은 힘	W	8
눈에 띄지 않음	W	5	시작이 쉽다.	W	9
다양한 색상 가능	W	1	충격 흡수	W	8
폴리머로 제작	W	2	청소가 쉽다.	W	3
성형 폴리머로 구성된 하우징	W	2	내구성 있는 캔 수거 용기	W	4
페인트 가능한 표면	W	3	캔 계수기	W	2
비상 정지 스위치 사용 후 재설정 기능	W	9	캐스터에 컨테이너 받기	W	3
작동을 볼 수 있는 플렉시 유리창	W	1	밀폐형 베어링	W	7
저소음	W	7	다양한 표면 장착 가능	D	10
기계를 열면 작동 불가	W	10	소형	D	10
어린 학생도 동작 가능	D	10	다양한 크기의 용기 분쇄	W	3
총비용 < $200	D	10	무인 작업	W	6
쉽게 접근할 수 있는 비상정지 스위치	W	10	충분한 분쇄력	D	10
동작 부와 멀리 떨어진 배선	D	10	즉시 시작	W	7
이송기에 접근할 수 없는 메커니즘	W	10	고효율 엔진	W	9
부적절한 사용을 나타내는 노란색 표시 등	W	3	가벼운 중량	W	3
액체로부터 안전한 내부 부품	W	8	낮은 적재 높이	W	7
쉽고 즉각적으로 정지	W	9	캔 뚜껑 열기	W	1
적은 열 발생	W	6	손상되지 않는 용제	W	6
날카로운 모서리 없음	W	8	정밀 공차 수 제한	W	7
작동 중 정지 기능	W	10	분당 다수의 캔 분쇄	W	8
적재할 수 있음을 알리는 녹색 표시등	W	3	부피 80% 감소	D	10
추가 배선 연결	W	6	유리, 플라스틱 분쇄 가능	W	5
동작 및 안전 스티커	W	9	표준 110V 콘센트 사용	W	9
작동 중임을 나타내는 빨간 표시등	W	3	장시가 실행 가능	W	9
파편 날아다니지 않음	W	10	기계 기능 통합	W	5
배기가스 없음	W	8	이동식	W	4
연속적이어야 함	D	10	쉽게 볼 수 있는 내부	W	7
캔이 끼었을 때 쉽게 접근	W	6	액체 담는 용기	W	2
보수와 분해가 쉽다.	W	3	수리가 거의 없음	W	3
저 진동	W	8	지면을 이용한 안정화	W	5
가변 길이 개폐식 코드	W	3	작은 힘으로 스위치 작동	W	9
쉽고 즉각적으로 정지	W	8	대기 상태	W	3
중력 이용	W	2	기후에 견딤	W	3
고강도 재료	W	9	5단계 이내의 조립	W	5
소비자 가격 < $50	W	3	대용량 분쇄된 캔 저장	W	3

4.5 고객 요구사항 구성 - 목표 트리

설계 프로세스에서 설계 목표를 명확히 하기 위한 고객 요구사항을 구성하는 것은 매우 중요한 단계이며, 고객 요구사항 구성에 널리 사용되는 방법은 목표 트리이다. 목표 트리를 사용하면 수행할 프로젝트의 요구사항을 명확하고 간결하게 표현할 수 있다. 또한 이것은 서로 다른 목표가 상호 관련된 방식을 도표 형식으로 보여주는 최종 목표 트리에 대해 고객과 설계 팀이 합의해야 하므로, 고객과 설계 팀 간의 혼란을 최소화하는 데 도움이 된다.

Cross는 목표 트리(Objective tree)를 생성하는 절차를 아래와 같이 요약하였다.

1. 설계 목표를 목록으로 작성한다. 이 목록은 클라이언트에게 질문한 것과 설계팀이 토론을 통해 끌어낸 것을 기반으로 한 것으로 설계 요약본의 형태로 되어 있다. 고객이 정확히 무엇을 필요로 하는지를 더 잘 이해하려면 가능한 한 많은 질문을 하라. 요구사항을 모호하게 서술(Vague statement)하면 요구사항을 어설프게 이해(Vague understand)하게 되어 고객 요구에 맞지 않는 제품을 개발하게 된다. 목록 작성은 트리(tree) 개발을 위한 가장 중요한 단계이다. 제품에 어떤 것을 포함하길 원하는지에 대해서는 설계 팀에서 추가적인 논의가 필요하다. 현 시점에서는 제품에 어떤 기능을 넣을 수 있는지에 대한 제한이 없다.

2. 목록을 상위 레벨 및 하위 레벨의 목표 집합으로 정렬한다. 확장된 목표와 하위 목표의 목록을 대략 계층 수준으로 그룹화한다.

3. 계층적 관계와 상호 연결을 보여주는 목표의 도식적 트리(diagrammatic tree)를 작도한다. 여기서 트리의 가지(branches)는 목표 달성 수단을 제안하는 관계를 나타낸 것이다.

EXAMPLE 4.2 정수기 (Water Purifier)

고담시 주민들이 시장에게 시의 수질에 대해 불만을 제기한 후 시장은 불만 사항을 조사하도록 보건부에 명령했다. 보건부는 수질을 조사한 후 작성한 권고사항은 공중 보건부의 최고 화학자가 수행한 화학 분석을 기반으로 만들었다. 이 권고사항을 기반으로 정수기를 설계하라는 과제가 도시 기술자에게 주어졌다. 이때 과제 책임자의 임무는 기술자들이 목표 트리를 구축하도록 돕는 것이다.

Solution

Step 1. 설계 목표를 목록으로 만든다.

a. 비용이 효율적이어야 한다(Cost effectiveness).

b. 안전해야 한다(Safety).

c. 화학적 불균형을 감지할 수 있어야 한다(Can detect chemical imbalance).

d. 수리 횟수가 적어야 한다(Fewer repairs).

e. 필요할 때 쉽게 수리되어야 한다(Easy to repair when needed).

f. 수명이 길어야 한다(Long lasting).

g. 가격을 감당할 수 있어야 한다(Affordable).

h. 손상이 적어야 한다(Low damage).

i. 오염이 적거나 없어야 한다(Low or no contamination).

j. 가능한 한 작은 공간을 차지해야 한다(Takes up least possible space).

k. 사람에게 안전해야 한다(Safe for humans).

l. 환경에 안전해야 한다(Safe for environment).

m. 작업이 완료되어야 한다(Gets the job done).

n. 최소한의 시간에 문제를 해결할 수 있어야 한다(Can correct problems in least time).

o. 유지 보수 가격이 낮아야 한다(Low maintenance).

p. 많은 양의 물을 정수할 수 있어야 한다(Cleans high volume of water).

q. 효율적이어야 한다(Efficient).

Step 2. 목록을 집합으로 정렬한다 (Order the list into sets)

안전	가격 효과성	효율
사람에 대한 안전	적은 수리	화학 물질 감지
환경에 대한 안전	용이한 수리	장기간 사용
	적절한 가격	적은 손상
	최소한의 공간	작업 완료
	저렴한 보수 유지비	최소 시간에 문제 수정

Step 3. 목표 트리를 작성한다 (Draw an Objective Tree)

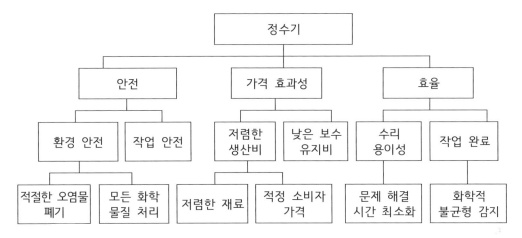

EXAMPLE 4.3 자동 커피 메이커 (Automatic Coffee Maker)

자동 커피 메이커에 대한 목표 트리를 만든다.

Solution

Step 1. 설계 목표를 목록으로 만든다.

a. 안전해야 한다(Safety).

b. 효율적이어야 한다(Efficiency).

c. 품질이 좋아야 한다(Quality).

d. 편의성이 있어야 한다(Convenience).

e. 사용하기 쉬워야 한다(Easy to use).

f. 빨리 끓어야 한다(Fast).

g. 좋은 커피를 만들 수 있어야 한다(Makes good coffee).

h. 사용자가 화상을 입지 않아야 한다(Doesn't burn user).

i. 커피가 잘 섞어야 한다(Good mixture).

j. 적절한 온도를 유지해야 한다(Right temperature).

k. 물이 튀지 말아야 한다(Splash proof).

l. 소비자 가격이 저렴해야 한다(Cheap to consumer).

m. 많은 커피를 만들 수 있어야 한다(Volume of coffee).

n. 자동이어야 한다(Automatic).

o. 타이머가 있어야 한다(Timer).

p. 에너지를 절약할 수 있어야 한다(Energy saver).

q. 온도를 조절할 수 있어야 한다(Temperature control).

r. 청소하기 쉬워야 한다(Easy to clean).

Step 2. 목록을 집합으로 정렬한다 (Order the list into sets)

안전	품질	편의성	경제성
사용자 안전	좋은 커피 맛	청소 용이	적절한 가격
타지 않은	적정한 온도	자동	많은 양의 커피
물 튀김 방지	혼합이 잘됨	타이머	에너지 절약
	온도 조절		빠름

Step 3. 목표 트리를 작성한다 (Draw an Objective Tree)

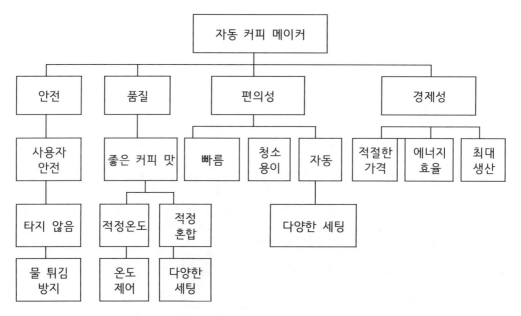

자동 커피 메이커의 목표 트리 (Object tree for automatic coffee maker)

4.6 사례 연구 : 알루미늄 캔 분쇄기 – 목표 트리

앞 절에서 요구사항 서술 및 시장 조사는 수행하였으므로 설계 팀의 다음 단계는 이러한 요구사항을 체계적으로 파악하여 요구사항 목록을 목표 트리로 만드는 것이다.

아래 도시된 목표 트리는 목표를 명확하게 설명하고 설계 방향을 정의한 것이다.

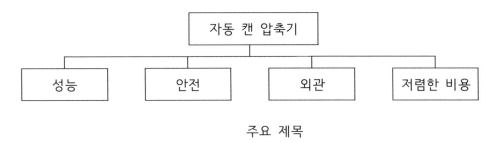

주요 제목

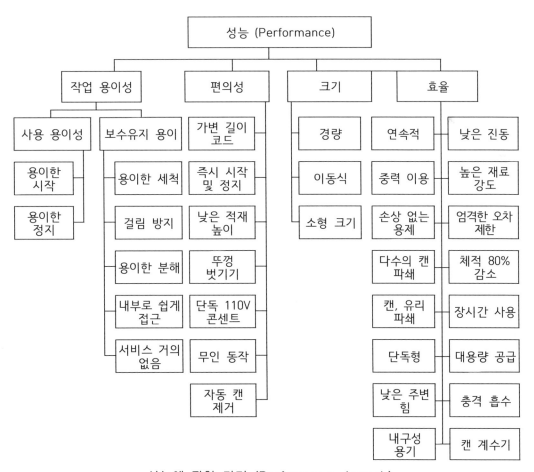

성능에 관한 가지 (Performance branch)

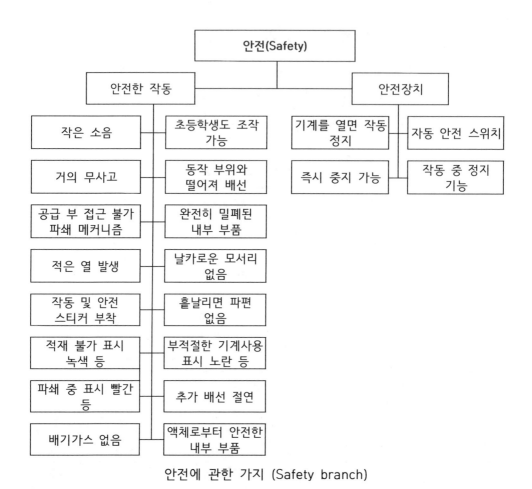

안전에 관한 가지 (Safety branch)

외관에 관한 가지 (Appearance branch)

Lab: 카노 모델(Kano Model) 소비자 요구사항 평가

카노 모델(Kano model)은 고객 만족을 기반으로 고객 요구를 정의한다. 아래 그림에서 볼 수 있듯이 고객 요구에는 (1) Must be(당위적), (2) One dimensional(일원적), (3) Attractive(매력적), (4) Indifferent(무관심), (5) Reverse(역)의 다섯 가지 유형이 있다. 이를 제품의 속성 측면에서 다음과 같이 설명할 수 있다. 제품의 성능이 좋지 않으면 소비자의 만족도가 기하급수적으로 낮아지지만, 성능이 좋아도 만족도가 증가하지 않는 속성을 Must be(당위적 품질: 그래프 ①)라 하고, 성능에 비례하여 소비자의 만족도가 높아지는 속성을 One dimensional(일원적 품질: 그래프 ②)이라 한다. 기능이 제품에 포함될 것으로 기대되지 않아 성능이 나빠도 만족감이 낮아지지 않으나 성능이 좋아지면 만족도가 기하급수적으로 증가하는 속성을 Attractive(매력적 품질 특성: 그래프 ③)라고 하며, 성능과 관계 없이 소비자의 만족도에 전혀 영향을 미치지 않는 속성을 Indifferent(무관심 품질 특성: 그래프 ④)라 한다. 성능이 좋아지면 소비자의 불만족이 야기되고, 성능이 나빠지면 소비자의 만족도가 높아지는 속성을 Reverse(역 품질: 그래프 ⑤)라 한다. 따라서 고객 중심의 제품을 개발하려면 다음과 같은 사항을 수행하는 것이 중요하다.

(a) Must be(필수적) 속성은 유지하고,

(b) One dimensional(일원적)과 Attractive(매력적) 속성은 가능한 한 많이 추가하고,

(c) 가능한 한 Indifferent (무관심) 속성은 피하고,

(d) Reverse (반대) 속성을 피하라.

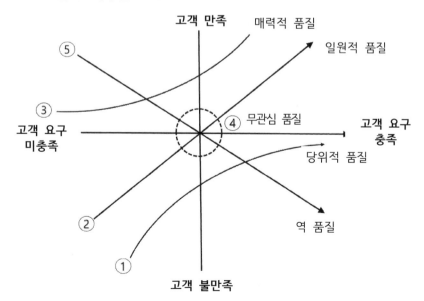

고객의 선호도를 알기 위해 Kano 모델은 아래 표와 같은 설문지를 제공한다. 고객은 자신의 선호도를 알리기 위해 기능적 측면(functional side: 이 속성의 성능이 좋아진다면 어떻게 생각하느냐는 측면)에서 하나의 답변(좋아한다, 필수적이다, 중간이다, 어쩔 수 없다, 싫어한다)을 선택하고 다른 하나는 비기능적 측면(dysfunctional side: 이 속성의 성능이 나빠진다면 어떻게 생각하느냐는 측면)에서 하나의 답변(좋아한다, 필수적이다, 중간이다, 어쩔 수 없다, 싫어한다)을 선택한다. 또한 Kano 모델은 아래 표에 도시된 바와 같이 고객의 답변에 대한 일관된 정의를 제공한다. 예를 들어 고객이 기능적 측면에서 '좋다'를 선택하고 반기능적 측면에서 '중간이다'를 선택했다면 해당 속성이 고객의 요구에 대해 'Attractive: 매력적'이라는 의미이다.

설문지 샘플

제품: 룸 히터, 속성: 스티머	기능적: 스티머 달린 룸 히터	반기능적: 스티머 없는 룸 히터
	좋아한다.	좋아한다.
	당연하다.	당연하다.
	그저 그렇다.	그저 그렇다.
	하는 수 없다.	하는 수 없다.
	마음에 안 든다.	마음에 안 든다.

고객 요구사항 평가

기능적	반기능적				
	좋아한다.	당연하다.	그저 그렇다.	하는 수 없다.	마음에 안 든다.
좋아한다.	Q	A	A	A	O
당연하다.	R	I	I	I	M
그저 그렇다.	R	I	I	I	M
하는 수 없다.	R	I	I	I	M
마음에 안 든다.	R	R	R	R	Q

매력적(A), 무관심(I), 당위적(M), 일원적(O), 역(R)

여기서 기능적의 의미는 성능이 좋다는 것을 반 기능적의 의미는 성능이 나쁘다는 것을 의미한다. 아래 표는 휴대폰의 세 가지 속성인 키보드 크기와 디스플레이 크기가 같은 것(키패드-화면: 같은 크기), 키보드 크기가 작고 디스플레이 크기가 큰 것(키패드 작음-화면 큼')과 키보드 크기가 크고 디스플레이 크기가 작은 것(키패드 큼-화면 작음)에 대한 고객의 응답을 나타낸 것이다. 이 설문지는 키패드의 상대적인 크기와 휴대폰의 화면에 대한 고객의 선호도를 파악하기 위해 Kano 모델 설문지를 통해 조사한 결과를 정리하여 속성을 평가한 것이다.

모바일폰의 세 가지 속성에 대한 소비자의 응답

고객	키패드-화면 같은 크기		키보드 작고 화며 큼		키보드 크고 화면 작음	
	기능적	반기능적	기능적	반기능적	기능적	반기능적
1	싫어한다.	당연하다.	당연하다.	싫어한다.	싫어한다.	당연하다.
2	하는 수 없다.	그저 그렇다.	좋아한다.	싫어한다.	싫어한다.	당연하다.
3	싫어한다.	좋아한다.	좋아한다.	싫어한다.	싫어한다.	좋아한다.
4	하는 수 없다.	그저 그렇다.	당연하다.	싫어한다.	싫어한다.	당연하다.
5	그저 그렇다.	하는 수 없다.	좋아한다.	그저 그렇다.	싫어한다.	당연하다.
6	당연하다.	하는 수 없다.	좋아한다.	그저 그렇다.	싫어한다.	당연하다.
7	싫어한다.	좋아한다.	좋아한다.	싫어한다.	싫어한다.	좋아한다.
8	그저 그렇다.	그저 그렇다.	당연하다.	싫어한다.	싫어한다.	당연하다.
9	좋아한다.	싫어한다.	당연하다.	하는 수 없다.	싫어한다.	당연하다.
10	그저 그렇다.	그저 그렇다.	당연하다.	싫어한다.	싫어한다.	좋아한다.
11	싫어한다.	당연하다.	당연하다.	싫어한다.	싫어한다.	당연하다.
12	당연하다.	싫어한다.	당연하다.	하는 수 없다.	싫어한다.	당연하다.
13	그저 그렇다.	그저 그렇다.	싫어한다.	좋아한다.	싫어한다.	좋아한다.
14	좋아한다.	하는 수 없다.	좋아한다.	하는 수 없다.	하는 수 없다.	좋아한다.
15	좋아한다.	그저 그렇다.	좋아한다.	하는 수 없다.	하는 수 없다.	그저 그렇다.

카노 모델에 의한 Keypad-display-same-size에 대한 속성 평가

고객	기능적(Functional)	반기능적 (Dysfunctional)	평가
1	싫어한다.	당연하다.	R
2	하는 수 없다.	당연하다.	I
3	싫어한다.	좋아한다.	R
4	하는 수 없다.	그저 그렇다.	R
5	그저 그렇다.	하는 수 없다.	I
6	당연하다.	하는 수 없다.	I
7	싫어한다.	좋아한다.	R
8	그저 그렇다.	그저 그렇다.	I
9	좋아한다.	싫어한다.	O
10	그저 그렇다.	그저 그렇다.	I
11	싫어한다.	당연하다.	R
12	당연하다.	싫어한다.	M
13	그저 그렇다.	그저 그렇다.	I
14	좋아한다.	하는 수 없다.	A
15	좋아한다.	그저 그렇다.	A

아래 표는 15명의 고객이 응답한 내용을 빈도별로 구분하여 'keypad - display - same - size'의 속성이 어떻게 결정되는지를 보여준 것이다. 조사 결과 'keypad - display - same - size'의 속성은 'Indifferent: 무관심이지만, 'Reverse: 역'(키패드와 디스플레이 크기가 같지 않기를 원함)이라고 생각하는 고객이 상대적으로 많다는 것을 알 수 있다.

평가 (Evaluation)	빈도 (Frequency)
매력적 (Attractive)	2
당연적 (Must be)	1
일원적 (One dimensional)	1
무관심 (Indifferent)	6
회의적 (Questionable)	0
반대 (Reverse)	5

따라서 제품 개발자는 이 속성을 피하고 다른 두 속성에서 솔루션을 찾아야 한다.

GROUP TASK: 나머지 두 속성에 대해서도 위와 같은 방법으로 속성 평가를 시행한다.

4.7 과제 (PROBLEMS)

4.7.1 팀 활동 (Team Activities)

1. 각 그룹은 다음 목록에 표시된 대로 주어진 설계 요구를 명확히 하기 위해 가능한 한 많은 질문을 하라.

   (a) Groups 1 : 커피 메이커 설계 (Design a coffee maker.)

   (b) Groups 2 : 안전한 사다리 설계 (Design a safe ladder.)

   (c) Groups 3 : 안전한 의자 설계 (Design a safe chair.)

   (d) Groups 4 : 안전한 잔디 깎는 장치 설계 (Design a safe lawn mower)

2. 자동 커피 메이커에 대한 목표 트리(Objective tree)를 작도하라.

3. 다음과 같이 사항에 대한 목표 트리(Objective tree)를 작도하라.

   플로리다주에서 운전하다 보면 주도로와 고속도로에서 나무가 잘려 교통 체증이 발생하는 상황을 종종 볼 수 있다. 플로리다 교통부를 클라이언트라고 가정하고 일반적으로 직경이 6인치 이하인 가지를 잘라낸다. 도로 가장자리에서 가지까지 허용되는 수평 거리는 6피트이다. 나무에서 제거된 재료는 수거하여 길가에서 제거해야 한다. 가지를 자르는 비용을 줄이기 위해 각 기계에 최대 2명의 작업자만 탑승할 수 있다.

장비, 인건비 등을 포함한 전체 비용을 현재 비용에서 최소 25% 절감해야 한다. 주 정부는 이러한 기계에 대한 수요로 인해 가격 인하가 가능하다고 주장한다(즉, 비용을 40% 절감할 수 있다면 수요는 40% 증가할 것이다). 허용되는 작업 시간은 일광 및 기상 조건에 따라 다르다.

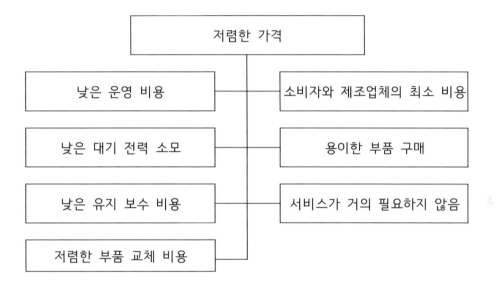

제5장 기능 구조 설정 (Establishing Functional Structure)

설계를 완성하기 전 제품의 기능 구조를 결정하는 것이 중요하다. 설계자는 최종 설계에서 가능한 모든 솔루션을 결정하기 위해 제품의 각 구성 요소의 기능을 결정한다. (Kolosigor/Shutterstock)

5.1 목표 (OBJECTIVES)

이 장의 학습을 통해 다음과 같은 사항을 수행할 수 있다.

1. 기능 분석의 필수 요소를 주제로 토론할 수 있다.

2. 요구사항 서술을 기반으로 기능 구조를 만들 수 있다.

3. 기능 분석의 중요성을 주제로 토론할 수 있다.

이전 장에서는 설계 프로젝트(요구 사항 단계)의 목표를 인식한 후, 요구사항에 관한 서술을 명확히 하고, 우선순위를 결정하는 작업을 했다. 이 작업이 완료되면 다음 단계는 제품의 개념 개발을 시작하는 것이다. 이는 기능(이 장, 5장)과 사양(6장)의 두 주요 절에서 다룰 것이다.

설계 팀에서 활용하는 몇 가지 설계 전략이 있다. 일반적으로 많은 경우 공학 설계자는 경험과 현재 작업 환경의 관행을 기반으로 자체적인 방법으로 설계를 수행한다. 그러나 공학자가 당면한 경험 이외의 새로운 문제에 직면하면 조직적이고 체계적인 절차를 치열하게 찾으려 할 것이다. 지금까지 설계에 대한 몇 가지 이론과 방법론이 제안되었는데, 한 이론에서는 설계자는 영감을 받아 설계할 수 있는 창의적 사고를 가지고 태어나는 것이라고 주장한다. 이 이론에서 설계는 가르치거나 배울 수 있는 것이 아니라 독특하고 특권을 가진 개인에게만 수여되는 선물이라고 했지만, 다행히도 이 이론은 널리 받아들여지지 않았다.

또 다른 설계 철학에서는 요구사항이 파악되면 바로 브레인스토밍을 통해 개념을 개발할 수 있다고 한다. 그러나 이러한 철학은 종종 고품질 설계로 이어지지 않고 있으며, 최신 기술의 사용을 촉진하지도 않는다. 이 방법론에서 설계자는 첫 번째 아이디어를 제품 설계로 받아들이고, 그것을 계속 개선하려는 경향이 있다. 이 책에서 우리는 설계에 대해 보다 과학적인 관점, 즉 논리적 순서에 따른 체계적인 접근 방식을 사용할 것이다. 이 접근 방식은 산업계의 모범 사례로 알려진 것과 일치한다. 우리는 이미 목표 트리를 개발했고, 시장을 검색했으므로 제품이 어떻게 기능할 수 있는지에 대한 아이디어 개발을 시작해야 한다.

지금까지 수행한 프로세스에서 여전히 다양한 도구를 사용하여 문제를 정의하고 있다.

5.2 기능 (FUNCTIONS)

제품의 전체 기능은 입력과 출력 간의 관계를 형성하는 것이다. 제품의 기능은 제품이 달성해야 할 작업을 수행하는 하위 기능으로 더 세분할 수 있다. 요구사항은 고객이 설정한 제품이 수행해야 할 작업을 설명하는 "희망 사항 목록"이지만, 기능은 제품이 수행할 "솔루션 중립적인 기술적 작업"이다. 이 단계는 여러 면에서 매우 중요하다. 첫 번째는 이 단계가 "희망 사항"을 설계팀에게 더 적절한 공학 용어로 변환한다는 것을 의미하며, 두 번째는 아직까지 기능이 솔루션 중립적으로 남아 있으므로 여전히 문제를 더 분석할 수 있는 수단임을 깨닫게 할 수 있다는 것이 중요하다. 이것은 문제를 식별하고 개선하는 데 많은 시간이 소요되는 것처럼 보일 수 있어, 얼핏 보면 비효율적 프로세스처럼 보일 수 있다. 따라서 경험이 부족한 일부 설계자는 이를 참지 못하고 이 단계를 건너뛰거나 다른 개념이나 솔루션을 즉시 제안하려 할 것이다. 여기서 기억해야 할 점은 문제에 대한 최상의 정의를 사용할 수 없으면 최상의 솔루션을 제공할 수 없다는 것이다.

기능은 제품이 '어떻게' 작동하는지(솔루션)가 아니라 제품이 '무엇'을 하는지(문제)를 고려해야 한다. 기능에는 다음과 같은 두 가지 구성 요소가 포함된다.

- 동작 동사 (Action verb)
- 동작 동사가 발생하는 대상을 나타내는 명사

동작 동사와 명사의 결합은 주어진 기능을 설명하는 데 사용된다.

5.3 기능 분해 및 구조화

기능은 가능한 한 정교하게 분해해야 한다. 기능을 정교하게 분해하는 과정을 기능적 분해라고 하는데, 기능 구조는 다음과 같이 구성되어 있다.

- 경계 상자(입력 및 출력 포함, A boundary box with inputs and outputs)
- 전체 기능(An overall function)
- 기능 트리(Function tree)
- 재료, 에너지 및 정보의 흐름

여기에서 언급된 재료는 제품의 세부 사항은 말할 것도 없고, 개념에 대해서도 전혀 모르기 때문에, 반드시 제품의 상세한 재료 속성을 의미하는 것이 아니다. 여기서 재료는 동작을 수행하는 데 필요한 알려진 '항목'을 의미한다. 따라서 커피머신의 경우, 커피머신에 필요한 커피, 물, 음료를 담을 용기가 이에 해당한다. 이때 커피머신이 어떤 재료로 만들어지는지는 중요하지 않다.

5.3.1 경계 상자 및 전반적인 기능도

제품의 전체 기능은 제품 기능 구조의 가장 단순한 형태로 표현되는데 이것을 "블랙박스"라고 한다. 블랙박스 모델은 시스템의 입·출력과 함께 제품의 전체 기능을 나타낸 것이다. 블랙박스 모델은 시스템 주변의 에너지, 재료 및 정보의 흐름을 포함할 수 있으며, 하위 기능은 이 그림에 표시하지 않는다. 이와 같은 표현 방식은 상자 내의 솔루션과 관계없이 입력과 출력 간의 관계만을 표현한 것이다. 블랙박스에 표현하는 간단한 상자 그림이 아래와 같이 도시되었다. 아래 그림의 블랙박스 시스템 모델은 입력 집합이 전체 기능(다수의 하위 기능(Subfunction)으로 구성되었지만, 자세히 묘사하지 않음)과 출력 집합으로 수행되는 블랙박스로 기능 구조의 개념을 나타내고 있다. 블랙박스 아래 그림은 투명 상자 모델(Transparent Box Model)로 제품의 하위 기능(Subfunction)을 투명 상자로 묘사한 것이다. 여기에서 하위 기능은 제품의 기능 트리라고 알려져 있으며, 기본적으로 제품의 기본(전체) 기능을 수행하는 데 필요한 동작과 순서를 보여주고 있다.

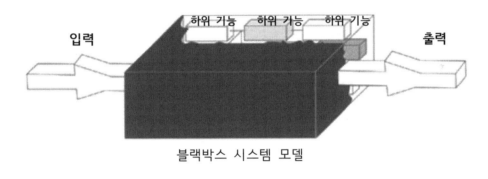

블랙박스 시스템 모델

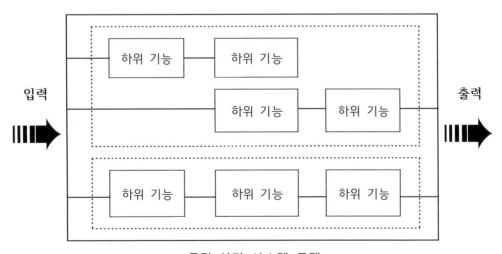

투명 상자 시스템 모델

3장에서 설명한 자동 커피추출기의 목표 트리를 생각해 보자. 이 추출기의 기능 구조를 설정하는 프로세스를 살펴보겠다. 사용자의 기호에 따라 신선한 원두를 분쇄하고 우유와 설탕을 혼합할 수 있는 자동 커피추출기의 필요성이 시장 조사를 통해 확인되었다고 가정한다. 입력(Input)은 물, 커피 원두, 설탕, 우유, 뜨거운 음료를 담을 용기, 물을 데울 전원이 될 것이다. 여기서 '전기' 대신 '전원'이라는 용어가 언급되었는데, 그 이유는 '전기'를 특정하면 이미 솔루션을 제공한 것이므로 이 단계의 목표인 솔루션 중립을 유지하기 위한 것이다. 솔루션을 특정하면 태양열, 가스 또는 원자력 에너지와 같은 솔루션의 선택을 제한하게 된다. 왜 지금 스스로 우리 자신을 제한해야 하나? 이 단계에서 솔루션 중립을 유지하는 이점은 미래에 새로운 기술을 사용할 수 있게 되면 제품의 동일한 기능을 계속 유지하다 사용 가능하고 실현할 수 있을 때 쉽게 대체할 수 있다는 것이다.

커피 추출기의 출력은 커피 음료이고, 추출기의 주요 기능은 커피 음료를 제공하는 것으로, 아래 그림은 입력, 출력, 전체 기능 및 블랙박스를 포함하는 자동 커피추출기의 전체 기능 다이어그램을 도시한 것이다.

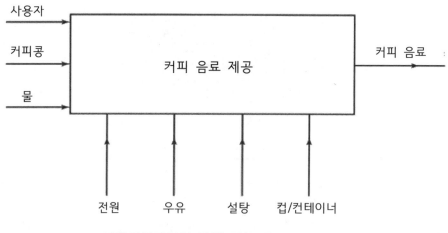

자동커피머신의 전체 기능 구조

5.3.2 기능 트리 (Function Tree)

문제 서술을 설명하는 복잡한 전체 기능은 여러 기능과 하위 기능으로 나눌 수 있으며, 많은 하위 기능을 다시 하위 기능으로 나눌 수 있다. 분할은 고려 중인 설계시스템의 유형에 따라 다르다. 블랙박스 내의 항목(하위 기능)은 기본 기능을 수행하는 데 필요한 개별 작업을 실행할 수 있도록 체계적이고 논리적인 순서로 구성되는데, 이것을 기능 트리라고 한다. 자동 커피추출기의 주요 기능은 커피 음료를 제공하는 것으로, 이에 대한 기능 트리는 아래 그림과 같다.

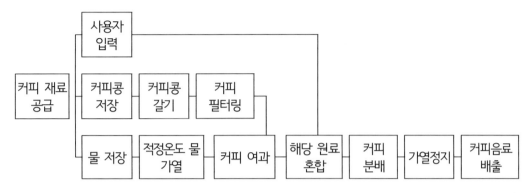

자동커피머신의 기능 트리

기능 트리를 만들 때 따라야 할 몇 가지 지침은 다음과 같다.

- 흐름은 논리적 또는 시간적 순서여야 한다.
- 중복 기능을 식별하고 결합한다.
- 시스템에 없는 기능은 제거해야 한다.

구체적으로 물질, 에너지, 정보와 관련된 흐름이 있으며, 물질의 흐름과 관련된 일부 기능은 다음과 같다.

1. 물질은 위치나 모양을 변경하여 설계할 수 있으며, 일반적인 동작 동사는 들어 올리기, 위치 지정, 유지, 지원, 이동, 변환, 회전 및 안내이다.
2. 물질은 둘 이상의 몸체로 나눌 수 있으며, 이에 대한 동작 동사는 분해와 분리 이다.
3. 물질은 조립할 수 있으며, 이에 대한 일반적인 용어는 혼합, 부착, 그리고 상대적 위치이다.

일반적으로 정보의 흐름과 관련된 기능은 기계적 또는 전기적 신호 또는 소프트웨어의 형태로 되어 있다.

전자기 시스템에서 에너지의 흐름과 관련된 기능은 기계적, 전기적, 유체적 및 열적이며, 이러한 유형의 에너지는 공급, 저장, 변환 또는 소멸할 수 있다.

5.3.3 기능 구조 (Function Structure)

이전 절에서는 자동 커피추출기의 기능 분해를 시연했다. 이 프로세스의 절정은 기능 구조이며 이는 아래 그림과 같다.

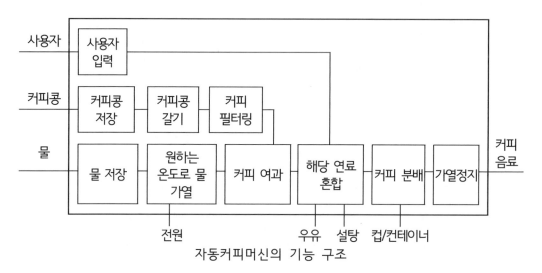

자동커피머신의 기능 구조

기능 구조는 상자, 입력 및 출력, 재료 흐름과 기능 트리의 조합으로 구성되었으며, 이것의 주요 목적은 솔루션을 쉽게 발견하기 위한 것이다. 다음 목록에 제공된 작업별 기능은 기능 분석 구조 생성에 활용할 수 있다.

1. 에너지 변환(Conversion of energy)

    a. 에너지 변화(예: 전기 에너지에서 기계 에너지로)

    b. 다양한 에너지 구성 요소(예: 속도 또는 토크 증가)

    c. 에너지 저장(예: 위치 에너지 또는 운동 에너지 저장)

    d. 에너지와 정보의 연결(예: 모터 시동을 위한 스위치)

2. 물질 변환(Conversion of materials)

    a. 물질 변화(예: 용융[고체에서 액체로])

    b. 에너지와 물질 연결(예: 움직이는 부품)

    c. 물질 재배치(예: 혼합 또는 분리)

    d. 재료 저장(예: 사일로에 재료 저장)

3. 정보 변환(Conversion of information)

    a. 신호 변환(예: 기계에서 전기로)

b. 정보를 에너지와 연결(예: 신호 증폭)

c. 정보를 물질과 연결(예: 금속 표시)

d. 신호 저장(예: 데이터 뱅크)

설계 초기에는 개별 하위 기능이나 그 관계가 명확하게 알려지지 않았으므로, 최적의 기능 구조를 찾아 설정하기 위한 노력이 필요하다. 그러나 적응형 설계에서는 기능 구조와 다양한 구성 요소 및 시스템 간의 기능적 관계가 일반적으로 잘 확립되어 있다. 낮은 수준의 기능은 더 작은 수준의 복잡성을 수반하므로 설계가 단순해야 한다. 모듈식 설계 개발에서 기능 구조는 매우 중요하며, 기능 구조의 큰 이점은 각 구성 요소와 시스템을 개별적으로 검사할 수 있고, 필요할 경우 수정할 수 있다는 것이다. 또한 기능 구조는 모든 기능에 대해 작업별 구성 요소 또는 시스템을 식별할 수 있으므로 카탈로그를 설계하고 사용할 때 매우 유용하다. 기능 분해의 전체 프로세스는 발산-수렴의 설계 철학을 지원한다. 이 개념에서는 설계 문제가 하나의 최종 솔루션으로 좁혀지기 전 여러 솔루션으로 확장되어야 하며, 모든 설계 문제는 기능적으로 독립된 하위 시스템의 설계로 분해할 수 있어야 한다.

기존 방법에 기반한 솔루션 원리나 설계는 새로운 기술을 적용할 때 최적의 설계를 제공하지 못한다. 문제의 핵심은 필요한 기능과 필수 제약 조건을 목록으로 표현해야 한다는 것이다.

이에 대한 예로 자동 캔 분쇄기를 참조해 보겠다. 설계 팀은 기능 트리를 구성하기 전에 목표 트리와 시장 분석 결과를 검토했으며, 제시된 목표를 달성하기 위해 가능한 모든 방법을 열어두었다. 자동 캔 분쇄기의 기능 구조는 아래 그림과 같다.

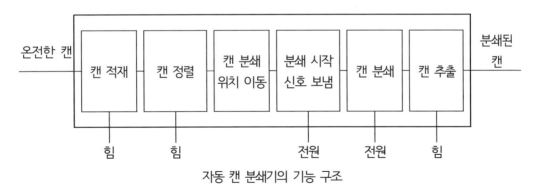

자동 캔 분쇄기의 기능 구조

그림에서 관찰한 바와 같이, 시스템은 에너지 흐름, 캔 입력 및 분쇄된 캔 출력이 시스템 경계를 통해 들어갈 수 있는 경계(상자) 내에 다시 한번 포함되었다. 전체 시스템을 구성하는 입력 쪽에서 출력 쪽으로 연결된 일련의 기능이 있으며, 캔 적재(loading)는 캔을 시스템에 입력하는 데 사용된다. 다음으로 분쇄하기 위한 장치 내부에 캔이 위치하도록 정렬시켜야 한다. 캔을 분쇄하는 동안 캔을 제자리에 고정하는 방법이 필요하고, 다음으로 분쇄 장치에 신호를 보내려면 전원이 필요하다. 그런 다음 분쇄한 후 캔을 제거하거나 시스템에서 배출해야 한다. 이 단계에서는 다시 한번, 문제를 해결하는 방법에 대한 솔루션이나 지시가 제공되지 않는다는 것을 기억하라.

이 시점에서 "이것이 캔 분쇄의 필수 기능을 수행할 수 있는 유일한 기능 세트인가?"라는 질문을 해야 한다. 그 대답은 "아니오"이다. 그러나 체계적인 설계 프로세스는 반복적이라는 점을 강조해야 한다. 기능적 요구 측면에서 캔을 분쇄하는 시스템을 추가로 제안하면, 이것이 목표 트리를 통해 재정의되어 고객 요구사항을 충족할 것이다. 목표 트리에는 안전한 장치를 갖추려는 목표와 마찬가지로 어떤 기능도 만족시킬 수 없는 기능과 요구사항이 있을 수 있다. 그러나 이 요구사항은 뒤에 기능 측면에서 더 명확하게 서술할 것이다. 이 단계에서 설계팀이 추가 기능이 필요하다고 판단하면 목표 트리를 수정해야 한다. 이 경우 반복 프로세스가 필요하다.

설계 팀은 어떠한 아이디어도 생성하지 않은 상태에서 기존 아이디어에 기능을 맞추지 않도록 경고해야 한다. 이 단계에서는 설계에서 구현할 수 있는 것과 구현할 수 없는 것에 대한 제약이 없어야 한다. 합의되고 숨겨진 아이디어에 맞추기 위해 기능 분석을 왜곡하는 설계자는 설계 프로세스의 다음 단계에서 필요한 절차와 단계에 맞추기 위해 하나의 아이디어를 다듬는 데 더 많은 시간을 보내는 경향이 있다. 기능을 만들고 식별하는 것은 설계 프로세스의 필수 단계이다. 다음의 설계 단계는 기능 분석 단계에 따라 다르므로 이 단계를 다시 방문하고 반복할 것을 강력히 추천한다.

5.4 기능 구조 설정을 위한 세부 절차

이 절에서는 전 절에서 논의된 내용을 공식화하고 Cross가 서술한 바와 같이 설계의 기능적 분해를 수행하고 이를 기능적 구조로 나타내는 단계별 절차를 제공한다.

Step 1. *입력과 출력의 변환 측면에서 설계의 전체 기능을 표현한다.*

이 단계에서의 핵심은 새로운 설계로 무엇을 달성해야 하고 어떻게 달성해야 하는지를 결정하는 것이다. 이는 주어진 입력을 원하는 출력으로 변환하는 제품 또는 장치(설계할)를 블랙박스로 간단히 표시함으로써 달성할 수 있다. 블랙박스는 입력을 출력으로 변환하는 데 필요한 모든 기능을 지정한다. 이때 기능에 제한을 두지 않는 것이 중요하다. 이러한 제한 사항은 솔루션 공간이나 시스템 경계를 제한한다. 예를 들어 "A에서 B로 밀기"라는 기능은 솔루션이 A에서 B로 물체를 추출하거나, 던지거나, 구르거나, 들어 올리거나, 투석기로 던지는 것을 제한하므로, 솔루션 공간이나 시스템 경계를 최대한 넓히는 것이 중요하다.

이 단계에서는 관련된 모든 입력 및 출력이 명확하게 나열되도록 노력해야 한다. 앞서 언급한 바와 같이 이들은 모두 물질의 흐름, 에너지의 흐름, 정보의 흐름으로 분류할 수 있다.

Step 2. *전체 기능을 일련의 필수 하위 기능으로 나눈다.*

주요 기능 수준에서 입력 세트를 출력 세트로 변환하는 것은 일반적으로 매우 복잡하므로, 블랙박스를 하위 작업 또는 하위 기능으로 나누어야 한다. 기능 분해는 설계자의 경험, 특정 작업을 수행할 수 있는 구성 요소의 가용성 및 최신 기술에 따라 달라진다. 하위 기능을 지정하는 경우 작업을 동사와 명사(예: 신호 증폭, 항목 세기, 속도 감소, 직경 증가) 또는 동작 명사(예: 액추에이터, 로더 등)로 표현해야 한다. 각 하위 기능은 자체 입력 및 출력이 있다.

Step 3. *하위 기능 간의 상호작용을 보여주는 블록 다이어그램을 그린다.*

블록 다이어그램은 상자에 넣어 별도로 식별되는 모든 하위 기능으로 구성된다. 이들은 설계 중인 제품 또는 장치의 전체 기능을 충족시키기 위해 입력과 출력으로 연결된다. 즉, 전체 기능에 대한 블랙박스를 필요한 하위 기능과 해당 링크가 보이는 투명한 상자로 다시 그린다.

다이어그램을 그릴 때 실행할 수 있는 작업 시스템을 만들기 위해 하위 기능의 내부 입력과 출력이 연결되는 방식을 결정한다. 이때 입력과 출력을 효율적으로 조직하고 재정의해야 하며, 일부 하위 기능을 다시 연결해야 할 수도 있다. 블록 다이어그램 내에서 다양한 유형의 흐름(재료, 에너지 및 정보)을 나타내기 위해 다양한 유형의 선(연속선, 점선 및 점선)으로 그리는 것이 좋다.

Step 4. *시스템 경계를 그린다.*

블록 다이어그램을 그릴 때 시스템 경계의 정확한 범위와 위치를 결정해야 한다. 예를 들어, 시스템 경계를 넘는 입력이나 출력을 제외하고는 다이어그램에 느슨한 입력이나 출력이 있을 수 없다. 입력, 출력 및 전체 기능을 고려하여 경계가 넓어졌으므로 이제 경계를 다시 좁힐 필요가 있다.

실행할 수 있는 제품을 정의하기 위해 식별된 기능의 하위 집합 주위에 경계를 그려야 한다. 이것은 고객에 의해 제한될 수 있으므로 설계자가 시스템을 그릴 때 완전한 자유를 갖지 못할 수도 있다.

Step 5. *각 하위 기능과 해당 상호작용을 수행하기 위한 적절한 구성 요소를 찾는다.*

하위 기능이 적절한 수준으로 정의되면, 각 하위 기능에 적합한 구성 요소를 식별할 수 있어야 한다. 구성 요소의 식별은 제품 또는 장치의 특성에 따라 달라질 수 있다. 예를 들어 구성 요소는 기계, 전기 또는 이러한 것이 조합된 장치일 수 있다. 마이크로프로세서 기반의 전자 장치는 일부 이전 버전의 전기 기계 장치로 대체할 수 있다. 기능 분석법은 기능에 중점을 두었기 때문에 설계 또는 개발의 후반 단계에서 새로운 장치로 대체될 수 있다.

5.5 기능 구조 예제

EXAMPLE 5.1 식료품 카트 (Grocery Cart)

아래 그림은 식료품 카트의 기능 구조로 아래 그림과 같이 세 가지 주요 기능으로 구성되었다. 각 기능에는 여러 하위 기능이 있으며 다음과 같이 요약할 수 있다.

1. 식료품 보관

    a. 중량 지지

    b. 큰 물품 보관

    c. 작은 물품 보관

    d. 부드러운 물품 또는 음료수 품목 보관

2. 어린이 탑승

    a. 중량 지지

    b. 어린이 운동 제한

3. 카트 이동

    a. 카트 추진

    b. 카트 회전

    c. 카트 중지

Solution

- 시스템의 입력은 식료품 및 아동이며 출력 또한 동일하다. 전체 기능은 실선으로 표시되는 경계로 둘러싸여 있다.

- 각 기능 또한 실선으로 둘러싸여 있으며 하위 기능은 점선으로 둘러싸여 있다.

- 이렇게 하면 모든 기능과 하위 기능에 대해 잘 정의된 경계가 유지됩니다.

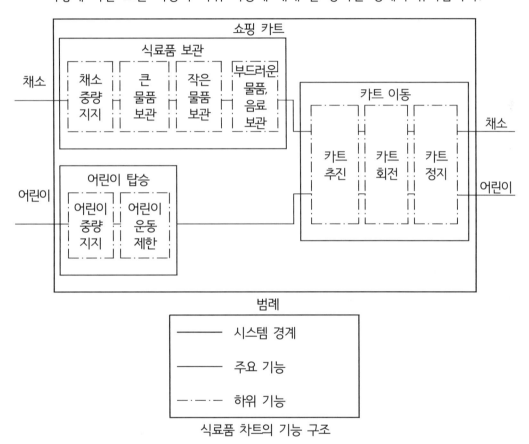

식료품 차트의 기능 구조

EXAMPLE 5.2 세탁기/건조기 (Washer/Dryer)

기능 분석 방법을 사용한 간단한 예는 가정용 세탁기/건조기의 설계이다. 이 기계의 전반적 기능은 아래 그림과 같이 입력인 더러워진 옷을 출력인 깨끗한 옷으로 변환하는 것이다.

Solution

블랙박스 내부에는 먼지와 옷을 분리하는 과정이 있어야 하고, 먼지 자체도 출력물로 분리되어야 한다. 기존의 프로세스가 이러한 분리를 달성하는 수단으로 물을 사용한다는 것을 알고 있으므로, 깨끗하지만 젖은 옷을 깨끗하고 마른 옷으로 바꾸는 단계를 더 추가해야 한다. 추가 단계에는 옷을 다림질하고 분류하는 작업이 포함된다. 필수 하위 기능과 이를 달성하기 위한 기존의 수단(더러운 옷을 깨끗하고 다림질된 옷으로 변환)은 다음 차트와 같다.

핵심 하위 기능	하위 기능을 달성하기 위한 수단
때 불림	물과 세제를 넣는다
옷에 묻은 때 분리	흔든다.
때 제거	헹군다.
물 제거	회전한다.
옷 건조	뜨거운 바람을 불어 넣는다.
다림질	누른다.

세탁기 개발은 아래 그림과 같이 시스템 경계를 점진적으로 확장하는 것을 포함하고 있다. 초기의 세탁기는 단순히 옷에서 먼지를 분리했을 뿐, 옷에 포함된 과도한 물을 제거하려는 어떠한 시도도 없었고, 옷을 짜서 말리는 과정은 작업자에게 맡겨졌다. 탈수 기능을 포함하여 여분의 물을 제거했지만, 여전히 건조 과정이 남아 있지만, 이 프로세스에서는 세탁기-건조기 시스템에 통합되었다. 아마도 옷을 다듬고 다림질하는 것은 미래의 설계에 통합되어야 할 것이다.

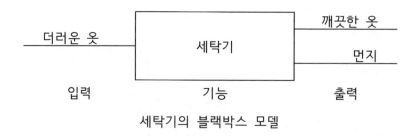

세탁기의 블랙박스 모델

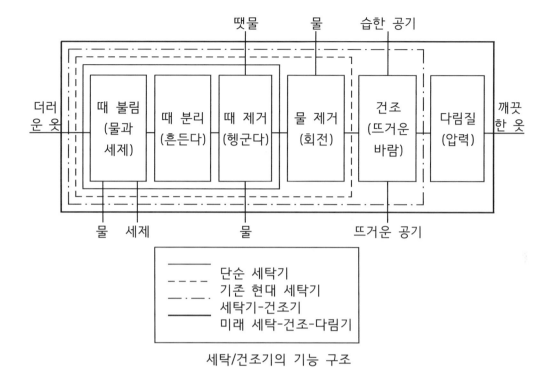

땟물   물   습한 공기

더러운 옷 → [때 불림 (물과 세제)] [때 분리 (흔든다)] [때 제거 (헹군다)] [물 제거 (회전)] [건조 (뜨거운 바람)] [다림질 (압력)] → 깨끗한 옷

물   세제   물   뜨거운 공기

─────── 단순 세탁기
─ ─ ─ ─ 기존 현대 세탁기
─ · ─ · 세탁기-건조기
━━━━━ 미래 세탁-건조-다림기

세탁/건조기의 기능 구조

EXAMPLE 5.3 신문 자동판매기 (Newspaper Vending Machine)

설계 팀은 세 가지 유형의 종이를 제공할 수 있고 쉽게 파손되지 않는 신문 자판기를 개발해 달라는 요청을 받았다. 설계팀은 신문 자동판매기 유닛에 대해 다음과 같은 기능적 구조를 제안했다. 여기서 단위 입력은 신문이고 출력은 판매된 신문이다. 다음은 설계팀에서 제안한 기능 및 하위 기능이다.

1. 신문 적재 (Load the papers)

2. 신문 배열 (Align the papers)

3. 신문 보관 (Hold the papers)

4. 결제 (Payment)

    a. 결제 수락 (Accept payment)

    b. 결제 비용 계산 (Count payment)

    c. 결제 트리거 (Payment trigger)

5. 결제 신문 방출 (Release a paper)

6. 신문 배포 (Dispense a paper)

Solution

아래 그림은 시스템의 기능 구조를 도시한 것이다.

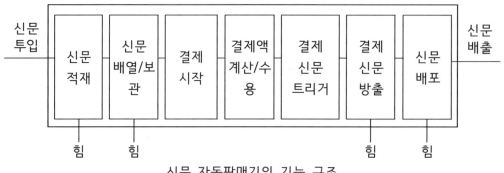

신문 자동판매기의 기능 구조

5.6 과제 (PROBLEMS)

5.6.1 팀 활동 (Team Activities)

1. 지금까지 수행한 설계 프로세스의 단계와 관련된 다음 사항을 주제로 토론하라. 설계 프로세스는 발산-수렴 과정이다.

2. 이 장에서 논의한 바와 같이 설계에는 몇 가지 경향과 철학이 있다. 기술 검색을 수행하여 4가지의 다른 추세를 나열하고, 이러한 추세 간의 차이점과 유사점을 토론하라.

3. 기능 구조를 구축할 때 기능을 일반화하고 이름을 붙이는 것보다 기능을 수행하는 메커니즘을 서술하는 것이 잘못된 이유는 무엇인가?

4. 기능과 하위 기능의 차이점은 무엇인가?

5. 서로 다른 설계 팀이 동일한 시스템 또는 제품에 대해 서로 다른 기능 구조를 제안하는 것이 가능한가? 그렇다면 그 이유는?

6. 팀에서 다음 제품 중 하나를 선택하여 분해하고, 각 부품의 이름과 각 부품이 제공하는 기능의 이름을 지정한 다음, 다음 제품의 기능적 구조를 구축하라.

   a. 종이펀처 (Paper hole puncher)

   b. 휴대폰 (Cellular phone)

   c. 컴퓨터 마우스 (Computer mouse)

d. 우산 (Umbrella)

e. 테이프 분배기 (Tape dispenser)

f. 깡통 따개 (Can opener)

7. 나무 조각을 난방용 장작으로 변환할 수 있는 장치를 생산하는 기능 트리를 개발하라.

a. 시스템의 전체 기능을 표현한다.

b. 전체 기능을 일련의 하위 기능으로 나눈다.

c. 하위 기능 간의 상호작용을 보여주는 블록 다이어그램을 그린다.

d. 시스템 경계를 그린다.

8. 기능 구조를 생성하는 데 필요한 단계를 나열하라.

9. 기능 구조와 목표 트리의 차이점은 무엇인가?

10. 목표 트리에서 생성한 각 목표에 대한 기능을 찾을 수 없는 이유는 무엇인가?

11. 신문 자판기의 "안전해야 한다"라는 목표를 만족시키기 위해 어떤 기능을 제안하겠는가?

12. 동전 분류기 장치에 대한 기능 트리를 생성하라.

13. 나뭇잎 제거 장치에 대한 기능 트리를 생성하라.

제6장 사양 (Specifications)

설계 프로세스의 사양 결정 단계에서 엔지니어는 요구사항에 관해 설명해야 한다. 자전거를 예로 들면, 젖은 숲을 통과할 때 라이더가 건조한 상태를 유지해야 한다. 자전거의 물 튀김 방지대는 이러한 요구를 어떻게 충족할 수 있도록 설계할 수 있을까? (Inc/Shutterstock)

6.1 목표 (OBJECTIVES)

이 장의 학습을 통해 다음과 같은 사항을 수행할 수 있다.

1. 정성적 목표를 정량적 목표로 변환할 수 있다.

2. 사양을 범주로 구성하는 기법을 활용할 수 있다.

3. 요구사항에 대한 진술을 더 명확히 할 수 있다.

사양은 성공적인 설계를 위해 중요한 요소이다. 설계자는 사양 결정 단계에서 추가적 요구사항에 대한 설명을 계속 제공한다. 사양 설정은 가능한 솔루션을 제안하기 전에 문제를 정의하는 마지막 단계이다.

목표 트리(Objective tree)는 고객의 요구사항을 나열하고 팀의 목표를 범주별로 설계할 수 있는 도구이다. 예를 들어 고객이 소개한 모호한 서술을 정의하면 기능 구조는 목표를 활성화하는 메커니즘을 제공한다. 그러나 목표 트리와 기능 구조는 다른 기능과 목표에 특정한 제한을 두지는 않는다. 목표 트리 또는 기능 구조(Function structure)는 일반적으로 설계가 무엇을 달성할지, 또는 무엇을 해야 할지에 대한 설명이지만, 성능에 관한 사양이 무엇을 수행해야 할지를 나타내는 제한 사항은 없다. 예를 들어, 가벼운 제품의 개발을 목표라고 말할 수 있으나, 가벼운 제품이라는 용어는 20kg인지 100kg인지를 명확하게 정의하지 않고 있다.

사양은 메트릭과 값으로 구성되어 있다. 예를 들어 "평균 조립 시간"은 메트릭이고 "75초 미만"은 이 메트릭의 값이다. 사양은 메트릭과 값을 합친 것으로 값은 특정 숫자, 범위 또는 부등식을 포함하여 여러 형태를 취할 수 있으나 항상 적절한 단위로 표시되어야 한다. 제품의 사양은 개별 사양의 집합이다. 메트릭은 일반적으로 5장에서 설정한 기능 트리로부터 파생되는데, 이 단계를 통해 설계자는 모호하고 잘못 측정된 것을 적절한 목표로 정의할 수 있다. 사양을 결정하는 한 가지 기법은 목표를 측정할 수 있는 몇 가지 방법을 나열하는 것으로 목표 측정에 적합한 메트릭과 값의 조합을 설정하기 위해 브레인스토밍을 활용할 수 있다. 예를 들어 목표 중 하나가 제품이 가볍다는 것이라면 이 목표를 측정하기 위한 엔지니어링 사양을 다음과 같이 나열할 수 있다.

a. 제품의 부피는 [제품에 적합한 수치] 이하 이어야 한다.

b. 제품의 질량은 [제품에 적합한 값] 미만이어야 한다.

c. 재료의 밀도는 [제품에 적합한 값] 이하 이어야 한다.

일부 고객(평균 10~20%)은 한계를 설정하고 모호한 요구사항을 명확히 설명한 사양을 제공할 수 있다. 이러한 하나의 예가 계단을 오를 수 있는 휠체어 설계에 대한 미국의 국가 발명가 위원회(National Inventors Council)의 발표를 들 수 있다.

다음은 미국 상무부 워싱턴 D.C. 20550의 국가 발명가 위원회(NATIONAL INVENTORS COUNCIL U.S. DEPARTMENT OF COMMERCE WASHINGTON, D.C. 20550)의 휠체어에 대한 제작 기준이다.

우리에게 계단 오르기용 휠체어가 절실히 필요하다. 휠체어의 목적은 활동적인 장애인에게 추가적인 이동 범위를 제공하기 위한 것이다. 계단 오리기용 휠체어의 설계는 출퇴근할 때 건물 주변에서 직면할 수 있는 일반적인 문제에 대처할 수 있어야 한다는 것이다.

이 특수 휠체어 활용 시간의 약 95%가 일반적인 휠체어 기능을 수행한다는 점을 기억해야 한다. 따라서 등반 기능을 제공하기 위해 기존 휠체어의 편의성을 너무 많이 희생해서는 안 된다. 이와 관련하여 활동적이고 장애가 있는 많은 사람이 기존의 휠체어를 접고 자동차에 싣고 운전하여 출근할 수 있다는 점을 지적하는 것이 좋을 것이다.

계단 오르기용 휠체어로 이러한 목적을 달성할 수 없다면 장애인에게 독립적인 이동성을 제공한다는 전반적인 목표를 달성할 수 없을 것이다.

이러한 점을 고려하여 계단 오르기용 휠체어 설계에 다음과 같은 요소를 고려해야 한다.

1. *탑승자의 무게:* 100kg으로 가정

2. *의자 무게:* 최대 25~35kg.

3. *접을 수 있어야 함(COLLAPSIBILITY):* 사용자가 휠체어를 접을 수 있고, 일반 자동차나 택시 내부에 보관할 수 있어야 한다. 의자 시스템의 일부로 특수 적재 경사로(운반되지 않음) 또는 의자를 수용하기 위한 자동차의 특수 개조는 고려되지 않는다.

4. *의자 너비(WIDTH OF CHAIR):* 최대 25인치(63cm). 미국표준협회(American Standards Association)는 건물 및 기타 구조물에서 건축 표준을 수립할 때 신체적 장애가 있는 사람이 자유롭게 이동할 수 있도록 표준 휠체어의 최대 너비로 이 너비를 활용했다. 그러나 새로운 표준을 준수하지 않는 개인 주택이나 기타 구조물의 경우 출입구를 통과하기 위해 의자 폭을 줄이거나 일시적으로 전체

개방 폭을 줄이는 방법은 문 개방을 위한 협상이 될 수 있다.

5. *선회 능력(TURNING ABILITY):* 선회 반경은 최소한으로 유지되어야 하고 바닥이나 카펫을 손상하지 않고 회전해야 한다. 의자는 L 또는 U 유형의 계단을 오를 수 있어야 한다. 1m x 1m 정도의 작은 L 유형 계단도 오를 수 있어야 한다.

6. *등반 능력(CLIMBING ABILITY):* 의자는 사무실 건물, 가정 내에 설치된 평균 높이의 계단, 깊이가 있는 도로 연석을 모두 통과할 수 있어야 한다. 깔판과 습기가 있는 곳에서도 계단 디딤판과 수직면을 훼손하지 않고 오르막을 오를 수 있어야 한다. 도로 연석과 계단에서의 지연시간을 없애기 위해 휠체어의 정상 기능과 계단을 오르는 기능 사이에 필요한 모든 전환이나 조정을 최소 시간 내에 할 수 있어야 한다.

7. *추진 시스템(PROPULSION SYSTEM):* 휠체어는 탑승자 또는 전동 장치로 추진할 수 있으나 총비용, 무게, 접을 수 있는 능력에 대한 요구사항은 드라이브 유형과 관계없이 동일하다. 자체적으로 구동할 경우의 구동 메커니즘을 고안하기 위해 최소 5kg의 팔 강도를 사용할 수 있어야 한다.

8. *의자 안전(CHAIR SAFETY):* 바람직하지 않지만 오르거나 내릴 때 간병인이 허용된다. 그러나 휠체어 탑승자는 항상 적절한 균형 상태를 유지하여야 하므로, 간병인의 체중이 8~14kg 이상 전달되지 않도록 해야 한다. 탑승자, 간병인 또는 메커니즘에 문제가 발생할 경우, 제어할 수 없는 하강(추락)을 방지하기 위해 의자는 안전장치를 갖추어야 한다.

9. *비용(COST):* 최대한 많은 장애인이 계단을 오를 수 있는 휠체어를 구입할 수 있도록 비용을 최소한으로 유지하기 위한 모든 노력을 기울여야 한다. 소매 비용이 $200을 넘지 않아야 한다. 표준 관형 프레임 접이식 휠체어의 현재 모델 가격은 약 $150이다.

10. *기타 고려 사항(OTHER CONSIDERATIONS):* 휠체어는 탑승자의 과도한 밀침이나 흔들림 없이 모든 정상적인 기능을 수행할 수 있어야 한다. 대부분의 하반신 마비 환자는 하지를 거의 제어할 수 없으므로, 종종 다리를 제 위치에 유지하는 방법이 필요하다. 발판은 탑승자가 바닥에 서 있을 수 있도록 움직일 수 있어야 한다.

11. 휠체어를 위해 건물에 특수 경사로, 기계 장치 또는 전기 콘센트를 설치할 필요가 없다.

앞의 예제에서는 명확한 요구사항 집합이 포함된 설명이 제시되었다. 이미 필요한 세부 사항과 특정 요구사항이 설명서에 모두 명시되어 있으므로, 목표 트리, 기능 구조, 시장 분석을 위해 큰 노력을 기울일 필요가 없다. 그러나 항상 그렇지는 않지만, 설계 엔지니어에게 주어진 약 80~90%의 서술은 매우 모호하다. 예를 들어, "계단을 오르는 휠체어를 설계해 주세요"라고 간단하게 말할 수 있다. 이 경우 요구사항에 관한 서술을 명확히 하기 위해 목표 트리, 기능 분석 및 시장 분석이 필수적이다. 기술 사양(engineering specifications)을 요구사항에 잘 작성했다는 것은 설계 팀이 문제를 잘 이해하고 있다는 증거이다.

기술 사양을 생성하는 기법에는 여러 가지가 있다. *Hubka*는 제약 조건의 영향을 받는 속성을 운영, 인체 공학적, 미적, 유통, 배송, 계획, 설계, 생산 및 경제적 요인과 같은 범주(categories)로 구분했다. *Pahl*과 *Beitz*는 사양을 기술적 기능의 이행, 경제적 타당성의 달성, 인간과 환경에 대한 안전 요구사항 준수를 기반으로 한다고 했다.

이 책에서 사용할 접근 방식은 성능 사양 법(performance-specification method)과 품질 기능 전개 법(quality-function-deployment method)을 기반으로 일련의 요구사항을 개발하는 것이다.

성능 사양 법에서의 사양은 요구되는 제품 대신 요구되는 성능에 대해 정의한다. 또한 이것은 설계 솔루션이 달성해야 할 성능에 관해 서술하지만, 해당 성능을 달성하는 수단을 구성할 수 있는 특정 물리적 구성 요소에 관해서는 설명하지 않는다.

품질 기능 전개 법에서는 요구되는 성능의 속성이 서술 특성으로 변환된다.

6.2 성능-사양 법(PERFORMANCE-SPECIFICATION METHOD)

다음은 성능 사양 법을 사용하여 사양 조합을 생성하는 단계이다.

Step 1. *적용할 수 있는 솔루션의 다양한 일반성의 수준을 고려한다.*

높은 수준의 일반성이 사양에 설정되면 적절한 솔루션이 제안될 수 있으나, 사양이 너무 빡빡하게 설정되면 수용할 수 있는 범위에서 솔루션을 찾아야 하므로 설계자의 모든 자유와 창의성이 제거될 수 있다. 이러한 제한 수준(level of limitation)은 고객이 등급과 사양의 조합을 제한할 수도 있으므로 거래할 고객의 정의와도 연결될 수 있다. 예를 들어, 우주 왕복선을 설계하려면 설계자는 더 엄격한 사양을 제한하는 상황에 놓이게 된다. 이러한 점을 보여주는 또 다른 예로 민간용 제트기와 관련된 설계를 들 수 있다. 이러한 설계는 군용 에어 제트를 설계하는 것과는 다른 요구사항이 있다. 고객의 요구사항을 인식하는 것은 일련의 요구사항의 범위를 정의하는 데 있어 중요한 요소이다. 일반성의 수준은 목표 트리 개발을 통해 확보할 수 있다.

다양한 유형의 일반성 수준은 다음과 같이 가장 일반적인 수준에서 가장 덜 일반적인 수준까지 나열할 수 있다.

    a.   제품 대안 (Product alternatives)

    b.   제품 유형 (Product types)

    c.   제품 특징 (Product features)

이러한 수준을 설명하기 위한 예를 들어 보겠다. 해당 제품이 가정용 알루미늄 캔 분쇄 장치라고 가정하자. 설계자는 최고 수준의 일반성에서 부수기, 녹이기, 분쇄 및 화학 처리와 같은 알루미늄 캔 분쇄에 대한 대안(alternative)을 자유롭게 제안할 수 있다. 하나의 캔 개념에서 여러 개의 캔으로 또는 국내에서 공장으로 이동하는 자유도 있을 수 있다. 설계자는 중간 수준에서 훨씬 더 제한적인 자유를 갖게 되며, 발로 작동하거나 자동으로 작동하는 것과 같은 다양한 유형의 캔 분쇄기에만 관심을 가질 수 있다. 설계자는 일반성이 가장 낮은 수준에서 특정 유형의 분쇄기 내에서 벽에 걸거나 자립하는 경우, 또는 하나의 캔 또는 여러 개의 캔을 처리하는 등의 기능만을 고려하도록 제한될 수도 있다. 따라서 설계자는 사양을 개발하는 이 단계에서 앞에서 언급된 수준과 관련하여 목표 트리가 어디에 있는지를 분석하기 위해 요구사항과 목표 트리를 검토해야 한다.

Step 2. *운영할 일반성 수준을 결정한다.*

고객 또는 클라이언트는 일반적으로 설계자가 작업할 일반성 수준을 결정한다. 예를 들어, 고객은 설계자에게 안전하고 신뢰할 수 있는 알루미늄 캔 분쇄기를 설계하도록 요청할 수 있다. 여기에서 고객은 이미 제품의 유형을 설정했으며 제약사항은 알루미늄 캔 분쇄 장치의 유형으로, 이것은 분쇄기여야 한다는 것이다. 따라서 일련의 요구사항은 캔 폐기 장치가 아닌 캔 분쇄기에 대한 것이 된다. 그러나 때때로 고객은 캔 분쇄기와 같은 제품에 대한 해결책을 언급할 수 있다. 고객은 실제로 캔이 분쇄됐는지 안 됐는지에 대해서는 신경 쓰지 않고 실제로 분쇄기가 캔을 효율적으로 처리할 수 있는지에만 관심이 있다. 따라서 고객은 다른 대안을 고려하지 않았을 수도 있으므로, 고객이 제기한 명백한 한계가 실제로 필요한지를 확인하기 위해 고객과의 소통이 중요하다. 이는 가능한 해결책을 제안하기 전에 문제를 정확하게 정의해야 한다는 점이 더욱 강조되는 이유이다.

Step 3. *필요한 성능 특성을 확인한다.*

고객 진술을 명확히 하기 위해 목표 트리, 기능 분석 및 시장 분석을 수행한다. 목표 트리 및 기능 분석은 제품의 성능과 관련된 속성을 결정한다. 고객이 서술한 요구하는 항목 중의 일부는 요구사항(must meet: demands라고 함)이라고 하며, 나머지는 희망 사항(desirable: wishies라고 함)이라고 한다. 요구사항을 충족하지 않는 솔루션은 수용할 수 없지만, 희망 사항은 가능할 때만 고려해야 하는 요구사항이다. *Pahl*과 *Beitz*는 아래 표와 같이 목표 트리 및 기능 분석과 함께 속성 도출에 사용할 수 있는 체크리스트를 개발했다. 속성이 나열되면 속성이 요구사항인지 희망 사항인지를 구분한 다음 요구사항을 표로 작성한다.

요구사항 목록 작성을 위한 체크리스트

형상(Geometry)	크기, 높이, 폭, 길이, 지름, 공간, 요구사항, 수, 배열, 연결, 확장
운동학(Kinematics)	운동 유형, 운동 방향, 속도, 가속도
힘(Forces)	힘의 방향, 힘의 크기, 주파수, 무게, 하중, 변형, 강성, 탄성, 안정성, 공진
에너지(Energy)	출력, 효율, 손실, 마찰, 환기, 상태, 압력, 온도, 가열, 냉각, 공급, 저장, 용량, 환산
재료(Materials)	초기 및 최종 제품, 부자재, 지정된 원료의 물리 화학적 성질(식품규제 등)
신호(Signals)	입력 및 출력, 양식, 디스플레이, 제어 장비
안전(Safety)	직접적인 안전 원칙, 보호 시스템, 작동, 작업자 및 환경 안전
인간공학(Ergonomics)	인간-기계 관계, 작동 유형, 레이아웃의 명확성, 조명, 미학
생산(Production)	공장 제한 사항, 가능한 최대 치수, 선호하는 생산 방법, 생산 수단, 달성할 수 있는 품질 및 허용 오차
품질(Quality)	검사 및 측정의 제어 가능성, 특별 규정과 표준 적용
조립(Assembly)	특수 규정, 설치, 부지, 토대, 리프팅 기어로 인한 운송 제한, 간격, 운송 수단(높이 및 무게), 파견의 성격 및 조건
동작(Operation)	정숙성, 마모, 특수 용도, 마케팅 지역, 목적지(예: 유황 분위기, 열대 조건)
유지 보수(Maintenance)	서비스 주기(있는 경우), 검사, 교환, 수리, 도장, 청소
재생(Recycling)	재사용, 재처리, 폐기물 처리, 보관
비용(Costs)	최대 허용 제조 비용, 공구 비용, 투자 및 감가상각
일정(Schedule)	개발 종료일, 프로젝트 계획 및 제어, 납품일

Step 4. *각 속성의 성능에 대한 요구사항을 간결하고 정확하게 명시한다.*

정량화된 용어로 기록할 수 있는 속성인지를 확인하고, 성능에 대한 제한 사항을 속성에 첨부해야 한다. 성능에 대한 제한은 고객의 서술 또는 국가표준에 따라 설정할 수 있다. 이러한 속성에 대한 것으로 최대 중량, 전력 출력, 크기 및 체적 유량이 포함될 수 있지만, 이에 대한 구체적인 제한 사항은 없다. 사양을 제시하려면 $1m^3$ 미만의 크기와 같이 메트릭과 값의 조합을 사용한다. 메트릭과 함께 정의되지 않은 희망 사항(desires)과 요구사항(demands)은 6.4절에 설명할 품질 기능 전개 법을 사용한다.

6.3 사양 표에 대한 사례 연구 : 자동 캔 분쇄기

앞 장에서 설명한 자동 캔 분쇄기의 예제에 이은 다음 단계는 사양 테이블을 작성하는 것이다. 이를 위해 우선순위가 결정된 요구사항과 시장 분석 결과를 검토해야 한다 (3장과 4장). 알루미늄 캔 분쇄기의 사양은 요구사항으로부터 다음 사항을 충족해야 한다.

1. 분쇄 기구의 전체 크기가 20 × 20 × 10ft를 초과하지 않아야 한다.
2. 캔 분쇄기에는 연속 공급 장치가 있어야 한다.
3. 캔은 원래 부피의 1/5로 분쇄되어야 한다.
4. 어린아이도 안전하게 사용할 수 있어야 한다.
5. 완전 자동이어야 한다.

아래 표는 이 사례 연구에 대한 메트릭과 값을 포함한 사양 표의 예이다.

자동 캔 분쇄기의 사양 표

메트릭 (Metric)	값(Value)
치수 (Dimensions)	20 × 20 × 10ft
분쇄된 캔 (Cans crushed)	본래 체적의(original volume) 1/5
중량 (Weight)	$< 10kg$
판매가 (Sales price)	$< \$50$
부품 수 (Number of parts)	< 100
사용 가능 나이 (People able to use)	> 5세
부상 확률 (Probability of injury)	$< 0.1\%$
제조 비용 (Manufacturing cost)	$< \$200$
작동 단계 (Steps to operate)	1
보수유지 비용 (Maintenance)	$<$ 연간$\$10$
에너지 효율 등급 (Efficiency rating)	백분위수 95
동봉된 내부 부품 (Internal parts enclosed)	100%
분쇄된 캔 보관 (Storage of crushed cans)	60
적재 용량(Loader capacity)	$>$ 30캔
캔 분쇄 (Crush cans)	$\geq$ 분당15 캔
캔 분쇄 (Crush cans)	$\geq 1.2 \times 10^{-2} m^3/\text{min}$
캔 분쇄 (Crush cans)	$\geq 0.57 kg/\text{min}$
소음 출력 (Noise output)	$> 30 dB$
동작 시작 (Starts)	$< 10 \sec$
동작 (Runs)	한 번에 2시간
정지 시간 (Stops)	$< 5 \sec$
진동 크기 (Vibration magnitude)	$5 mm$
진동 (Vibrations)	$< 4 \sec$
지탱력 (Withstand)	$\leq 250 N$
보수유지 (Maintenance)	$<$ 연간 4시간
색상 수 (Number of colors)	6
수명 (Lifespan)	$>$ 400시간

6.4 품질 기능 전개법(QUALITY-FUNCTION-DEPLOYMENT METHOD)

품질 기능 전개법(QFD : Quality-Function-Deployment)은 1970년대 중반 일본에서

처음 개발되어 1980년대 후반부터 미국에서 사용되었다. Toyota는 QFD 방법을 사용하여 신차 모델을 시장에 출시하는 비용을 60% 이상 절감하고 시간을 약 33% 단축할 수 있었다.

이 방법은 이전 장에서 수행된 작업을 통합하여 설계 프로세스의 각 단계가 전 단계를 얼마나 잘 달성하고 있는지를 정량적으로 측정하여 설계가 얼마나 잘 되었는지를 알 수 있게 한다. 먼저 초기 요구사항에 대한 사양을 측정하기 위해 품질의 집 (House of Quality) 차트를 그린다. 다음에 사양 등에 대한 개념 설계를 측정하기 위해 또 다른 품질의 집 차트를 그린다. 이와 같은 계단식 방법(Cascading method)을 통해 전체 설계 프로세스를 추적하여 설계 프로세스의 각 단계가 고객이 설정한 초기 요구사항을 어떻게 처리하는지 측정할 수 있다.

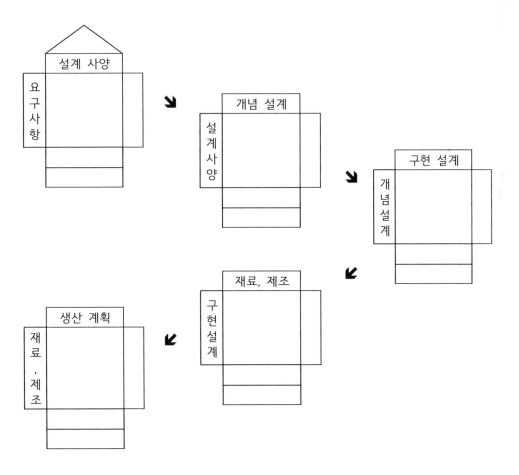

아래 그림은 초기 제품의 요구사항과 비교하여 사양을 평가하는 품질 도표인 QFD 하우스를 보여준 것이다. 이 도표를 완성하는 방법은 다음과 같다.

Region 1 : 이 영역은 4장에서 설정한 우선순위가 지정된 요구사항이 중요도의 등급(1부터 9, 9가 가장 중요함)과 함께 행으로 나열되며, 우선순위는 고객과의 질의응답과 목표 트리 개발을 위한 설계 팀과의 토론을 통해 결정된다. 시장 조사, 기능 분석 및 성능 사양 법이 우선순위 결정에 도움이 된다. 특정 고객이 없는 상태에서 기업이 신제품을 출시하거나 설계하는 경우, 잠재 고객과의 직접적인 상호작용을 통해 속성을 수집할 수 있다.

- *제품 클리닉(Product clinics):* 고객에게 특정 제품에 대해 좋아하는 것과 싫어하는 것에 대해 심도 있는 질문을 한다. 사용자 설문조사도 여기에서 사용할 수 있다.

- *홀 테스트(Hall test):* 다양한 경쟁 제품을 같은 홀에 진열하여 고객이 직접 제품을 살펴보고 의견을 제시하도록 한다.

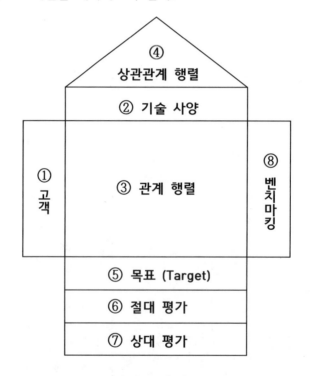

Region 2: 이 영역에서는 설정한 사양을 열로 나열한다.

Region 3: 이 영역에서는 각 사양과 요구사항 간의 상관관계를 평가한다. 이는 사양이 각 요구사항을 얼마나 잘 충족하는지 알아보기 위한 것이다. 만약 요구사항과 사양의 상관관계가 없으면 해당 칸을 공백으로 남기고, 약간의 상관관계가 있거나 약한 경우 1로, 중간 정도의 상관관계가 있는 경우 3으로, 높거나 강한 상관관계가 있는 경우 9로 표기한다. 여기서는 공백, 1, 3 또는 9만이 관계 행렬 영역에서 유효하다.

Region 4: 이 영역에서는 각 사양(Engineering specifications)과의 상관관계 정도를 숫자로 표기한다. 예를 들어, 강력한 엔진은 더 무거운 엔진일 가능성이 크다. 이와 같은 상호작용은 지붕에 있는 매트릭스에 추가한다. 영역 4는 이에 대한 상관 행렬이며, 서로 충돌하는 사양을 식별할 수 있다. 여기서도 상관관계 정도를 공백, 1, 3, 9를 사용하되, 여기서는 빈칸 외에도 상충하는 사항이 있으면 상충하는 사양 사이에 '-' 기호를 붙인다.

Region 5: 이 영역에서는 경쟁사보다 개선할 사양의 목푯값을 결정한다. 이 단계에서 시장 분석은 시장의 한계를 식별하기 위해 수행한다.

Region 6: 이 영역은 우선순위가 지정된 요구사항과 사양과의 관계를 절대 척도로 평가한 등급이다. 이는 각 사양 등급에 해당 요구사항의 중요도 등급을 곱하고 각 열을 합산하여 해당 사양에 대한 절대 중요도 등급을 얻을 수 있다.

Region 7: 이 영역은 각 사양의 상대적 중요도를 나타낸다. 여기서 가장 높은 등급이 벤치마크값이 되며 상대적 중요도는 9가 부여된다. 그런 다음 다른 모든 사양을 이 값과 비교한다.

아래 그림에는 4가지의 고객 요구사항(안전성, 신뢰성, 저비용 및 보기 좋은 외관)이 주어져 있다. 이러한 요구사항으로부터 5개의 사양을 도출하고 차트에 표시된 대로 열에 대응된다고 가정하면, 영역 6에서 사양 1의 절대 중요도는 다음과 같이 계산한다.

$(1 \times 9) + (1 \times 7) + (9 \times 2) + (3 \times 5) = 75$

얼핏 보면 사양 1이 어떤 방식으로든 모든 요구사항과 관련이 있으므로 가장 중요한 사양으로 보일 수 있다. 그러나 이 사양은 그다지 안전하지 않다(중요도 등급에 따른 가장 중요한 요구사항). 그러나 사양 2는 안전이라는 하나의 요구사항과만 관련이 있지만, 이 요구사항과 매우 높은 상관관계가 있다. 결과적으로 이 사양의 절대 중요도 등급은 81이 된다. 이것이 집중해야 할 중요한 사양이 되고, 뒤이어 사양 1이 중요한 사양으로 이어진다. 사양 4는 가장 덜 중요한 사양이다. 왜냐하면 이 사양은 저비용과 미려한 외관에만 초점을 맞추어 제품의 안전성이나 신뢰성과는 관련이 없기 때문이다. 이와 같은 단순한 예를 통해서도 알 수 있듯이 QFD 도표는 가장 중요한 사양에 초점을 맞출 수 있게 한다.

사양 2가 가장 높은 절대 중요도 등급을 가지므로 상대적 중요도 등급이 9가 되며 다른 모든 사양은 이 사양에 대한 가중치가 적용된다. 따라서 사양 2에 대한 사양 1의 상대적 중요도 등급은 (75/81) × 9 = 8(가장 가까운 정수)로 계산된다.

Region 8: 이 영역에서는 각 요구사항을 경쟁 제품과 비교할 수 있는 벤치마크값을 표기한다. 이 영역의 목표는 각 요구사항을 충족하는 경쟁사의 능력을 고객이 어떻게 인식하는지 결정하는 것이다. 일반적으로 고객은 다른 제품과 비교하여 판단을 내린다. 이 단계는 제품 개선의 기회를 보여주어 매우 중요하므로, 전 단계에서 수행한 시장 분석이 중요한 역할을 하게 된다. 많은 경우 광범위한 시장 분석을 수행하지 않은 사람은 이 단계를 정확하게 완성하기가 쉽지 않다.

	중요 등급	사양 1	사양 2	사양 3	사양 4	사양 5
안전	9	1	9	3		
신뢰성	7	1			3	
저비용	2	9		9	3	3
수려한 외관	5	3				3
목표 정보						
절대 등급		75	81	45	27	21
상대 등급		8	9	5	3	2

EXAMPLE 6.1 제어된 환기구 (Controlled Vents)

통풍구 제어를 설계할 설계 팀은 통풍구가 집안의 중앙 위치에서 원격으로 열리고 닫

힐 수 있도록 아래 그림과 같은 품질의 집을 개발했다. 이 그림에서 사양은 왼쪽 열에 나열되었으며, 사양을 평가하는 유일한 사람은 설계자이다. 설계자는 아래 그림과 같이 사양을 측정하기 위한 공학적 특성을 개발했다.

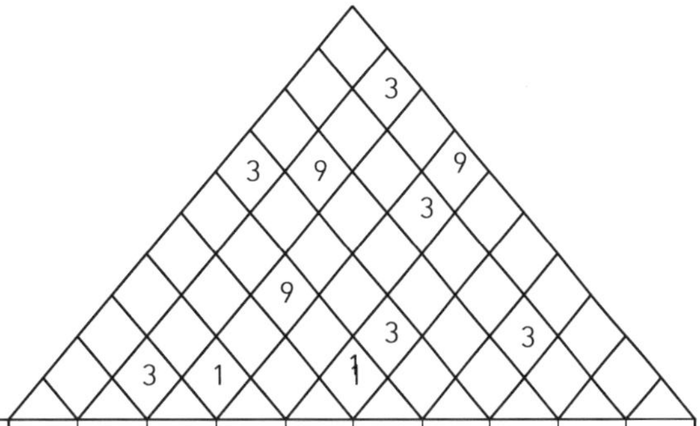

지붕(상관관계) 값: 3 / 3, 9, 9 / 3 / 9 / 3, 3 / 3, 1, 1, 3

	설계자	소음 <30dB	이익 25%	부품 수 <15	동작 단계 <5	보수 유지 비용 <$20	분해 시간 <15 min	힘 <15 Newtons	생산비용 <$200	환기구 개방 신간<5s	월간 사용 비용 <$5
동작 용이	9				9						
낮은 보수 유지비	4		1	9		9	3			1	
적은 부품 수	5			9	3		3				
사용자 안전	11	3			3						
안전한 환경	9	3									3
작업을 위한 충분한 동력	4				3			9		3	
보편적으로 적합한 통풍구	4		9								
낮은 소음	3	9			3	3					
수익성 있음	8		9	3		3			9		3
분해 용이	3				3		9				
낮은 진동	4	3			3			9		3	
수명이 김	2			9	3				3	3	
작은 힘으로 동작	3								3	3	
저렴한 재료	5		9			3			9		
고객에게 저렴한 가격	5		1	3		3			9		3
에너지 절약	2			1	3			3			9
수리가 용이	2			9		3	9				
다양한 설정	4	3		3		3					3
원격 작동	12		9	9			1		3		
합계	100										

EXAMPLE 6.2 자전거 흙받기 (Splashguard)

이 예제는 비교적 단순한 제품인 자전거를 설계하기 위한 것이다. 이 예제를 통해 단순한 제품이라도 고객의 요구사항을 만족시키기 위한 설계를 수행하려면 상당한 노력이 필요하다는 것을 알 수 있다.

설계 팀은 제품의 세 가지 중요한 고객으로 라이더와 기계공, 그리고 마케팅 담당자를 확인할 수 있었으나, 사양을 결정할 때는 라이더와 기계공만을 고려했다. 기계공은 흙받기를 판매(및 설치)할 것이기 때문에 고객으로 간주할 수 있으며, 생산 및 마케팅 요구사항을 확실히 파악하기 위해 고객 목록에 마케팅 직원을 추가할 수 있다. 물론 가장 직접적인 고객은 실제로 자전거를 타는 라이더가 될 것이다.

아래 표는 기계공, 라이더 및 마케팅 직원으로부터 인터뷰와 시장 조사 결과를 기반으로 산악자전거의 흙받기에 대한 고객의 요구사항 목록을 나열한 것이다.

라이더와 자전거 판매장 기술자의 요구사항

라이더에게 튀는 물을 차단해야 한다.

부착이 쉬워야 한다.

분리가 쉬워야 한다.

빠르게 부착할 수 있어야 한다.

빠르게 분리할 수 있어야 한다.

자전거가 손상되지 않아야 한다.

물/진흙/파편이 튀지 않아야 한다.

달가닥거리지 않아야 한다.

흔들리지 않아야 한다.

구부러지지 않아야 한다.

수명이 길어야 한다.

마모되지 않아야 한다.

가벼워야 한다.

바퀴에 닿지 않아야 한다.

매력적이어야 한다.

보편적으로 적합해야 한다.

자전거의 영구 부품일 경우 크기가 작아야 한다.

자전거의 영구 부품일 경우 부착이 쉬워야 한다.

자전거의 영구 부품일 경우 빠르게 부착할 수 있어야 한다.

자전거의 영구 부품일 경우 방해 되지 않아야 한다.

조명, 랙, 자전거 짐 바구니 또는 브레이크를 방해하지 않아야 한다.

회사 관리를 위한 요구사항

자본 지출은 $15,000 미만이어야 한다.

3개월 안에 개발할 수 있어야 한다.

12개월 이내에 시장성을 확보할 수 있어야 한다.

제조 비용은 $3 미만이어야 한다.

5년 동안 예상 거래량은 연간 $200,000 이상이어야 한다.

Solution

아래 그림은 QFD를 기반으로 자전거 흙받기에 대해 개발된 품질의 집을 도시한 것이다. 더 중요한 사양을 확인하기 위해 절대 및 상대 중요도 등급을 계산해 보고 이것이 독자가 기대하는 것과 일치하는지 확인하라.

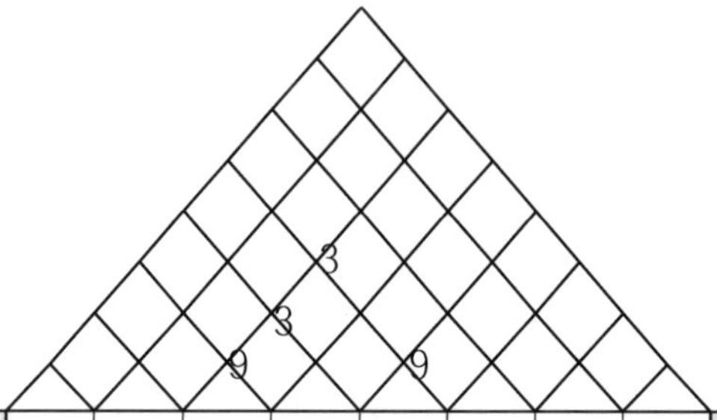

	기계공	라이더 (탑승자)	라이더에게 물 튀김(%)	부착 단계 (#)	부착 시간 (sec)	부품 수 (#)	중량	자전거에 적합 (%)	위 방향으로의 방출력 (N)	판매가	Norco	Raincoat
기능성 성능												
라이더에게 물 튀김 차단	1	7	9						3		4	2
신속한 부착	5	8		3	9						4	3
더러우면 부착 가능	7	12		3	3						3	2
인간 측면의 요인												
부착이 쉬워야 한다.	4	9		9		3	1				3	3
자전거와의 간섭												
자전거에 적합	3	3						9			2	4
자전거를 손상하지 않음	8	6									1	4
가벼워야 한다.	6	4					9				3	4
경쟁력 있는 판매가	13	1								9	3	1
Norco			0	3	5	2	140	65	15	15		
Raincoat			30	3	10	1	100	100	0	20		
Target			0	1	2	2	130	95	5	10		

6.5 품질의 집(HOUSE OF QUALITY: AUTOMATIC CAN CRUSHER)

설계 팀은 사양 표와 목표 트리에서의 요구사항과 목표를 품질 하우스에 배치했다. 여기서 사양 표에 배치할 희망 사항이 너무 많아 하나의 품질의 집으로 다 보여줄 수 없으므로 4개의 테이블로 나누어 도시했다(그림 품질의 집 (1), (2), (3), (4)). 아래 도시된 품질의 집((1), (2), (3), (4))은 희망 사항을 공학적 특성(Engineering characteristics)과 함께 배치했다.

	상해 확률 < 0.1%	중량 < 30lb	판매가 < $50	부품 수 < 100	치수 (inch)	분쇄력 > 30lb	사용자 연령 > 5 yrs	제조 비용 < $200	작동단계 (1)	연간보수유지 비용 < $10	효율 등급 >95 백분위	내부 부품 동봉 (100%)
캔 재밍 현상을 쉽게 해결	3			6			3	3		3	6	
사람이 접근할 수 없는 분쇄 메커니즘	9	1	3	3	3		9	3				9
기계가 열리면 작동 불가 상태가 됨	9		1	6			9	9				1
비상정지 스위치에 쉽게 접근	9		3	7			9	3	3			
작동 중 정지 기능	9		1	3			9	6	1			
파편이 날아다니지 않도록 함	9						9			1		6
110V 표준 가정용 콘센트에서 작동			6	3		3	9	9	6		9	
쉽게 시작할 수 있어야 함			3				9	6	6			
장기간 실행 가능			6	1			7			9	9	
엔진의 효율이 높아야 함			6	1		9		9		9	9	
고강도 재료여야 함		9	6			3		9		6		
작은 힘으로 스위치 누를 수 있어야 함	9						9	3				
안전 스티커 부착	9						9	2	2			
비상정지 후 재설정 버튼	9			6			9	3	2			
작업단계 스티커 부착				6			9	3	9			
부품 구매가 쉬워야 함			6					3	9	9		
액체에 안전한 내부 부품	2		4	4				3		9	6	9
분당 많은 수의 캔 분쇄			9	6	1	9	3	9			6	

자동 캔 분쇄기의 품질의 집 (1)

	상해 확률 < 0°1%	중량 < 30lb	판매가 < $50	부품 수 < 100	치수 (inch)	분쇄력 > 30lb	사용자 연령 > 5 yrs	제조 비용 < $200	작동단계 (1)	연간보수 유지 비용 < $10	효율 등급 >95 백분위	내부 부품 동봉 (100%)
날카로운 모서리가 없어야 함	9						9	6				
쉽고 즉시 중지	9		3				9	6	1	6		
진동이 작아야 함		6		3	3	6		3	1			
주변의 힘이 적어야 함		6		3	3	6		3	1			
충격을 방지해야 함		6		3	3	6		3	1			
설계에 중력 활용		9	3	6		9		9			1	
배기가스가 없어야 함	9			1	1			9				
보수유지비가 낮아야 함			6	6				8	3	9	6	1
소음 출력이 낮아야 함	9		4	3				6	6			9
즉시 시작할 수 있어야 함			3	5				3			6	
적재 높이가 낮아야 함	6		1			9		9				
내부에 쉽게 접근할 수 있어야 함	3		3					6	3	3		3
서비스가 필요 없어야 함			9	2				6		9	9	
밀폐된 베어링 사용								3				6
엄격한 공차 수 제한												
운영 비용이 낮아야 함			9	3				6	3		6	6
캔 재밍 현상 쉽게 해결	6		3					3	3		6	3	3
열이 적게 발생해야 함	1				1		2				9	

자동 캔 분쇄기의 품질의 집 (2) - 위에서 계속

	상해 확률 < 0.1%	중량 < 30lb	판매가 < $50	부품 수 < 100	치수 (inch)	분쇄력 > 30lb	사용자 연령 > 5 yrs	제조 비용 < $200	작동단계 (1)	연간보수 유지 비용 < $10	효율 등급 >95 백분위	내부 부품 동봉 (100%)
배선 절연해야 함	6	1		1				1				
유리, 플라스틱 분쇄에 충분한 힘						9	6	9				
눈에 띄지 않아야 함			6		6			6	3			
기계 기능 통합		3		9				6	2		9	
낮은 대기 전력 소모			1					3				
심미적이고 주변환경과 조화			9	2	6			8	6			
지면을 사용하여 안정화					1							
5단계 미만으로 조립			3	6				3	1			
다양한 면에 장착 가능		3	6		3			3	3			
대용량 캔 적재 장치		3	6		3			3	3	6		
이동형(Portable)		9	6		3			6	3			
내구성 있는 쓰레기 용기									3			
소매가 < $50.00			9					9	9			3
가변 길이/접이식 코드			3					2	1			
대용량의 분쇄된 캔 저장		1	4		3			2	1	6		
다양한 크기의 용기 파쇄 능력			9	3	8			6	9			
분해가 쉬워야 함			3	6				3	3	6		
청소가 쉬워야 함			6					3	1	3		6
적재 가능 표시 녹색 등	9		6					9	2			

자동 캔 분쇄기의 품질의 집 (3) - 위에서 계속

	상해 확률 < 0.1%	중량 < 30lb	판매가 < $50	부품 수 < 100	치수 (inch)	분쇄력 > 30lb	사용자 연령 > 5 yrs	제조 비용 < $200	작동단계 (1)	연간보수 유지 비용 < $10	효율 등급 >95 백분위	내부 부품 동봉 (100%)
분쇄 중임을 표시하는 적색 등	9		6				9	2				
부적절한 기계 사용 표시하는 황색 등	9		6				9	2				
사용하지 않을 때 대기 전원 자동 전환											6	
캐스터에서 용기 받음		2										
전천후로 사용할 수 있어야 함			1	3				3		6		9
유리, 플라스틱 및 알루미늄 용기 분쇄			9	6	3	9	7	9				
기계의 잔류 액체 배출	1			1				1		6		
폴리머로 제작		6	6					6				
폴리머로 구성된 몸체		6	6					6				
캔 카운터가 있어야 함			3	2				2	1			
폐 액체를 담는 용기가 있어야 함		2										
뚜껑을 열 수 있어야 함												
다양한 색상을 사용할 수 있어야 함			9					3				
표면을 도색할 수 있어야 함			8					2				
작업을 확인할 수 있는 플렉시 유리창			8					2				6

자동 캔 분쇄기의 품질의 집 (4) - 위에서 계속

아래 표는 공학적 특성 간 상호 평가 결과를 기술한 것으로 1에서 9 사이의 숫자 값으로 표기하는데, 1은 매우 낮은 상관관계이고 9는 매우 높은 상관관계이며, 공백은 상관관계가 없음을 의미한다.

	상해 확률 < 0.1%	중량 < 30lb	판매가 < $50	부품 수 < 100	소음 출력 < 40 db	치수 (inch)	분쇄된 캔 (20/min)	분쇄력 > 30lb	사용자 연령 > 5 yrs	제조 비용 < $200	작동단계 (1)	보수 유지 비용 <$10	효율 등급 >95 백분위 (100%)	내부 부품 동봉 (100%)	분쇄 캔 보관(60 cans)	적재 용량> 30 cans	동작 시작<10sec	1회 실행시간> 2 hrs	동작 정지<5sec	진동량 < 5mm	진동 지속 < 4/sec	분쇄 저항 <= 250N	유지 보수<4 hrs/yr	색상 수 (6)	수명 > 4000 hrs
상해 확률 < 0.1%	9		6		9		3	9	3	3										3	3				
중량 < 30lb		9		6		1				3							3	6		3	3				
판매가 < $50	6		9	3	6		9	3	9	9	6	6	9			6				3	3		9	9	9
부품 수 < 100		6	3	9	3					9		9	9			3							9		9
소음 출력 < 40 db	9		6	3	9			6		9															
치수 (inch)		1				9				3							6	6							
분쇄된 캔 (20/min)			9		6		9	9					9				9	9	6				3		
분쇄력 > 30lb	3		3				9	9					9							6	6				
사용 연령> 5세	9		9		9				9			9	6	6			9								
제조 비용 < $200	3	3	9	9		3				9				6	3	6								6	
작동 단계 (1)	3		6							9		9											9		
보수 유지 비용 <$10			6	9					6			9	9					6		3	3		9		
효율 등급 > 백분위 95			9	9			9	9	6		6	9	9		6	6	6	6	6	6	6		9		9
내부 부품 동봉 (100%)										6				9									9		
분쇄 캔 보관(60캔)		3				6				3			6			9	6								
적재 용량> 30캔		6				6	9			6			6		6		9		9						
동작 시작 < 10sec			6	3			9		9				6					9							
1회 실행시간 > 2 시간							6						6	6			6	9	9						6
동작 정지 < 5초													6							9					6
진동량 < 5mm	3	3	3				6					3	6								9				6
진동 지속 < 4/sec	3	3	3				6					3	6									9			6
분쇄 저항 <= 250N																						9			
유지 보수 < 연간 4시간			9	9			3					9	9	9										9	9
색상 수 (6)			9							6														9	
수명 > 4,000시간			9	9							3		9				6	6	6	6			9		9

6.6 과제 (PROBLEMS)

6.6.1 개별 활동 (Individual Activities)

1. 다음을 목표로 사양 표를 개발하라. 표에는 메트릭, 해당 값 및 단위가 포함되어야 한다.

   a. 설치가 쉬워야 한다.

   b. 손에 전달되는 진동이 작아야 한다.

   c. 물을 오염시키지 말아야 한다.

   d. 지속적으로 장기간 사용할 수 있어야 한다.

   e. 충돌 시 안전해야 한다.

   f. 마모된 부품을 쉽게 교체할 수 있어야 한다.

2. 펜은 부드럽게 써져야 한다는 요구에 해당하는 일련의 메트릭을 나열하라.

3. 수년 동안 지붕 재료가 지속되어야 한다는 요구에 대한 메트릭과 그에 해당하는 조합을 기술하라.

4. "전면 서스펜션이 멋있게 보여야 한다"와 같은 무형의 요구사항에 대한 정확하고 측정할 수 있는 사양은 어떻게 수립해야 하나.

5. 한 사양의 성능이 상대적으로 낮을 경우, 다른 사양의 성능이 좋으면 항상 보상할 수 있을까? 만약 그렇다면 그 예를 들어 설명하라.

제7장 개념 개발 (Developing Concepts)

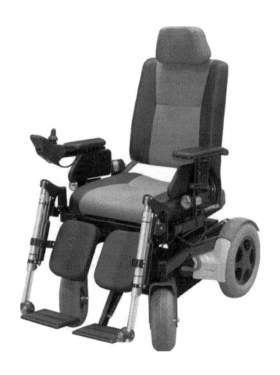

간호사가 환자와 함께 보행 활동할 수 있는 휠체어 회수 장치를 설계하기 위해서는 설계 팀이 필요하다. 휠체어 회수 장치 설계 팀은 장치에 대한 기능 분석을 마친 후 형태학적 차트를 작성한다. (Daseaford/Shutterstock)

7.1 목표 (OBJECTIVES)

이 장의 학습을 통해 다음과 같은 사항을 수행할 수 있다.

1. 체계적인 방법으로 개념 설계를 할 수 있다.

2. 형태 차드(morphological chart)를 만들 수 있다.

3. 창의적인 브레인스토밍 기법을 향상할 수 있다.

지금까지는 고객의 요구를 가능한 한 명확히 이해하고 정의하는 방법에 대해 알아보았다. 요구사항을 확장하고 다양한 수준의 목표를 결정하기 위해 목표 트리를 사용했으며, 이러한 요구사항을 충족할 수 있는 계층적 방식으로 다양한 기능을 수행하기 위해 기능 트리(functional trees)를 사용했다. 그런 다음 성취해야 할 사항과 목표 달성을 위해 필요한 사항을 기반으로 사양 표(specification chart)를 작성했다. 사양을 작성하기 위해 만족해야만 하는 사항은 필수(must)로, 단순히 제품의 품질을 높이기 위한 사항은 희망 사항(desired)으로 분류했다. 그러나 사양은 목표 설정 단계에서 표현되는 정성적 요구가 아니라 측정할 수 있는 정량적 방법으로 달성해야 할 요구사항을 표현해야 한다. 다음 단계는 고객의 요구사항을 충족시킬 수 있는 하나 이상의 제품을 제시하는 것이다. 이제 독자는 전 단계의 설계 프로세스에서 수행한 작업을 기반으로 개념을 생성해야 할 단계에 도달했다. 이러한 개념은 문제에 대한 여러 개의 솔루션이 존재할 수 있다는 것을 의미한다.

전 장에서 논의했던 바와 같이 설계 프로세스의 최종 목표는 욕구를 충족시킬 수 있는 제품을 개발하는 것이다. 대부분의 설계는 기존 제품을 재설계 또는 성능을 개선하는 것으로 생각할 수 있으나, 재설계 또는 개선 설계 또한 새롭고 고유해야 한다.

지금까지 진행한 체계적인 설계 프로세스는 특정 솔루션을 마음을 두지 않았으므로, 이번 단계에서는 가능한 여러 대안을 생성할 것이다. 이 단계를 통해 프로세스는 여러 대안 중 최종적으로 하나의 고유한 솔루션으로 수렴된다는 것을 알게 될 것이다. 다양한 설계 방법론에서 여러 대안을 만들 수 있는 모델이 브레인스토밍이라고 여기고 있으며, 이 책에서도 브레인스토밍은 제안된 솔루션의 각 기능에 대한 대안을 생성하는 데 중요한 역할을 할 것이다.

7.2 작업 구조 개발 (DEVELOPING WORKING STRUCTURES)

다양한 수준의 기능이 알려지면 각 기능 및 하위 기능의 작동 원리를 찾는 것이 중요하다. 작동 원리는 각 기능 내에서 재료, 에너지 및 정보의 흐름을 기반으로 주어진 기능을 달성하는 데 필요한 물리적 효과를 기반으로 해야 한다. 각 기능은 다양한 방법으로 달성될 수 있는데, 효과적으로 사용할 수 있는 중요한 도구 중 하나가 설계 카탈로그 또는 형태학적 차트이다. 아래 표는 형태학적 차트의 개략도를 도시한 것으로, 각 하위 기능($F_i, F_2, ..., F_n$)은 왼쪽 열에 표시되고 가능한 많은 솔루션($O_{i1}, O_{i2}, ..., O_{in}$)이 해당 행에 표시된다. 아래 그림은 기계적 채소 수집 시스템에 대한 예를 보여준 것이다. 일반적인 아이디어는 동일한 기능적 요구사항을 달성하기 위해 가능한 많은 수단을 찾는 것이다.

가능한 솔루션 옵션 / 부기능		1	2	...	j	...	m
1	F_1	O_{11}	O_{12}		O_{1j}		O_{1m}
2	F_2	O_{21}	O_{22}		O_{2j}		O_{2m}
⋮		⋮	⋮		⋮		⋮
i	F_i	O_{i1}	O_{i2}		O_{ij}		O_{im}
⋮		⋮	⋮		⋮		⋮
n	F_n	O_{n1}	O_{n2}		O_{nj}		O_{nm}
F : Function of subfunction, O : Options, i j : i, j solution/or option							

전체 기능 및 그와 관련된 하위 기능의 분류 체계에 대한 기본 구조

자주 발생하는 또 다른 설계 상황은 동일한 작동 원리를 사용하지만 기능적 요구사항을 향상하기 위해 형상 또는 재료의 조합(형태)을 변경하는 것이다.

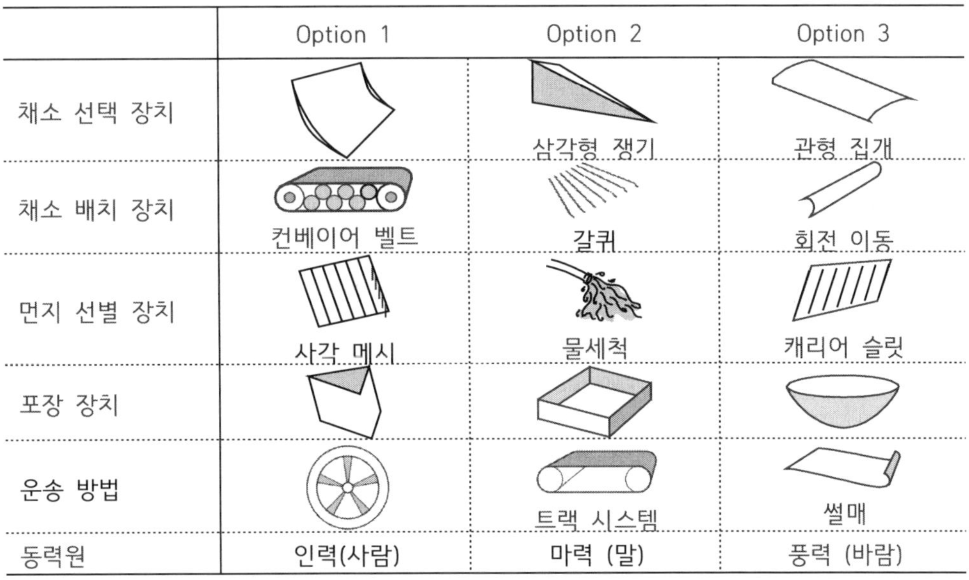

	Option 1	Option 2	Option 3
채소 선택 장치		삼각형 쟁기	관형 집게
채소 배치 장치	컨베이어 벨트	갈퀴	회전 이동
먼지 선별 장치	사각 메시	물세척	캐리어 슬릿
포장 장치			
운송 방법		트랙 시스템	썰매
동력원	인력(사람)	마력 (말)	풍력 (바람)

기계적 채소 수집 시스템.

7.3 기능으로부터 개념 개발 단계

Step 1. *각 기능에 대한 개념을 개발한다.*

첫 번째 단계의 목표는 전체 기능을 표현할 수 있는 개념을 가능한 한 많이 생성하는 것이다. 개념을 많이 생성하기 위한 서로 유사한 두 가지 활동이 있는데, 첫 번째는 각 기능에 대해 가능한 한 많은 대안 기능을 개발하는 것이고, 두 번째는 하위 기능에 대한 것으로, 가능한 한 해당 기능을 수행할 수 있는 많은 수단을 개발하는 것이다. 위의 그림에서 볼 수 있듯이 컨베이어 벨트, 갈퀴, 회전 이동기를 사용하거나 단순히 채소를 쌓아 놓음으로써 채소를 적절히 배치할 수 있다. 만약 이를 위한 수단이 오로지 하나의 개념적 아이디어만 있으면 이 기능은 재검토해야 한다.

아이디어가 매우 제한적이라면 설계자가 제품에 대해 잘 알지 못한 상태에서 기본적인 가정을 했기 때문일 수 있다. 예를 들어, 일반적으로 접할 수 있는 한 가지 기능은 가까이 이동하는 것일 수가 있다. 이 경우 손으로 이동하는 것이 유일한 방법이라면, 부품이 수동으로 조립될 수 있다는 것이 암묵적인 가정이다. 이것은 보편적 타당성이 없다는 점을 제외하고는 나쁜 가정이 아닐 수 있다. 만약 어떤 기능이 레일 위를 구르는 것이라면 일반적인 동작 개념은 레일을 따르는 특정 운동을 나타냄으로써 구체화할 수 있다. 설계자는 다른 분야에 관한 생각이 제한적일 수 있다. 이 경우 일반적으로 추상화(세부 사항) 수준을 같은 정도로 유지하는 것이 중요하다.

Step 2. *각 기능 또는 하위 기능으로 사용할 모든 수단 또는 방법을 나열한다.*

이러한 보조 목록은 하나의 하위 기능이 각각의 목록과 결합하여 전체 설계 솔루션을 구성할 수 있는 개별 하위 솔루션이다. 각 행은 특정 하위 기능에 대해 가능한 모든 하위 솔루션을 나타낸다. 하위 솔루션은 다소 일반적인 용어로 표현할 수 있지만, 실제 장치 또는 하위 구성 요소로 식별할 수 있는 것이 더 좋다. 예를 들어, 무언가를 들어 올리려 할 때 사다리, 나사, 유압 피스톤 또는 랙과 피니언을 사용하고 싶을 수 있다. 솔루션 목록에는 알려진 구성 요소뿐만 아니라 특정 작업을 달성하기 위한 새롭거나 기존 방식이 아닌 방법 또는 솔루션도 포함되어야 한다.

솔루션에 도달하기 위해 브레인스토밍법이나 수평적 사고 개념을 사용할 수 있으며 이를 위한 기법은 다음 절에서 설명할 것이다. 각 기능에는 많은 가능성이 필요하다는 점을 기억하라. 또한 주어진 기능에 대한 제품을 확인할 때, 전체 기능이 아닌 해당 특정 기능 또는 하위 기능에 대한 기준이 되어야 한다. 이러한 제거는 설계 프로세스의 다른 단계에서 다룰 것이다.

Step 3. *가능한 모든 하위 솔루션을 포함하는 차트를 작성한다.*

이 차트를 형태학적 차트라고 하는데, 이 차트는 기능 목록에 구성된다. 이것은 처음에는 단순히 빈사각형 형태의 그리드로 구성되어 있으며, 왼쪽 열에는 기능 다이어그램에서 확인된 각 기능이 나열되어 있다.

각 행에는 기능을 달성하기 위한 모든 대안(alternatives, 방법)이 나열되어 있으며, 왼쪽 열에는 각 방법이 사각형으로 입력된다. 각 기능에 대해 가능한 한 많은 방법을 입력해야 한다. 이것이 완료되면 형태학적 차트에는 제품의 전체 범위에 대한 다양한(이론적으로 가능한) 솔루션 형태가 포함된다. 이 솔루션의 전체 범위는 각 행에서 한 번에 하나의 하위 솔루션을 선택하여 구성된 조합으로 이루어진다. 총조합의 수는 다소 많지만, 각 방법에 대한 목록은 약 5개 정도를 유지해야 한다.

Step 4. *가능한 조합을 확인한다.*

각 개념에 대한 목록은 각 기능에 대한 이전 단계로부터 생성될 수 있다. 다음 단계는 개별 개념을 완전한 개념 설계로 결합하는 것이다. 이 방법은 기능별로 하나의 개념을 선택하여 하나의 설계로 결합하는 방식이다. 이러한 조합 중 일부(아마도 적은 수)는 기존 솔루션이 될 것이고, 몇 개는 새로운 솔루션이 될 것이며, 일부(보통 많은 수)는 불가능한 솔루션일 수도 있다.

예를 들어 경제적인 것, 환경적인 것, 화려한 것 등과 같이 각 잠재적 솔루션에 대한 주제를 기반으로 조합을 선택하는 것이 도움이 되기도 한다. 하지만 부적절하거나 제한된 주제를 식별하여 선택을 제한하지 않도록 주의해야 한다. 또한 선택한 모든 솔루션이 실현될 수 있을 것으로 가정하고, 이 시점에서 열린 마음을 유지하는 것 또한 중요하다. 추가로 고려해야 할 사항과 평가를 위해 가능한 한 많은 잠재적 솔루션을 찾아야 한다. 이러한 솔루션의 평가에 대해서는 8장에서 다룰 것이다. 다음 절에서는 브레인스토밍이 전체 제품에 대한 잠재적 솔루션뿐만 아니라 형태학적 차트에 대한 아이디어를 생성하는 데 어떻게 도움이 되는지에 대해 설명할 것이다.

7.4 브레인스토밍 (BRAINSTORMING)

브레인스토밍의 기본 개념은 많은 양의 아이디어를 생성하는 것이다. 연구에 따르면 아이디어가 많을수록 원하는 제품의 품질이 높아진다. 브레인스토밍 세션에서는 참가자들이 설령 어리석게 보이는 아이디어를 포함한 모든 아이디어를 제공할 준비가 되어 있어야 한다. 많은 경우 다소 어리석은 아이디어가 진정성 있고 창의적인 아이디어로 이어지기도 한다. 설계자는 브레인스토밍 세션에 비엔지니어를 포함할 것을 권장한다. 종종 최고의 아이디어는 당면한 분야나 주제에 대한 전문적 식견이 없는 사람들로부터 나온다. 마케팅 및 심리학 전문가도 종종 브레인스토밍 디자인 세션에 포함된다.

체계적인 설계 프로세스에서도 브레인스토밍을 사용하여 목표 트리 및 기능 분석 차트를 생성한다. 개념 생성은 중요한 단계이므로 설계 제품의 출력 개선을 촉진할 수 있는 메커니즘과 도구에 중점을 두어야 한다. 설계 프로세스가 반복적이라는 특성을 항상 기억하라. 만약 업데이트해야 하는 정보를 수집했다면 이 단계에서 업데이트할 수 있다.

7.4.1 브레인스토밍 세션의 메커니즘

참가자는 세션에 적극적으로 참여하고 활동할 준비가 되어 있어야 한다. 브레인스토밍 세션의 주제는 구체적이고 명확하게 기술되어야 한다. 이러한 세션에 필요한 에너지 수준 때문에 각 주제 또는 세션에 대해 최대 1시간을 제공하는 것이 좋다. 브레인스토밍 세션을 위해 개발된 일련의 규칙은 다음과 같다.

1. 세션 중에 아이디어에 대해 비판하지 않는다. 비판을 방지하는 한 가지 방법은 세션 중에 토론을 허용하지 않는 것이다. 간단하고 짧은 형식으로 아이디어를 제시하고 그룹 참가자 중 한 명이 모든 아이디어를 수집하거나 각 아이디어에 스티커를 사용한다.

2. 거칠고 어리석고 미친 아이디어를 환영한다. 이러한 아이디어는 다른 사람들이 확실한 아이디어를 생성하거나 재미있고 유머러스한 환경을 유지하는 데 도움이 될 수 있다.

3. 가능한 한 많은 아이디어를 생성하라. 그렇게 하기 위한 한 가지 방법은 휴식 시간을 허용하지 않고 아이디어를 계속 낼 수 있도록 진행자를 계속 지정하는 것이다. 경쟁을 유지하라. 어떤 사람은 그룹에서 다른 사람들과 경쟁할 때 더 많은 아이디어를 생산한다.

4. 제시된 아이디어에 대한 추가 또는 개선된 아이디어를 환영한다. 이것은 아이디어의 흐름을 유지하는 데 도움이 될 것이다.

7.4.2 관념화 (상상하기, Ideation)

관념화는 전에 제기되었던 요점에 대한 확장으로 일련의 구조화된 질문을 통해 설계 솔루션에 대한 아이디어를 생성하는 프로세스이다. 이것은 여러 아이디어가 있을 때 좋은 아이디어를 가질 확률이 아이디어의 수가 적을 때의 확률보다 높다는 사실에 기인한 것이다. 질문을 구조화할 수 있는 많은 기술과 다양한 방법이 있다. 다음은 그러한 예의 하나로, 제품에 대한 새로운 아이디어를 생성하는 데 도움이 될 수 있도록 생각을 특정 방향으로 안내하는 15개의 고전적인 질문 세트이다.

1. 무엇이 잘못되었나요?

   현재 제품, 아이디어 또는 작업에서 잘못되었다고 생각하는 모든 항목의 목록을 작성한다.

2. 어떻게 개선할 수 있나요?

   실행 가능성을 잊고 현재 제품, 아이디어 또는 작업을 개선할 수 있는 모든 방법을 나열한다.

3. 현재 형태의 다른 용도는 무엇인가?

   아이디어가 수정되면 다른 용도는 무엇인가?

   원래 의도하지 않은 기능을 수행할 수 있는가?

4. 수정이 가능한가?

   예를 들어 변경, 다듬기, 모양, 설명, 무게, 소리, 형태, 윤곽 등

5. 확대할 수 있나?

   더 크게, 더 높게, 더 길게, 더 넓게, 더 무겁게, 더 강하게 만든다.

6. 축소할 수 있나?

   더 작게, 더 짧게, 더 좁게, 더 가볍게 만들거나 무언가를 빼거나 소형화한다.

7. 적용할 수 있는 유사한 것이 있나?

   무엇을 복사할 수 있는가?

   다른 것과 연관될 수 있나?

사용할 수 있는 재고나 여유가 있나?

8. 뒤집으면 어떨까?

   비틀림을 시도한다: 반대, 거꾸로, 뒤집기, 재정렬, 반대 패턴, 반대순서 등.

9. 새로운 모습을 가질 수 있나?

   색상, 형태 또는 스타일을 변경한다: 합리화, 새 패키지 또는 새 표지 사용.

10. 예전 모습을 바탕으로 해도 되나?

    기간, 골동품, 이전 우승자를 복사하여 권위 있는 기능을 찾는다.

    그들은 이제 그것을 그렇게 만들려 하지 않으려고 한다

11. 재배열하면 어떨까?

    순서를 바꾸거나, 구성 요소를 교환하거나, 다르게 조합하거나, 위치를 변경한다.

12. 대체 가능한가?

    무엇이 그 자리를 대체할 수 있을까?

    금속에는 플라스틱, 플라스틱에는 금속, 어두운 대신 밝은, 사각형 대신 둥근 것으로 대체할 수 있을까?

    다른 프로세스, 원칙, 이론 또는 방법을 사용할 수 있을까?

13. 아이디어, 원칙, 방법, 그룹, 구성 요소, 하드웨어 또는 문제를 결합할 수 있을까?

14. 단순화할 수 있을까?

    더 쉽고, 덜 일 하고, 더 쉽게 접근하고, 일회용이고, 사용하기 쉽고, 더 빠르게 만든다.

15. 더 안전하게 만들 수 있을까?

    부상, 사고, 폭발을 방지하기 위해 어떤 장치, 속성, 컨트롤 또는 센서를 추가할 수 있을까?

이러한 간단한 기술을 사용하여 많은 수의 새로운 아이디어를 생성할 수 있다는 사실에 놀라게 될 것입니다. 이러한 기법으로 아이디어 생성을 시도해 보라. 기존 제품을 선택하고 다음 질문을 철저히 살펴보고 각 항목을 고려할 충분한 시간을 허용하라. 얼마나 많은 새로운 아이디어를 생각해 낼 수 있는지 확인하라.

7.5 창의성 (CREATIVITY)

체계적인 설계 프로세스의 모든 단계에서 창의성이 활용된다. 창의적 문제 해결을 위해 필요한 것은 목표 트리 구성, 시장 분석을 통한 정보추출, 기능 분석 전개, 품질의 집 구조화, 개념 전개를 활용하는 것이다. 설계 관련한 많은 서적에서 설계와 창의성 사이의 강력한 연관성을 제공하고 있다. 일부 연구에 의하면 설계는 본질적으로 창조적인 과정이라고 결론을 내리고 있다. 이 절에서는 설계와 관련된 창의성에 대한 정의를 소개했다.

The Creative Brain(창의적인 뇌)의 저자인 Ned Herrmann은 창의성을 다음과 같이 정의했다: 창의성은 아이디어를 생성하는 것과 그것을 표현하는 것을 모두 포함하며, 결과적으로 어떤 일이 일어나게 하는 것이다. 창의적인 능력을 강화하기 위해서는 경험 그 자체와 반응, 그리고 다른 사람들의 반응이 성과를 강화할 수 있도록 어떤 형태로든 아이디어에 적용할 필요가 있다. 만약 다른 사람이 당신의 창의적인 노력에 박수를 보낼 때 당신은 더 창의적으로 될 것이다. Lumsdaine은 창의성을 상상력과 가능성을 가지고 노는 것, 아이디어, 사람, 환경과 상호작용하면서 새롭고 의미 있는 연결과 결과를 끌어내는 것이라고 정의했다. Kemper는 창의성이라는 단어는 다소 호기심이 많은 상태로 거의 모든 사람이 창의성이라는 것을 즉시 인식할 수 있지만, 누구도 완전히 수용할 수 있는 방식으로 그 단어를 정의할 수 없다고 정의했다. 창의성이라는 단어와 동반하는 단어인 발명은 더 큰 문제를 초래할 수 있다. 다수의 비전문가는 발명이라는 단어에 대해 자신감을 느끼고, 그것이 무엇을 의미하는지 정확하게 알고 있다. 그런 사람들은 전등, 안전핀, 심지어 원자폭탄과 같은 무수한 발명품들을 생각할 수 있다. 발명이 무엇인지 정의하는 데 문제가 있다고 믿는 사람은 특허청 심사관들과 미국 대법관들뿐이다.

이러한 정의를 통해 창의성이 아이디어를 생성하는 것과 많은 관련이 있음을 알 수 있다. 여기서 창의성이 개인의 자질인지, 아니면 그룹이나 팀과 연관될 수 있는지 물어볼 필요가 있다. 더욱이 더 중요한 질문은 창의성이 타고난 것인지 아니면 가르칠 수 있는 것인지 아닌지이다. 만약 창의성이 타고난 것이라면 개인의 창의성은 있음과 없음의 영역으로 분류될 수 있다. 연구에 따르면 인지 스타일, 성격 및 창의적 결과에 따라 개인마다 어느 정도의 창의성이 있음이 밝혀졌다. 심리학자들은 창의성 수준이 통계적으로나 전문가의 평가로 결정될 수 있다고 제안했다.

연구에 따르면 그룹이 개인보다 창의적인 문제 해결을 더 잘 수행하는 것으로 나타났다. 두 개의 머리가 하나보다 낫다는 말이 있는데, 이는 창의성에도 적용될 수 있다. 브레인스토밍은 그룹에서 아이디어를 생성하는 데 가장 잘 알려져 있고 가장 널리 사용되는 기술이다. 그러나 브레인스토밍 세션에서 개인보다 아이디어를 더 잘 생성하려면 참가자는 다음과 같은 사항을 수행해야 한다.

1. 어느 정도의 사회적 관계가 있어야 한다(예: 교실에 처음 들어온 날 학생들이 서로를 동일시함).
2. 생성된 아이디어 중 일부를 사용한다(목표 트리 및 기능 트리를 통해 수행되었음).
3. 문제와 관련된 기술적 경험이 있어야 한다(중요하지는 않지만 바람직함).
4. 일부 작업을 상호 의존적으로 수행한다.

7.5.1 창의성 수준을 높이는 법

작가 John Steinbeck은 아이디어는 토끼와 같다고 했다. 만약 한 쌍의 토끼를 얻고 그들을 다루는 방법을 배우면 곧 12마리를 갖게 될 것이다. 이처럼 다음과 같은 사항이 더 창의적으로 되는 데 도움이 될 것이다.

자신의 사고 스타일을 안다(Know Your Thinking Style): 역사 초기부터 인간은 뇌가 어떻게 작동하는지 이해하려고 노력해 왔다. Herrmann은 4개의 사분면으로 구성된 뇌의 은유적 모델을 개발했는데, 이에 관해서는 이 책의 2장에서 자세히 다루었다. 좋은 팀이란 완전한 두뇌를 나타내는 팀이다(4개의 사분면의 특성을 모두 가진 사람들로 구성). 모든 사분면의 뇌가 동일한 힘으로 기능하도록 스스로 훈련하거나 특정 사분면을 더 많이 활용하도록 활동을 늘릴 수 있다.

1. 약점을 확인한다.
2. 약한 사분면을 사용해야 하는 공격 문제를 다룬다.

시각적 이미지를 사용(Use Visual Imagery): 아인슈타인은 지식은 유한하고 상상력은 무한하므로 상상력이 지식보다 더 중요하다고 주장했다. Bernard Shaw는 "당신은 사물을 보고 그것이 왜 그런지 묻습니까? 하지만 나는 절대로 존재하지 않았던 것을 꿈꾸며 그것이 왜 안 되는지를 묻는다"라고 말했다. 마음의 눈인 내적 이미지는 창의적인 사람들의 사고 과정에서 중심적인 역할을 해왔다. Albert Einstein은 자신의 사고 능력을 추상적인 대상을 상상하는 곳으로 돌렸다.

Kekule은 꿈에서 벤젠 고리의 가장 중요한 구조를 발견했다. 대부분의 시각적 사상가는 스케치를 통해 자기 생각을 명확히 하고 이를 발전시킨다. 그림을 그린다는 것은 막연한 내면의 이미지에 초점을 맞추는 데 도움이 될 뿐만 아니라

진보하는 생각의 흐름에 대한 기록을 제공한다. 스케치는 뇌의 단순한 기억에서 가능한 것보다 더 많은 정보를 보유하고 비교하는 능력을 확장한다. 스케치는 일반적으로 생각의 확장이며 혼잣말을 할 수 있는 회의 테이블을 제공한다. 수면 상태와 깨어 있는 상태, 시각과 지각 사이의 구별은 고대 역사 이래로 계속 연구되고 있다. 시각적 이미지 연구자들에 따르면 시각적 이미지에는 다음과 같은 세 가지 상태가 있다.

a. 주어진 장소나 대상에 단순히 집중하는 총지(Dharana: 정신 훈련에서의 정신 집중).

b. 관심의 초점을 강화하는 총지(Dhydana.)

c. 사물과의 결합 융합을 경험하고 자신과 사물을 구별할 수 없는 삼매 (Samadhi: 명상의 최고 경지).

사람들은 학생으로서 유치원 때부터 암기 연습을 해왔으며, 시각화는 각 이미지가 단어보다 훨씬 더 많은 정보를 저장하므로, 기억력 향상에 데 도움이 된다는 것을 알고 있다. 이러한 이미지를 기억하면 아이디어 생성 능력이 향상될 수 있다.

재구성 (Reframing): 아인슈타인은 문제가 생성된 틀 안에서 생각하는 것만으로는 문제를 해결할 수 없다고 주장했다. 재구성이란 문제를 틀에서 벗어나 다른 맥락에서 보는 것으로, 이를 통해 현재 틀 밖에서 잠재적으로 가치 있는 아이디어를 생각할 수 있다. 정신적 틀을 바꾸는 능력을 제한하는 가장 일반적인 습관은 다음과 같다.

a. **완벽 추구(Pursuit of perfection):** 많은 사람이 문제에 대한 완벽한 해답을 개발하는 데 오랜 시간 열심히 노력하는 것만으로도 충분하다는 잘못된 생각을 하고 있다.

b. **실패에 대한 두려움(Fear of failure):** 다른 사람들이 무능하다고 인식할 수 있다는 생각으로 변화에 대한 저항.

c. **이미 답을 알고 있다는 망상(Delusion of already knowing the answer):** 하나의 답을 찾으면 다른 답을 찾지 않는다. 이것이 효과가 있다면 왜 다른 답을 찾을까?

d. **극단의 심각성(Terminal seriousness):** 많은 사람이 유머와 진지한 발상이 섞이지 않는다는 착각에 빠져 있다.

유머 (Humor): "유머가 있는 사람은 항상 어느 정도 천재적이다"라는 말이 있다. 유머의 사전적 정의는 "아이디어, 상황, 사건 또는 행동에서 우스꽝스럽거나

터무니없을 정도로 부조리한 요소를 발견, 표현 또는 감상하는 정신 기능"이다. 유머의 정의에서 우스꽝스럽거나 터무니없다는 단어를 빼면 창의성의 정의가 나올 것이다.

정보 수집 (Information Gathering): 시장 분석(3장)에서 문제 설명에 대한 정보 수집력을 소개했다. 정보를 수집하면 창의성도 향상되고, 다른 창의적인 사람들이 생성한 아이디어를 볼 수도 있다(서면 브레인스토밍). 특허는 훌륭한 아이디어의 원천이 될 수 있지만, 찾고자 하는 아이디어가 포함된 특정 잠재성을 식별하기가 쉽지 않다.

특허에는 실용 특허와 디자인 특허의 두 가지 주요 유형이 있다. 실용 특허는 아이디어가 특정 기능에 대해 어떻게 작동하는지를 다루고 있으며, 디자인 특허는 아이디어의 모양이나 형태만을 다룬다. 따라서 실용 특허는 장치의 외관이 아닌 작동 방식을 다루므로 매우 유용하다. 약 500만 개의 실용 특허가 있으므로 이를 사용할 수 있는 전략을 연마하는 몇 가지 전략을 개발하는 것이 중요하므로 특허청에서 제공하는 것과 같은 웹 검색을 사용하라. 이때 키워드 검색(특허 번호, 발명자, 클래스 또는 하위 클래스 포함)이 가능하다.

정보를 찾을 수 있는 장소로 해당 분야의 참고 서적, 무역 저널 등이 있으며, 또 다른 정보 출처는 전문가에게 문의하는 것이다. 새로운 영역에서 설계할 때 개념 생성에 충분한 지식을 얻기 위해 전문 지식을 갖춘 사람을 찾거나 스스로 경험을 쌓는 데 많은 시간을 투자해야 한다. 전문가는 한 분야에서 오랫동안 열심히 일하면서 많은 개선을 수행하고 어떤 것이 효과가 있고, 어떤 것이 효과가 없는지를 알아내기 위해 스스로 실험하는 사람이다. 전문가를 찾을 수 없거나 전문가를 구할 수 없으면 차선책의 자원은 제조업체 카탈로그 또는 제조업체 대리인이 될 수 있다.

개념 개발 메커니즘은 다음 절에서 설명한다.

7.6 개념 개발 - 샘플 (DEVELOPING CONCEPTS-SAMPLES)

7.6.1 기계식 환기구 (Mechanical Vent)

집의 중앙 위치에서 에어컨 통풍구 개폐를 자동화하는 설계와 관련된 사례로 설계 팀은 다음과 같은 기능이 있는 제품에 대한 기능 분석을 했다.

1. 환기구 선택 (Select vent)

2. 신호 전송 (Send signal)

3. 신호 수신 (Receive signal)

4. 신호 변환 (Convert signal)

5. 환기구 여닫음 (Open/close vent)

아래 그림은 이 문제에 대한 형태학적 차트이다. 다섯 가지 기능이 차트의 왼쪽 열에 입력되었고, 각 행은 특정 기능을 나타낸다.

예를 들어, 행 5는 "환기구 개폐" 기능인데, 이 기능을 달성하기 위한 수단을 찾아야 한다. 차트는 기어, 벨트, 전기장, 케이블 또는 충격 판을 사용하여 기능을 달성할 수 있는 다섯 가지 수단 또는 방법을 보여주고 있다. 방법은 "환기구 개폐" 다음에 오는 5개의 사각형에 단어와 다이어그램을 사용하여 입력된다. 아래의 차트에는 5가지 기능과 각 기능을 달성하는 다양한 방법(5, 5, 5, 6, 5)이 포함되어 있으므로, 이론적으로는 각각의 방법을 결합한 3,750개의 다양한 형태의 환기구 개폐 장치를 만들 수 있다. 그러나 그들 중 많은 수가 실행될 수 없으므로 이러한 조합 중 최소 5개 또는 6개가 시스템 구축을 위해 선택된다.

	Option 1	Option 2	Option 3	Option 4	Option 5	Option 6
환기구 선택	원격 스위치 보드	수동 원격조정	2방향 스위치	1방향 스위치	다이얼 스위치	
송신	케이블	송신기(rf)	도보	케이블/풀리	호스 (공기/물)	
수신	라디오 수신기	전기 동력장치	레버로 연결	수동 레버	피스톤 (공압/유압)	
신호 변환	공기 압축기	유압모터	전기 모터	전자기	연소	수동
환기구 개폐	기어	벨트	전기장	케이블	충격판	

기계식 환기구 장치의 형태학적 차트

7.6.2 휠체어 회수 유닛 (Wheelchair Retrieval Unit)

설계 팀은 환자와 함께 보행 활동을 수행하는 간호사를 지원하기 위한 휠체어를 설계해 달라는 요청을 받았다. 대부분 한 명의 간호사가 보행 운동 중 환자를 보조하는 역할을 담당하지만, 간호사는 환자를 돌보는 동시에 휠체어를 끌 수 없다. 설계팀은 그 장치에 대해 다음과 같은 기능 분석을 했다.

1. 휠체어를 환자와 간호사에 맞춰 정렬한다.

2. 휠체어를 이동한다.

3. 휠체어를 조종한다.

4. 휠체어를 정지한다.

아래 그림은 이 장치의 형태학적 차트이다. 이것은 각각의 4개의 기능에 대해 6개의 옵션으로 구성되어 있으므로 총 64개의 솔루션이 가능하다.

이러한 솔루션 중에서 5개 또는 6개의 실행 가능한 솔루션을 선택한다.

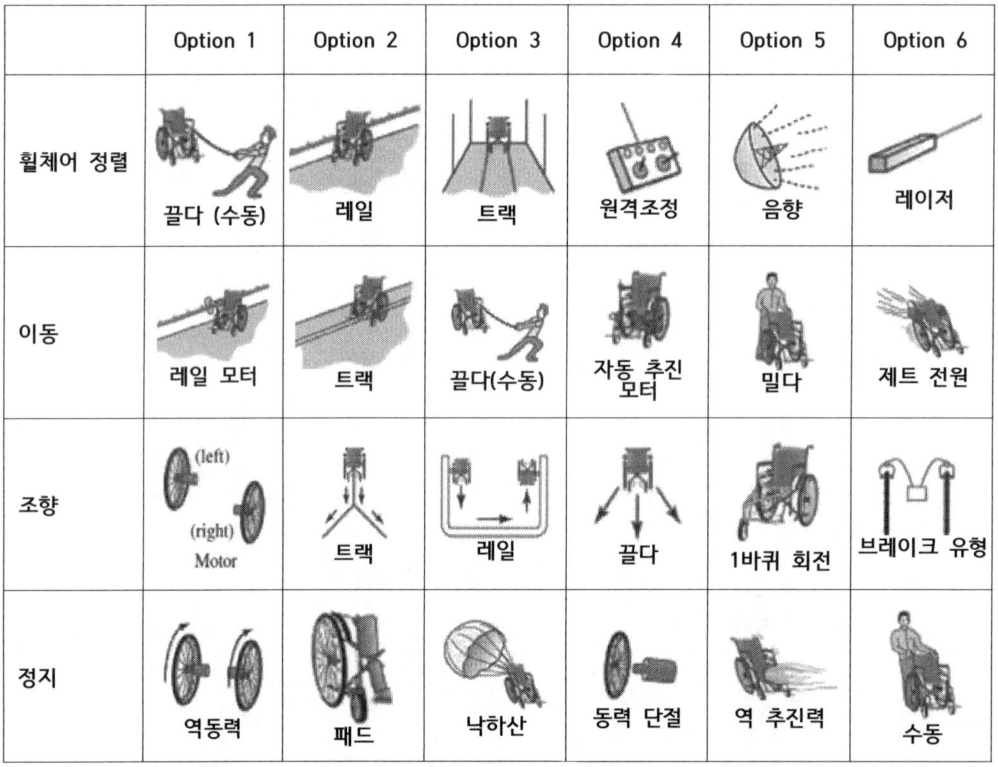

	Option 1	Option 2	Option 3	Option 4	Option 5	Option 6
휠체어 정렬	끌다 (수동)	레일	트랙	원격조정	음향	레이저
이동	레일 모터	트랙	끌다(수동)	자동 추진 모터	밀다	제트 전원
조향	(left) (right) Motor	트랙	레일	끌다	1바퀴 회전	브레이크 유형
정지	역동력	패드	낙하산	동력 단절	역 추진력	수동

휠체어 회수기의 옵션

7.6.3 자동 캔 분쇄기 (Automatic Can Crusher)

디자인 팀은 수행해야 할 모든 기능을 나열하고 오른쪽 열에 기능을 표시하는 매트릭스를 생성한 후, 이러한 기능을 달성할 수 있는 다양한 방법을 표시했다. 이 활동 중에 창의력을 발휘해야 하는데, 다른 가능성은 텍스트나 스케치로 나열할 수 있다는 것이다. 여기서는 텍스트와 스케치 두 가지 방법을 모두 실행했다. 먼저 사용할 수 있는 전원을 열거하면 다음과 같다.

- 유압 (Hydraulic)

- 자기력 (Magnetic)

- 중력 (Gravity)

- 열 (Thermal)

- 소리 (Sound)

- 공압 (Pneumatic)

- 태양광 (Solar)

- 전기 (Electric)

- 연소 (Combustion)

아래 그림과 같은 형태학적 차트를 통해 다양한 설계 대안을 생성할 수 있다.

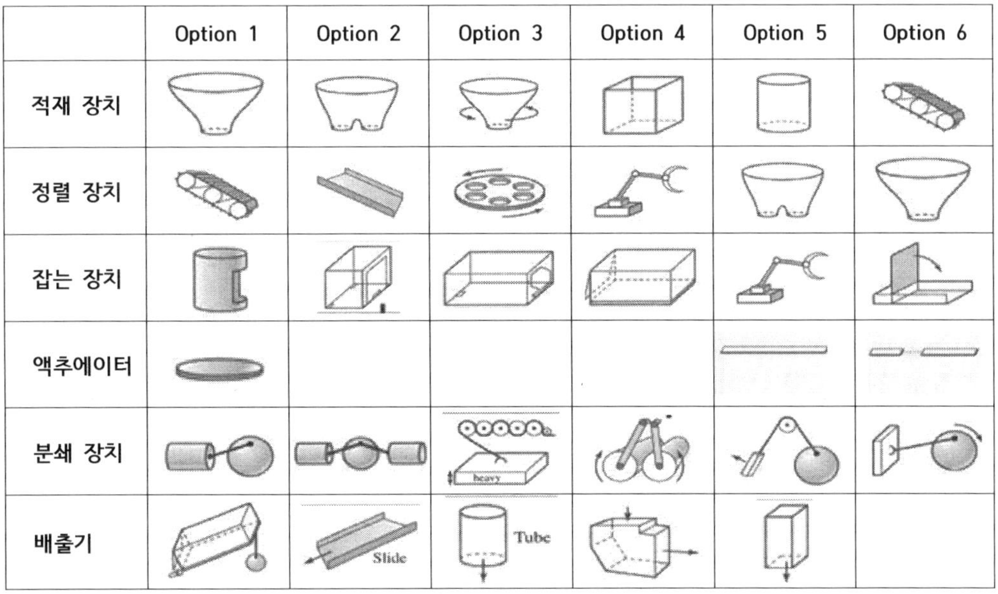

	Option 1	Option 2	Option 3	Option 4	Option 5	Option 6
적재 장치						
정렬 장치						
잡는 장치						
액추에이터						
분쇄 장치						
배출기						

자동 캔 분쇄기의 형태학적 차트

7.7 과제 (Problem)

7.7.1 팀 활동 (Team Activities)

1. 다음과 같은 기술적 서술에 대한 형태학적 차트를 작성하라. 플로리다주에서 운전할 때 국도와 고속도로에서 잘린 나무로 인해 교통 체증이 발생하는 것을 흔히 볼 수 있다. 플로리다주에서는 일반적으로 직경이 6인치 이하인 가지를 잘라낸다. 도로 가장자리에서 가지까지 허용되는 수평 거리는 6피트이다. 나무에서 제거된 재료는 수집되어 도로변에서 제거되어야 한다. 절단 비용을 줄이기 위해 기계당 최대 2명의 작업자만 배치될 수 있다. 장비, 인건비 등을 포함한 전체 비용을 현재보다 25% 이상 절감해야 한다. 플로리다주 정부는 기계에 대한 수요로 인해 가격 인하가 가능할 것이라고 주장한다(즉, 비용을 40% 절감할 수 있다면 수요는 40% 증가할 것이다). 허용되는 작업 시간은 일광 및 기상 조건에 따라 다르다.

2. 생성된 형태학적 차트의 기능을 기반으로 기능을 생성하여 다수의 가능한 솔루션을 생성하는 체계적인 설계 프로세스(a)와 문제를 확인하고 다양한 솔루션을 생성하기 위해 브레인스토밍 세션을 시작하는 설계 프로세스(b)를 비교하라. 위의 두 방법 중 어떤 방법을 사용하겠는가? 이중 어느 한 방법을 선택했다면 왜 그 방법을 선택했는가? 설계의 특정 측면을 수정해야 할 경우, 두 가지 방법 중 어느 것이 수정하기가 더 쉬울 것이다. 그렇다면 그 이유는 무엇인가?

3. 그룹 창의성과 개인 창의성을 비교하고 대조하라.

7.7.2 개별 활동 (Individual Activities)

1. 창의성과 혁신의 차이점이 무엇인가?

2. 형태학적 차트란 무엇인가?

3. 창의적인 목표 트리가 없으면 창의적인 형태학적 차트를 가질 수 없을 것이다. 이에 대해 토의하라.

4. 창의력 수준을 높이려면 어떻게 해야 하나? 자기 자신이 어디에 속하는지 뇌의 구조적 관점에서 분류해 보아라(분석적, 조직적, 사회적, 직관적).

5. Herrmann 뇌 모델은 무엇인가?

제8장 개념 평가 (Concepts Evaluation)

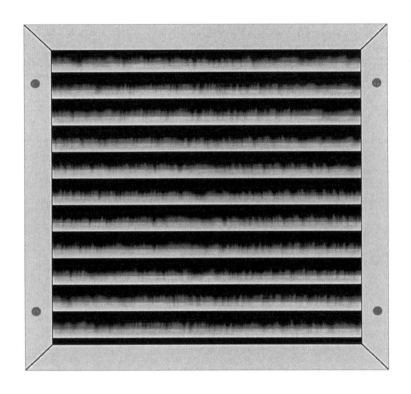

엔지니어 또는 설계 팀은 형태학적 차트로부터 제품의 기능적 대안을 결정한다. 이것은 설계팀이 고객의 요구에 가장 적합한 설계를 찾는 데 도움이 될 것이다. 일련의 대안을 선택한 후 설계 팀은 이를 장치로 스케치하기 시작할 수 있다. 이 통풍구는 수많은 디자인 스케치의 결과이다. *(Ivan Cholakov Gostock-dot-net/Shutterstock)*

8.1 목표 (OBJECTIVES)

이 장의 학습을 통해 다음과 같은 사항을 수행할 수 있다.

1. 다양한 방법으로 이전 설계 단계에서 생성된 다양한 개념을 평가할 수 있다.

2. 개발을 더 진행하기 위한 설계 대안을 선택할 수 있다.

전 장에서 요구사항을 만족하는 다양한 개념을 만들 수 있는 기법을 소개했다. 앞에서 입증된 바와 같이 요구사항을 충족할 가능성의 개수는 기능을 수행될 수 있는 항목 (다양한 방식)의 수와 관련된 함수이다. 항목의 수가 많을수록 생성되는 개념의 수도 많아진다. 여기서 형태학적 차트를 통해 만들어진 모든 조합이 실행될 수 있는 제품으로 이어지는 것은 아니다. 이 장의 목표는 다양한 장치를 평가하는 방법론을 제공하는 것이다. 평가 프로세스를 통해 형태학적 차트에서 생성된 많은 개념 중에서 고품질의 제품이 될 가능성이 가장 큰 제품을 식별할 수 있다.

개념 평가의 어려운 점은 설계 팀원들이 제한된 지식과 데이터를 기반으로 개발할 개념을 선택해야 한다는 것이다. 이 시점에서 개념은 여전히 추상적이고 세부 사항이 거의 없으며 측정할 수 없다. 다음의 본질적인 질문은 "모든 개념을 다듬고 미세한 세부 사항을 추가하여 그 결과를 측정하는 데 시간을 소비해야 하나?" 또는 "고품질의 제품이 될 가능성이 가장 큰 한 가지 개념을 구현하는 메커니즘을 개발하는 것이 더 효율적인 선택이 될 수 있나?"이다. 이러한 개념의 선별은 다음과 같은 단계를 통해 수행할 수 있다.

1. 개념은 고정된 제한 사항의 집합(사양)을 직접 측정할 수 있다. 만약 개념이 사양의 요구사항을 충족하지 않으면 탈락시킨다. 특정 기능을 표현하는 것이 형태학적 차트에 있더라도 앞에서 설정된 사양 기준을 충족하지 않으면 어셈블리에서 제거한다. 예를 들어, 휠체어를 정렬하기 위해 음파 탐지기를 사용하는 것은 프로젝트의 비용 제한에 부합하는 다른 기능적 표현을 위해 제거될 수 있다.

2. 설계 팀은 경험(공학적 감각)을 사용하여 제시된 개념을 수행할 수 있는 기술이 없거나 제품의 실현이 불가능하다고 판단하면 해당 개념을 제거할 수 있다. 더 건전한(공학적 관점에서) 다른 기능이 동일한 기능을 수행할 수 있다면 휠체어를 멈추기 위해 낙하산을 왜 사용해야 하는가?

3. 개념은 기준(사양/희망 사항)에 의해 정의된 척도를 사용하여 서로에 대해 평가된다. 1980년대에 Stuart Pugh가 이러한 선별 방법을 개발하였는데, 이 방법을

종종 Pugh의 개념 선택법이라고 한다. 이 단계의 목적은 방대한 양의 개념의 수를 빠르게 좁히는 것으로, 이 장에서는 평가 행렬에 대해 자세히 설명할 것이다.

8.2 대안 어셈블리 스케치

형태학적 차트, 공학적 감각, 규격표에 제시된 다양한 기능적 대안을 사용하여 5~6개의 대안을 선택한다.

이 단계에서 당면한 요구사항에 가장 적합한 설계로 이어지는 수렴 과정이 시작된다.

대안 집합을 선택했으면 기능 집합이 아닌 장치 또는 제품을 스케치해야 하는데, 개념 스케치는 상세하지 않아도 된다. 스케치는 개념 설계를 첫 번째로 표현하는 역할을 하며, 스케치는 나중에 필요할 수 있는 세부 정보를 보여주므로 개념 평가에도 도움이 될 것이다. 기능적 메커니즘을 조립한 것은 대안을 시각적으로 개념화하는 데 도움이 되며 고객에게 발표할 기회를 제공하개 된다.

아래 그림은 기계식 환풍기에 대해 생성된 6가지 대안을 도시한 것이다. 스케치는 설계의 예술적 표현이다. 창의적인 아이디어의 시각화는 스케치로 표시되므로 설계자는 스케치 기술에 통달해야 한다.

8.3 개념적 대안 평가

이미 여러 개념이 설정되었으므로 이제는 최상의 개념을 선택하는 과정을 시작할 때이다. 여기서는 본질적으로 동일한 원칙을 따르는 두 가지 유사한 방법인 Pugh의 평가 행렬과 의사 결정 행렬을 제시했는데, 이 두 방법 모두 사양 표의 목록과 대안을 비교하는 것을 기반으로 한다. 대안은 고객의 요구를 충족해야 하므로 그렇지 않은 것은 초기 심사에서 제외된다. 또한 개념은 공학적으로 실현될 수 있어야 하며, 그렇지 않으면 2단계 심사에서 제외된다. 초기 두 단계를 통과한 개념은 고정된 기준(사양 표)과 비교하여 평가해야 한다. Pugh의 평가법은 요구사항의 완전성과 이해도를 테스트하고 가장 강력한 대안을 신속하게 식별하여 새로운 대안을 발전시키는 데 도움이 된다.

두 방법 모두 설계팀의 각 구성원이 합의된 방법을 독립적으로 수행한 후 개별 결과를 비교할 때 가장 효과적이다. 비교 결과는 팀이 결과에 만족할 때까지 계속 반복되는 기법으로 이어진다. Pugh의 평가법은 다음 단계를 거쳐 수행된다.

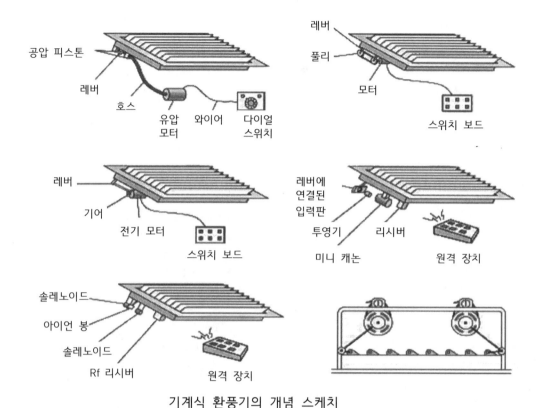

공압 피스톤
레버
호스
유압 모터
와이어
다이얼 스위치

레버
풀리
모터
스위치 보드

레버
기어
전기 모터
스위치 보드

레버에 연결된 입력판
투영기
미니 캐논
리시버
원격 장치

솔레노이드
아이언 봉
솔레노이드
Rf 리시버
원격 장치

기계식 환풍기의 개념 스케치

Step 1. *비교 기준을 선택한다.*

모든 대안이 동일한 수준의 요구사항을 충족하면 사양 표 또는 설계 기준에 평가 기준(criteria)이 나열되어야 한다. 설계 기준은 품질의 집에서 사용되기 전 이미 순서가 정해졌다는 것을 기억하라. 이때 중요도의 순서는 설계팀에서 결정한 중요도에 따라 결정된다. 희망 사항(wish)의 중요도 순서 결정에 다음과 같은 다양한 가중치 적용 방법을 사용할 수 있다.

　　a. *절대 척도(Absolute factor):* 각 희망 사항에 대해 0에서 10까지의 척도로 개별적으로 평가한다. 다른 희망 사항은 사용된 가중치 인자에 영향을 미치지 않는다.

　　b. *상대 척도(Relative scale):* 희망 사항의 척도로 0부터 100까지를 지정할 수 있다. 각 희망 사항의 값은 다른 희망 사항의 중요도에 해당하는 가중치 인자가 할당된다. 그러나 모든 가중치 인자를 더하면 100이 되어야 한다.

이 책에서는 평가 방법의 선택권이 설계 팀에게 주어졌다. 가중치 적용 방법은 속성이 최종 제품에 얼마나 중요한지에 대한 기술팀의 평가를 기반으로 이루어진다. 만약 대안이 요구사항의 충족 수준에 차이가 있다면, 요구사항을 비교 기준으로 사용할 수 있다.

Step 2. *비교할 대안을 선택한다.*

형태학적 차트에서 다양한 대안이 생성되었다. 이러한 대안 중 일부는 고객의 요구사항을 충족하지 못하거나 기술적으로 실현할 수 없다고 판단되어 대상에서 삭제된다. 그러나 초기 선별 단계를 거치면 최종 단계에서 몇 가지 대안이 남게 된다. 그러나 실행될 수 있다는 이유만으로 모든 대안이 최종 단계에 진입하는 것은 아니고, 최대 6개까지만 허용된다.

Step 3. *가중치를 부여한다.*

위에서 설명한 사항은 Pugh의 평가 행렬 또는 의사 결정 행렬 모두 공통으로 적용된다. 다음의 하위 절(subsections)에서는 각 방법에 대한 가중치 부여 방식의 차이점에 관해 설명할 것이다.

8.3.1 Pugh의 평가 행렬 (Pugh's Evaluation Matrix)

설계팀은 모든 사항을 신중하게 고려한 후, 모든 개념에 대해 평가하는 벤치마크 방법이나 기준이 될 개념을 선택하는데 그 기준은 다음 중의 하나가 될 것이다.

- 상업적으로 이용할 수 있는 제품이나 전에 만들어진 제품에 적용할 수 있는 산업 표준.
- 문제에 대한 명확한 솔루션.
- 고려 중인 대안 중 가장 유리한(설계팀의 투표에 따라 측정된) 개념.
- 다양한 제품의 최상 기능을 나타낼 수 있도록 결합된 하위 시스템의 조합.

각각의 평가는 평가 중인 개념이 기준보다 더 나은지, 거의 같은지 또는 더 나쁜지로 평가된다. 만약 평가하고자 하는 개념이 기준보다 우수하다고 판단되면 그 개념에 양의 부호(positive score) [+]를, 기준과 거의 같다고 판단되면 [0] 의 값을, 개념이 기준을 충족하지 않는다고 판단되면 음의 부호(negative score) [-]를 부여한다.

각 자료에 대한 기준과 개념을 비교한 후 양의 부호(+)의 수, 음의 부호(-)의 수, 전체 합계, 가중 합계의 4가지 점수를 생성한다. 여기서 전체 합계는 플러스 개수의 수와 마이너스 개수의 수의 차이이고, 가중 합계는 각 점수의 합계에 가중치를 곱한 값으로, 점수는 여러 가지 방식으로 해석할 수 있다.

a. 개념이나 유사 개념 집단의 전체 총점이 높거나 양의 부호(+)의 총점이 높은 경

우, 이것이 어떤 강점을 보여주는지 주목해야 한다. 즉, 데이텀(datum: 설계 기준)보다 어떤 기준을 더 잘 충족하는지 주목하라. 마찬가지로 음의 부호(-)의 점수를 그룹화하면 어떤 요구사항을 충족하기 어려운지 알 수 있다.

b. 만약 개념 대부분이 특정 기준에서 동일한 점수를 받으면 해당 기준을 자세히 검토해야 한다. 더 나은 개념을 생성하기 위해 기준 영역에 대한 더 심오한 지식을 활용해야 할 필요가 있다. 이 경우 기준이 모호할 수도 있고, 설계 팀의 구성원마다 설계 기준을 다르게 해석할 수도 있다.

c. 더 자세히 알아보려면 새 데이텀(설계 기준)을 사용하여 가장 높은 점수를 받은 개념과의 비교를 다시 수행한다. 최상의 개념이 명확하게 나타날 때까지 이 작업을 반복해서 수행해야 한다. 데이텀(설계 기준)이 고려 중인 대안 중 하나일 때 이 프로세스는 필수사항(must)이 된다.

각 팀 구성원이 이 절차를 완료한 후 전체 팀이 개별 결과와 비교해야 한다. 그런 다음 팀 평가를 해야 한다.

8.3.2 의사 결정 행렬 (Decision Matrix)

이 방법은 Pugh의 평가 행렬 방법보다 더 수치적인 접근 방식을 사용한다. 여기서 개념적 아이디어는 설계자가 작업에 적절하다고 결정된 설계 기준에 따라 평가한다. 여기서 개념적 아이디어는 행에 표시하고 설계 기준은 열에 표시한다. 설계자는 각 설계 기준에 대한 중요도 등급을 결정한다. 예를 들어 단순한 제품에 대해 "길다, 빠르다, 강하다"는 세 가지 기준만 있고 각 기준에는 다음과 같은 중요도에 대한 가중치가 있다고 가정한다.

- *길다 (Long)* : 35%
- *빠르다 (Fast)* : 50% (*빠르다가 가장 중요하다*)
- *강하다 (Strong)* : 15% (*강하다가 가장 덜 중요하다*)

모든 기준에 대한 가중치의 합은 100%가 되어야 한다. 실제 행렬에서 이들은 총 1.0으로 축소되므로 long은 0.35, fast는 0.5, strong은 0.15가 된다. 이러한 수치를 가중치 계수(Weighting Factor) 또는 W.F라고 한다.

설계자는 각 개념에 대해 각 설계 기준을 얼마나 잘 달성하는지를 1에서 10까지의 등급(10이 최고)으로 확인해야 한다. 이러한 숫자를 등급 계수(Rating Factor) 또는 R.F라고 한다.

이 예제는 정원의 나무에서 떨어진 나뭇잎을 제거하는 낙엽 제거 장치에 대한 몇 가지 개념에 관해 연구한 것이다. 여기서 설계자가 결정하는 설계 기준은 다음과 같다.

표준 부품 사용	8%
안전	12%
단순성과 유지 보수	10%
내구성	10%
대중 수용성	18%
신뢰도	20%
성능	15%
개발 비용	3%
구매자 비용	4%

이들 값을 W.F라 하며 최댓값이 1.0이 되도록 축소되었다(예: 표준 부품 사용에 대한 가중 계수는 0.08이고 안전에 대한 가중 계수는 0.12이다). 그런 다음 설계자는 이 책 전반에 걸쳐 설명한 것과 유사한 프로세스에 따라 제품의 요구사항을 충족시키기 위한 네 개의 개념적 대안을 개발한다. 이와 같은 네 가지 개념은 아래 그림에 도시되었다.

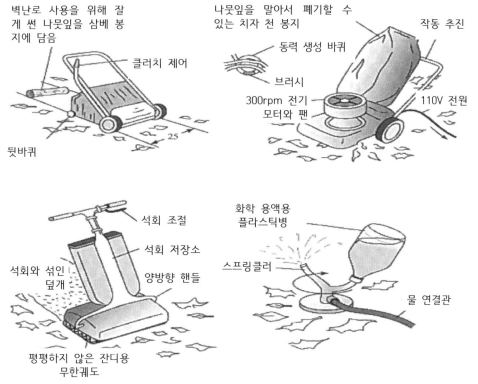

정원 낙엽 수집기의 개념 스케치

그런 다음 각 개념은 1에서 10까지의 척도(등급 계수)로 각 설계 기준에 대해 등급이 매겨지고, 이는 의사 결정 행렬 내의 각 해당 셀의 왼쪽 위의 삼각형에 배치된다(아래 의사 결정 행렬 표 참조). 아래 의사 결정 행렬 표에서 볼 수 있듯이 낙엽 수집기 (Leaf bailer) 개념의 등급 계수는 '표준 부품 사용'의 경우 3이고 '안전'의 경우 5이다.

각 셀의 오른쪽 아래 삼각형은 다음과 같이 계산되어 개별 설계 기준에 대한 각 개념적 대안의 가중 등급 계수를 나타낸다. 예를 들어, '표준 부품 사용'에 대한 낙엽 수집기(leaf bailer) 가중 등급 계수는 다음과 같이 계산된다.

$$R.W.F = R.F \times W.F = 3 \times 0.08 = 0.24$$

안전에 대해 동일한 개념을 적용하여 계산하면 다음과 같다.

$$R.W.F = R.F \times W.F = 5 \times 0.08 = 0.60$$

그런 다음 각 개념적 대안에 대한 가중 평가 요소를 더하고 각 대안에 대한 최종 합계를 비교한다. 여기서 가장 높은 평가를 받은 항목이 설정된 설계 기준에 가장 근접하게 만족시키는 개념이다. 아래 그림에 주어진 예에서 화학분해기와 진공 수집기가 비슷한 최고 등급을 가지고 있다. 이 경우 어떤 설계가 더 적합한지를 확인해야 한다. 더 나은 설계를 하기 위해 가능하다면 다른 설계의 강점 중 일부를 다른 설계에 통합하는 것도 가능하다.

기준 \ 설계 \ 가중치 \ 대안	표준 부품 사용		안전		유지 보수		단순성 및		내구성		대중 수용성		신뢰도		성능		개발 비용		구매자 비용		합계
	0.08		0.12		0.10		0.10		0.18		0.20		0.03		0.04		0.14		1
A) 낙엽 수집기	3		5		2		4		9		6		1		1		3		4.78
		0.24		0.60		0.20		0.40		1.62		1.20		0.03		0.04		0.45	
B) 진공 수집기	9		10		10		8		6		7		10		10		8		8.14
		0.72		1.20		1.00		0.80		1.08		1.40		0.30		0.40		1.24	
C) 분쇄기	5		6		7		7		8		6		3		4		5		6.16
		0.40		0.72		0.70		0.70		1.44		1.20		0.09		0.16		0.75	
D) 화학분해기	8		10		9		8		9		7		2		8		8		8.18
		0.64		1.20		0.90		0.80		1.62		1.40		0.06		0.32		1.24	

8.4 개념 평가: 기계 공장 키트(Machine Shop Kit)

설계를 전공한 학생으로 구성된 팀이 (1) 기계 공장의 도구를 사용하여 신입 공대생이 실습할 수 있고 (2) 열 과학(thermal science)을 전공한 학생들의 수업에 열에너지를 일로 변환하는 방법을 시각적으로 보여줄 수 있는 증기 동력 기계 공장 키트를 설계하도록 요청받았다.

많은 공과대학에서 스털링 엔진 키트(Stirling engine kit)가 사용되고 있는데, 여기서 개발해야 할 새로운 키트는 교육적 가치와 비용적 측면에서 기존의 스털링 엔진 키트와 경쟁할 수 있어야 한다.

스털링 엔진 키트는 스털링 엔진을 구성하는 부품을 분해한 것이 포함된 키트로 학생들이 일부 부품을 실습할 때 장비로 사용할 수 있어야 한다.

아래 그림은 설계팀이 개발한 기능 분석을 보여준 것이다. 기능을 표현한 에너지 트랙은 에너지 수신(receive energy), 에너지 전달(channel energy), 에너지 저장(store energy), 에너지 전송(transmit energy) 및 에너지 활용(utilize energy)으로 구성되어 있다.

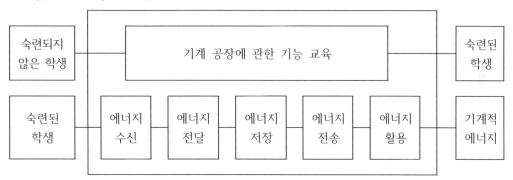

기계 공장 키트의 기능 분석

설계 팀은 이 단계에서 사양, 제조 가능성, 비용 및 기타 요인을 기반으로 대안을 제한한다. 여기서 살아남은 대안은 서로에 대해 평가된다. 사양 테이블에서 얻은 희망 사항을 기반으로 대안을 평가하기 위한 의사 결정 행렬을 구성한다. 사양은 중요도에 따라 가중치가 부여되며 1이 가장 낮고 10이 가장 높다. 개념을 평가한 후 설계팀은 하나의 대안을 최고의 대안으로 선택하는데, 이 대안은 다른 모든 대안과 비교하는 기준이 된다. 그런 다음 다른 모든 대안이 기준에 따라 평가되며 희망 사항의 기준을 초과하면 양의 부호[+]를, 희망 사항의 기준 아래에 있으면 음의 부호[-]를, 희망 사항 기준과 같으면 0으로 평가한다. 그런 다음 결과가 집계되고 점수를 평가하여 가장 높은 점수를 받은 대안이 최종적으로 제작할 설계 모델이 된다.

아래 그림은 주어진 문제에 대한 품질의 집을 보여준 것이다.

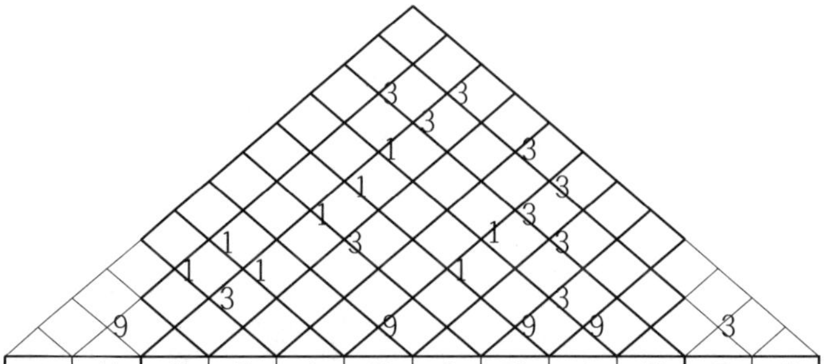

	조립 시간 < 20 hrs	부품 수 (10-15)	상해 확률 (< 0°1%)	부착 단계 (#)	소매 가격 (< $135)	부품 교환 비용 (전체 비용의 5-10%)	효율 (> 40%)	진동수 (< 2/sec)	소음 (< 60dB)	치수 (1' x6" x6")	중량 (< 20 lbs)	사용자 만족 가시도(75%)
조립												
조립이 쉬워야 한다.	9	3		1								
분해가 쉬워야 한다.	9	3		1								
조립 시간이 적절해야 한다.	9	3										
제작이 재미있어야 한다.	1											
부품이 너무 많지 않아야 한다.	9	9			3	1		3	1	1	3	
안전												
오염이 적어야 한다.		9				1						
칩이 날아다니지 않아야 한다.			9									
모서리가 날카롭지 않아야 한다.			9									
비용												
판매가가 경쟁사보다 낮아야 한다.					9	1						
부품 교체 비용이 적어야 한다.					3	9						
재료가 비싸지 않아야 한다.					9	3					3	1
성능												
에너지 변환이 효율적이어야 한다.		3		1			9	3				
진동이 낮아야 한다.							3	9	3	1		
에너지 소모가 낮아야 한다.							3	1				
소음이 작아야 한다.							1	3	9			
물리적 요구사항												
이동할 수 있어야 한다.										9	9	
강한 재질이어야 한다.				3					1		3	
부식되지 않아야 한다.				1								3
가벼워야 한다.		3		1					1	3	9	
미관이 수려해야 한다.												9

기계 공장 키트의 품질의 집

아래 그림은 설계팀이 개발한 형태학적 차트를 보여준 것이다.

	Option 1	Option 2	Option 3	Option 4	Option 5	Option 6	Option 7
수신	개방 실린더	스프링	막힌 실린더				
보내기	깔때기	연결기	축	기어	튜브	피스톤	
저장	플라이휠	피스톤	콘덴서	프로펠러	축	튜브	
전송	축	벨트	기어	스팀 휠			
사용	휠 & 축	로드	프로펠러	연결기	기어	플라이휠	풀리

기계 공장 키트의 형태학적 차드

이 예제에서는 6가지의 서로 다른 개념 설계가 개발되었으며, 아래 그림은 이러한 다양한 개념을 도식적으로 나타낸 것이다.

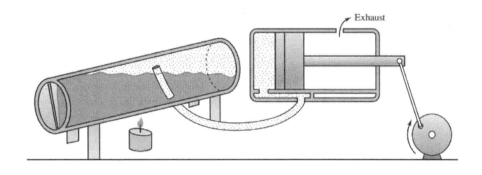

기계 공장 키트의 개념 I

기계 공장 키트의 개념 II

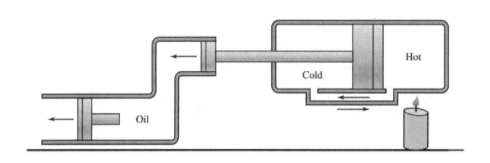

기계 공장 키트의 개념 III

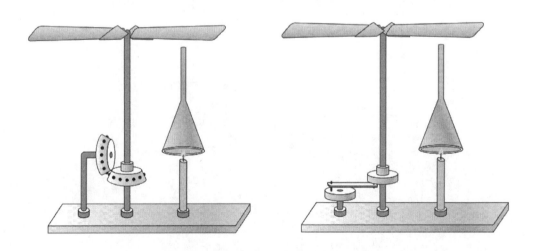

기계 공장 키트의 개념 IV   기계 공장 키트의 개념 V

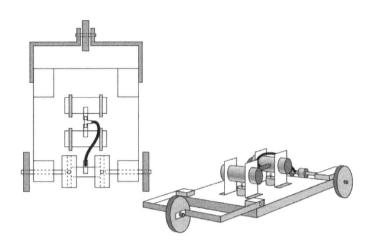

기계 공장 키트의 개념 VI

	목표 가중치	스케치 1	스케치 2	스케치 3	스케치 4	스케치 5	스케치 6	
조립이 쉽다.	7	0	0	0	+	0	+	
분해가 쉽다.	7	0	0	0	+	+	+	
작업자 안전	10	0	0	0	0	0	0	
저 진동	5	+	−	+	0	0	0	DATUM
이동성	4	−	0	0	0	0	+	
날카로운 모서리 없음	6	+	0	+	−	−	0	
경쟁사보다 낮은 소매가	9	+	+	+	+	+	+	
에너지 효율 전환	10	−	0	0	0	0	0	
흩날리는 파편 없음	8	0	0	0	0	0	0	
낮은 오염	3	0	0	0	0	0	0	
낮은 부품 교체 비용	7	+	0	0	+	+	+	
저 소음	4	0	+	+	0	0	+	
강한 재료	6	0	0	0	0	0	−	
저 에너지 소실	8	+	0	0	−	0	−	
심미적 외관	5	−	0	−	0	0	+	
양의 부호 (+) 합계		5	2	4	4	3	7	
음의 부호 (−) 합계		3	1	1	2	1	2	
전체 합계		2	1	3	2	2	5	
가중치 합계		16	8	19	16	17	29	

기계 공장 키트의 평가표

위의 6가지 개념에 대해 평가한 결과 가중치 합계가 29로 가장 높은 개념 VI이 최종적인 설계 모델로 사용될 것이다.

8.5 개념 평가: 자동 캔 분쇄기

형태학적 차트에서 가능한 많은 장치의 대안 조합을 얻을 수 있지만 이러한 프로세스가 모두 긍정적이거나 효과적으로 수행될 수 있는 것은 아니다.

자동 캔 분쇄기의 개념이 아래 그림에 나와 있다. 사양 테이블에서 얻은 희망 사항을 기반으로 대안을 평가하기 위한 의사 결정 행렬을 구성한다. 개념에 대한 평가는 기계 공장 키트와 같은 방법으로 평가되어 가장 높은 점수를 받은 대안이 최종적인 설계 모델이 된다.

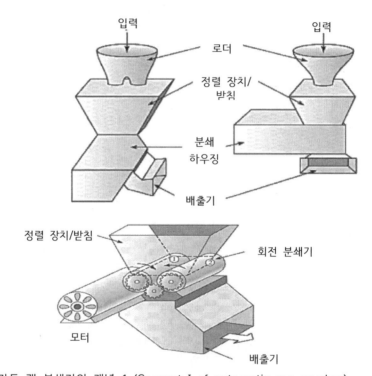

자동 캔 분쇄기의 개념 1 (Concept Ⅰ of automatic can crusher)

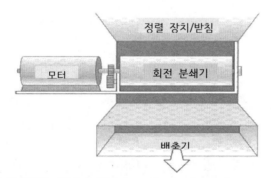

자동 캔 분쇄기의 개념 2 (Concept Ⅱ of automatic can crusher)

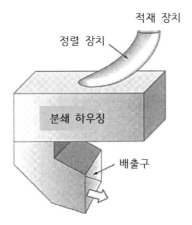

적재 장치

정렬 장치

분쇄 하우징

배출구

자동 캔 분쇄기의 개념 3 (Concept III of automatic can crusher)

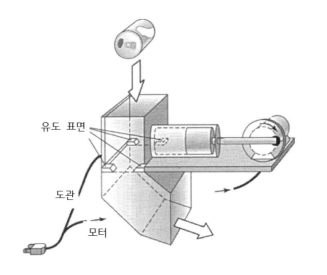

유도 표면

도관

모터

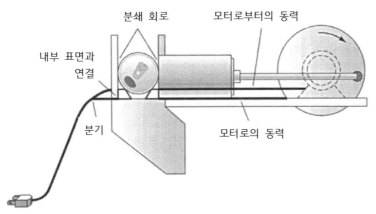

분쇄 회로

모터로부터의 동력

내부 표면과
연결

분기

모터로의 동력

자동 캔 분쇄기의 개념 4 (Concept IV of automatic can crusher)

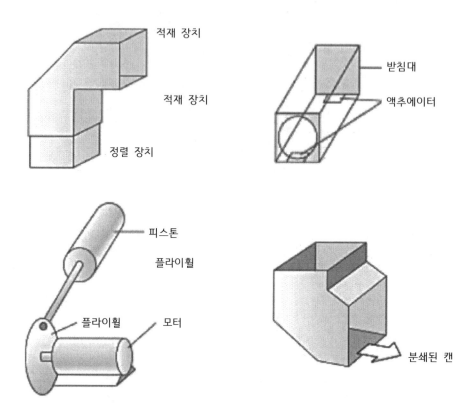

적재 장치

적재 장치

정렬 장치

받침대

액추에이터

피스톤

플라이휠

플라이휠

모터

분쇄된 캔

자동 캔 분쇄기의 개념 5 (Concept V of automatic can crusher)

기준(Criterion)	가중치	개념 (Concepts)				
		I	II	III	IV	V
문이 열리면 작동 불가	10	0	0	0	0	
표준 110V 콘센트에서 동작	7	0	0	0	0	D
소비자가 < $50	9	0	0	0	0	A
유리, 플라스틱 분쇄에 충분한 힘	3	0	0	0	0	T
분쇄된 캔의 대용량 저장	5	0	0	0	0	U
비상정지 스위치에 쉽게 접근	3	0	0	0	0	M
날카로운 모서리 없음	10	0	0	0	0	
쉽게 시작할 수 있음	8	0	0	0	0	
쉽고 즉각적으로 정지	9	0	0	0	0	
중간에 동작 정지 가능	8	0	0	0	0	
기계에서 잔류 유체 배출	10	0	0	0	0	
낮은 진동	8	0	0	0	0	
주변에서 작동하는 작은 힘	8	0	0	0	0	
충격 흡수	8	0	0	0	0	
효율이 높은 엔진	8	0	0	0	0	
높은 재료 강도	9	0	0	0	0	
작은 힘으로 스위치 작동	9	0	0	0	0	
안전 스티커	9	0	0	0	0	
리셋 버튼	9	0	0	0	0	
파편이 날아다니지 않아야 함	9	0	0	0	0	
작동 단계 스티커	9	0	0	0	0	
낮은 적재 높이	7	0	0	0	0	
내부 접근성 좋음	7	0	0	0	0	
접근할 수 없는 분쇄 메커니즘	10	−	0	−	0	
분당 많은 양의 캔 분쇄	9	+	+	0	0	
설계에 중력 활용	4	0	0	0	0	
낮은 소음 출력	5	0	0	0	0	
즉시 시작	5	0	0	0	0	
걸린 캔 쉽게 제거	6	−	−	0	0	
대용량 적재 장치 (loader)	5	+	+	0	0	
장기간 동작 가능	7	0	0	0	0	
부품 쉽게 구매	8	−	−	0	0	
액체에 안전한 내부 부품	9	0	0	0	0	
낮은 운영 비용	5	0	0	0	0	
쉬운 청소	6	−	−	0	0	
쉬운 분해	6	0	0	0	0	
주요 축을 따라 분쇄	2	0	0	0	0	
배기가스 없음	2	0	0	0	−	
양의 부호 (+) 합계		2	2	0	0	
음의 부호 (−) 합계		4	3	1	1	
전체 합계		−2	−1	−1	−1	
가중치 합계		−16	−6	−10	−2	

설계 평가: 여기에서는 열 V가 기준이다.

8.6 과제 (PROBLEMS)

8.6.1 팀 활동 (Team Activities)

1. 공학 스케치 능력을 향상하기 위해 종이 종이찍개(Stapler)를 준비하고, 이것을 기본 구성 요소로 분해한다. 구성 요소를 스케치한 다음 조립된 종이찍개를 스케치한다.

2. 설계자가 어떤 아이템을 실현할 수 없다는 것을 알고 있다면 왜 그들을 형태학적 차트에 항목(기능 데모)을 배치할까?

3. 공학적 감각에 대해 정의하라. 만약 누군가가 초당 10cm의 속도를 보여달라고 요청한다면, 공학적 감각을 사용하여 어떻게 그것을 보여줄 것인가?

4. 만약 직감이 이러한 대안 중 하나를 가리키고 있다면, 왜 대안을 평가해야 하나?

8.6.2 개별 활동 (Individual Activities)

1. 다음 사항을 주제로 논의하라. "각 기능에 대해 서로 다른 대안을 사용하면 설계 엔지니어가 전체 설계를 변경하는 대신 문제가 있는 해당 특정 요소만 대체할 수 있다."

2. 가중치를 절대 척도와 상대 척도를 사용하면 어떤 차이가 있나? 어느 것을 추천하고 그 이유는 무엇인가?

3. 팀이 아닌 개별적으로 다양한 대안을 평가하는 이유는 무엇인가?

4. 이 장에 제시된 모든 예에서 설계 팀은 평가 기준을 설정할 기회가 있다(따라서 디자인 팀에 의해 편향될 수 있음). 당신이 현재 자동차 회사의 설계 매니저라면 평가 기준을 설정하기 위한 메커니즘으로 무엇을 사용할 것인가?

    a. 평가를 어떻게 할 것인가?

    b. 품질의 집(House of Quality)은 평가 메커니즘에 어떻게 기여했나?

5. 어떤 기능을 만족시키는 메커니즘 또는 표현이 다른 기능(들)과 결합하기 어렵다고 판단되면 어떻게 하겠는가? 그리고 그 이유는 무엇인가?

6. 평가 차트를 두 번 이상 수행해야 하는 상황을 설명하라.

제9장 구현 설계 (Embodiment Design)

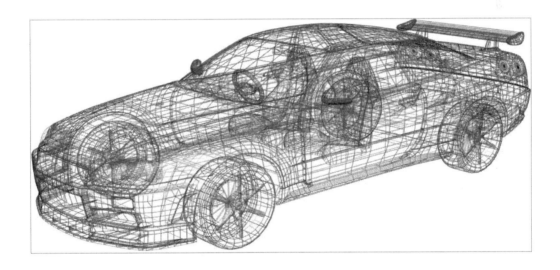

이 단계에서 설계 팀은 개념 스케치를 통해 정보를 제시함으로써 구현 설계를 시작한다. 이러한 스케치는 제품 도면으로 미세 조정된다. *(Arogant/Shutterstock)*

9.1 목표 (OBJECTIVES)

이 장의 학습을 통해 다음과 같은 사항을 수행할 수 있다.

1. 제품을 표현하는 다양한 유형을 주제로 토론할 수 있다.

2. 프로토타입과 실물모형의 차이점을 주제로 토론할 수 있다.

3. 재료 명세서(BOM : Bill of material)를 만들 수 있다.

4. X를 위한 설계라는 용어를 이해할 수 있다.

앞의 두 장을 통해 형태학적 차트를 사용하여 요구사항을 수행하는 다양한 장치가 파생되었다는 것을 알 수 있다. 여기에서 개념은 그다지 자세하게 스케치 되지 않았지만, 이 스케치는 장치를 구성하는 주요 기능을 나타내는 하나의 방식이다.

이 개념은 다음과 같은 세 단계를 기반으로 평가된다. 첫 번째 단계는 개념을 사양표에 적용하는 것이다. 개념이 요구사항을 통과하면 타당성 테스트가 수행된다. 개념이 이와 같은 처음 두 단계를 통과하면 Pugh 또는 의사 결정 행렬법을 기반으로 상대 평가한다. 이 단계의 설계 프로세스에서 설계 팀은 구현 설계라는 단계를 시작하는데, 구현(*embody*)이라는 단어는 "특정한 표현을 하는 것"임을 의미한다.

이 장에서는 평가 기준을 통과한 개념의 표현에 관해 설명한다. 그림을 통해 정보를 제시하는 아이디어는 형태학적 차트에서 다른 개념이 생성될 때 도입되었다. 개념을 제시하는 스케치는 상세하지 않고, 단순히 개념을 생성하는 다양한 기능 메커니즘의 조합을 보여주기에 충분한 정보를 제공한다.

설계 프로세스는 반복 프로세스라는 점을 다시 강조할 필요가 있는데, 이는 추가 개선이 필요할 경우(골격 스케치 후 또는 평가 단계에 있는 동안) 설계자는 개념 단계로 돌아가 다시 반복하여 새로운 개념을 생성해야 한다는 것을 의미한다. 이 프로세스의 단점은 시간이 오래 걸린다는 점이지만 이 또한 이벤트 일정 작성 초기에 그 시간을 계산하여 작성해야 한다. 기능적 구조와 형태학적 차트를 사용하면 설계자는 문제가 발생해도 다시 시작하지 않고 설계의 구성 요소를 쉽게 교체할 수 있다. 목표 트리와 품질의 집은 평가 기준을 제공하는데, 이 단계는 경계가 잘 정의되어 있으므로 반복 프로세스를 쉽게 만들 수 있다.

공학 세계에서는 도면을 통해 정보를 전달하는데, 제품의 분석, 제작, 조립은 도면을 기반으로 이루어진다. 다음 절에서는 설계 팀에 필요한 도면의 유형에 관해 설명할 것이다.

9.2 제품 도면 (PRODUCT DRAWINGS)

설계 프로세스에서 도면은 다음과 같은 목적으로 사용될 수 있다.

1. 도면은 공학 세계에서 선호되는 데이터 통신의 형식이다.

2. 도면은 설계자와 제조 인력 간 아이디어를 전달하는 데 사용된다.

3. 도면은 제품 작동 시뮬레이션에 사용할 수 있다.

4. 도면은 제품의 완성도를 확인하기 위한 용도로 사용될 수 있다.

도면은 다양한 수준에서 사용할 수 있는 다양한 유형의 도면이 있다.

1. **스케치(배치 도면)-개념 설계**: 설계 프로세스의 개념화 단계에서 각 기능 또는 하위 기능의 다양한 메커니즘을 스케치하여 장치 제작에 사용한다. 스케치는 장치의 완전성을 나타내는 것으로, 주요 구성 요소와 연관된 개발을 지원하는 작업 문서로 중요 치수만 배치도에 기재하고, 중요하지 않은 공차는 기재하지 않는다.

2. **조립도-구현 설계**: 조립도의 목표는 구성 요소가 서로 어떻게 결합하는지를 보여주기 위한 것이다. 아래 그림은 일반적인 조립도를 보여준 것으로, 조립도에는 다음과 같은 특징이 있다.

    a. 각 구성 요소는 모든 구성 요소의 목록을 참조하는 번호로 식별된다.

    b. 명확하지 않은 정보를 설명하는 데 필요한 상세 뷰가 포함되어 있다.

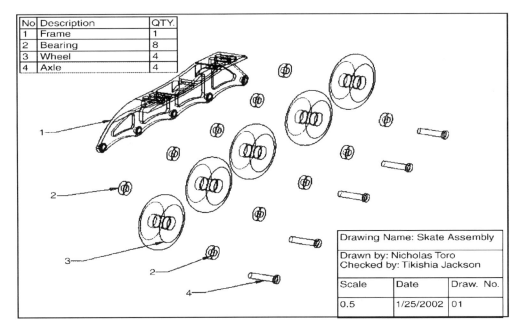

No	Description	QTY.
1	Frame	1
2	Bearing	8
3	Wheel	4
4	Axle	4

Drawing Name: Skate Assembly

Drawn by: Nicholas Toro
Checked by: Tikishia Jackson

Scale	Date	Draw. No.
0.5	1/25/2002	01

3. **상세도-상세 설계(Detail drawings-DETAILED DESIGN):** 제품이 발전함에 따라 개별 구성 요소의 세부 사항도 발전한다. 이러한 유형의 도면은 상세 설계 단계에서 모든 치수가 결정되었을 때 만들어지며, 상세 설계는 다음 장에서 논의할 것이다. 아래 그림은 일반적인 상세 도면을 도시한 것으로 상세 도면의 중요한 특성은 다음과 같다.

   a. 모든 치수는 공차를 포함해야 한다.

   b. 재료와 제조에 대한 세부 사항은 명확해야 하며 특정 언어로 표시되어야 한다.

이러한 도면은 Auto Cad와 같은 컴퓨터 지원 설계(CAD) 시스템을 사용하여 작성한 것이다.

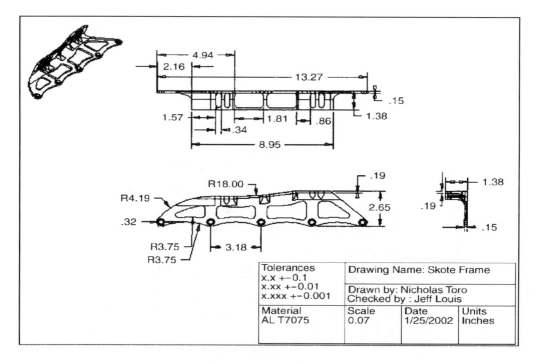

9.3 프로토 타이프 (PROTOTYPE)

공학 설계의 실험 단계에서는 종이 도면을 하드웨어로 변환해야 하는데, 이것은 개념의 실행 가능성을 검증하기 위한 것이다. 이를 위해 설계자는 다음과 같은 4가지 구성 기술을 사용할 수 있다.

1. **모형(Mock-up):** 이것은 일반적으로 플라스틱, 목재, 판지 등으로 만들어 설계자에게 자신의 설계에 대한 느낌을 주기 위한 것이다. 이것은 클리어런스, 조립 기

술, 제조 고려 사항 및 외관을 확인하는 데 사용된다. 이것은 비용이 가장 적게 드는 기술로 만들기 쉽고, 고객이나 경영진에게 아이디어를 판매하는 도구로 사용할 수도 있다. 이것은 종종 CAD 시스템의 솔리드 모델로 대체될 수 있다. 일반적으로 모형은 개념을 프로토타입으로 증명하기 위한 것으로 간주할 수 있다.

2. **모델(Model):** 모델은 수학적 시뮬레이션을 통해 시스템의 물리적 동작과 연관시키기 위한 것이다. 모델을 만드는 것은 일반적으로 제품의 프로토타입을 증명하는 것으로 간주할 수 있는데, 실제 시스템의 동작을 예측하기 위해 사용하는 모델은 다음과 같이 다양하다.

   a. **실제 모델(True model):** 실제 모델은 실제 시스템을 기하학적으로 정확하게 재현할 수 있도록 규격에 맞게 제작된 모델로, 설계 매개 변수에 의해 부과되는 모든 제한 사항을 충족한다.

   b. **적정 모델(Adequite model):** 적정 모델은 설계의 특정 특성을 시험하기 위해 구성된 모델로 전체 설계에 관한 정보를 산출하기 위한 것이 아니다.

   c. **왜곡 모델(Distorted model):** 왜곡 모델은 의도적으로 하나 이상의 설계 조건을 위반한 모델이다. 이 모델은 시간적, 물질적, 물리적 특성상 특정 조건을 충족하기 어렵거나 불가능한 경우에 요구되는 경우가 많으며, 왜곡을 통해 신뢰할 수 있는 정보를 얻을 수 있다고 판단된다.

3. **프로토타입(Prototype):** 이것은 비용이 가장 많이 드는 기술로 가장 많은 양의 유용한 정보를 생성할 수 있는 기술이다. 프로토타입은 실제 크기로 제작되어 실제적인 물리적 시스템을 작동할 수 있다. 프로토타입은 포괄적이거나 특정 부분에 집중적일 수도 있다. 포괄적 프로토타입은 전체 제품의 실제 크기로 완전하게 작동하는 버전에 해당한다. 포괄적 프로토타입의 예로 베타 프로토타입이 있으며, 이는 생산에 투입되기 전에 남아 있는 설계의 결함을 식별하기 위해 고객에게 제공된다. 이와 대조적으로 특정 부분에 초점이 맞춰진 프로토타입은 하나 또는 몇 개의 제품 요소에 해당한다. 초점이 맞춰진 프로토타입의 예로는 제품의 다양한 형태를 탐색하는 데 사용되는 폼(foam) 모델을 들 수 있다.

4. **가상 프로토타입(Virtual prototyping):** CAD(Computer-Aided Design) 및 CAE(Computer-Aided Engineering) 소프트웨어는 3D 기능을 기반으로 하는 모델링 기능을 제공하므로, 가상 프로토타이핑의 목표를 달성할 수 있다. 솔리드 모델링은 기하학적 구조를 사용하여 제품 모델을 신속하게 시각화하고 전체 간섭 문제를 감지할 수 있게 한다. 특징 기반 모델링 소프트웨어의 고유한 기능

중 하나가 설계 변경을 자동화하는 기능이다. 이것은 상세한 솔리드, 시트 금속 구성 요소 생성, 조립품 제작, 용접 설계, 완전하게 문서로 만든 제작 도면, 사진과 동일한 렌더링을 위한 통합 기능을 제공한다.

특징 기반 모델링은 공통 특징을 생성하는 데 필요한 명령을 결합하여 구축된다. 예를 들어, 지정된 치수의 구멍을 생성하는 명령과 구멍의 부품을 유지하기 위한 관계의 조합은 구멍이라는 이름이 지정된 특성(feature)에 저장된다.

파라메트릭 모델링을 사용하면 매개 변수 측면에서 부품의 치수를 표시할 수 있다. 가상 프로토타이핑은 제조 및 분석에서 가장 큰 성과를 거둘 수 있다. 솔리드 모델을 유한 요소 해석 도구의 기반으로 사용하면 프로토타이핑 시간이 단축되고 비용이 절감된다. 파라메트릭 기능을 기반으로 한 모델은 제조에서 실행될 수 있는 프로토타입 생성에 필요한 시간을 줄여준다.

9.4 X를 위한 설계(DESIGN FOR "X")

실제 산업 환경에서는 소규모 공학 설계 프로젝트와 달리 비 공학 팀을 포함하여 많은 팀이 신제품 제작에 기여하고 있다. 경쟁력과 단기간에 신뢰할 수 있고 시장성이 있으며 안전하고 비용이 적게 드는 제품을 생산하기 위해 제품에 몇 가지 특성을 적용할 수 있다. 다양한 활동을 통해 이러한 속성을 통합하고 비용에 효율적인 이점을 유지하기 위해 동시 공학이라는 프로세스가 개발되었다. 이러한 접근법은 시스템 이론 사고(systems theory thinking)를 의미하는데, 이와 같은 프로세스의 주요 목표는 시너지효과를 내는 데 있다.

이러한 다양한 속성(예: 제조 가능성, 조립, 환경, 안전 등)에 대한 설계를 일반적으로 "X"에 대한 설계라고 한다.

9.4.1 제조를 위한 설계(Design for Manufacturing)

제조를 위한 설계(Design for Manufacturing: DFM)는 높은 품질의 제품 표준을 유지하며 시장 출시 시간 최소화와 생산 비용 최소화를 기반으로 하고 있다. 제조를 위한 설계(DFM)는 재료와 프로세스의 선택에 대한 지침을 제공하고, 제품 설계의 모든 단계에서 부품과 공구 비용을 추정할 수 있다. 인터넷을 검색하면 DFM에 대한 요소를 수행하여 회사의 기능을 쉽게 하는 제품 및 소프트웨어를 판매하는 여러 회사를 찾을 수 있다. DFM은 다음 사항을 포함하고 있다.

  1. 설계할 때 사용되는 부품의 비용을 신속하고 정확한 방식으로 검토하기 위한

정확한 견적 산출

2. 설계 팀이 실시간 정보를 기반으로 결정을 내려 제품 개발 시간을 단축할 수 있도록 정량적 비용 정보를 제공하는 동시 공학 구현

3. 비용 동인(cost driver)의 편향되지 않은 세부 정보로 공급자와 협상할 기회 제공

4. 시장성과 목표 비용을 결정하기 위해 경쟁사의 제품에 대한 설계와 비교하는 경쟁사 벤치마킹

프로세스 중심 설계, 그룹 기술(group technology), 고장 모드 및 영향 분석, 가치 공학, Taguchi 방법과 같은 분석을 평가하기 위한 여러 방법이 제조를 위한 설계(DFM)에 사용되고 있다.

9.4.2 조립을 위한 설계(Design for Assembly)

조립을 위한 설계(Design for Assembly: DFA)는 다양한 부품과 구성 요소를 최종 제품으로 쉽게 조립하는 방법에 관한 연구이다. 적은 수의 부품과 쉬운 조립은 전체 제품의 비용을 줄이는 데 기여할 수 있으며, 모든 부품을 DFA로 확인해야 한다. 각 부품이 정말로 필요한 부품인지, 다른 부품과 통합하는 것이 더 나은지, 더 간단하고 비용이 적게 드는 유사한 기능 부품으로 교체해야 하는지를 판단해야 한다. 제조를 위한 설계와 조립을 위한 설계를 모두 통합하면 해당 제품의 요구사항을 제조 가능성 및 조립 기능과 일치시켜 특정 제품의 경쟁력과 성공에 기여할 수 있다.

9.4.3 환경을 위한 설계(Design for Environment)

최근에는 전 세계적인 환경 법규의 신속한 이행과 환경을 생각하는 제품의 추세로 인해 수명이 다한 제품의 폐기에 대한 책임이 제조업체에 주어지고 있다. 이제 제조업체는 환경을 위한 설계(Design for Envirnment: DFE)를 적용하는 규칙을 설계 중에 구현해야 한다. 제조업체는 환경 및 비용의 효율성을 높일 수 있는 제품을 미리 설계함으로써 준비 없이 동일한 문제에 직면한 반응이 느린 경쟁업체보다 우위를 점할 수 있다. DFE는 수명이 다한 제품의 분해와 연계하여 제품 설계의 비용 편익과 환경적 영향과 관련이 있음을 알 수 있다. 이러한 정량적 정보를 사용하여 제품 설계의 초기 개념 설계 단계에서 정보에 입각한 의사 결정을 내릴 수 있다.

9.5 안전 고려 사항(SAFETY CONSIDERATIONS)

공학 설계에서 매우 중요한 고려 사항 중의 하나가 제품이 사람에게 안전해야 한다는 것이다. 최근 몇 년 동안 법원의 책임 있는 결정은 안전의 중요성을 더욱 강조하는 추세이다. 설계 프로세스 중에 사용되는 안전 기능에 관한 것은 다음과 같은 사항을 포함하고 있다.

1. 기본 설계에 대한 사고 예방 요구사항 개발

2. 설계검토에 참여

3. 제품 설계 주기 동안의 위험 분석 수행

9.5.1 안전 분석 기법(Safety Analysis Techniques)

설계 단계 및 신뢰성 분석 단계에서 안전성 분석에 고장 모드 및 영향 분석(FMEA: failure modes and effect analysis)과 결함트리(fault trees)라는 두 가지 기법을 적용할 수 있다.

고장 모드 및 영향 분석(Failure Modes and Effect Analysis)

이 방법은 원래 비행 제어 시스템의 설계 및 개발에 사용하기 위해 개발되었는데, 안전의 관점에서 초기 단계에서 설계를 평가하는 데에도 사용할 수 있다. 기본적으로 이 기법은 각 부품의 잠재적 고장 모드와 부품 및 인간에 대한 영향을 나열해야 한다. 이 기법은 다음과 같이 7단계로 나눌 수 있다.

1. 시스템 경계 및 요구사항 정의.

2. 모든 항목 나열.

3. 각 구성 요소 및 관련 고장 모드 식별.

4. 각 실패 모드에 대한 실패 발생 확률 또는 실패율 할당.

5. 해당 항목 및 사람에 대한 각 고장 모드의 영향 나열.

6. 각 가능한 실패 모드에 대한 주의사항 입력.

7. 적절한 시정 조치의 검토 및 실시.

결함트리 (Fault Trees)

이 기술은 다양한 기호를 사용하는데, 이것은 가장 상위 이벤트라고 하는 불안전한 이벤트를 식별하는 것으로부터 시작한다. 그 후 "이 이벤트가 어떻게 발생할 수 있을까?"라고 연속적으로 묻는다. 이 프로세스는 결함 이벤트를 더이상 전개할 필요가 없을 때까지 계속된다. 기본 또는 주요 결함 이벤트에 대한 발생 데이터가 알려지면 상위 이벤트에 대한 발생 척도를 계산할 수 있다.

9.6 인적 요인 (HUMAN FACTORS)

인간에 익숙하거나 낯선 환경에 대한 인간의 반응을 고려하는 과학을 인간공학, 인간 수행 및 인간공학을 비롯한 여러 용어로 부르고 있다. 주어진 환경에 인간을 적응시키는 것은 거의 불가능하므로 인간을 환경에 적응시키는 방법을 고안해야 한다. 인간의 행동은 공학 시스템의 성공에 매우 중요하므로 일반적인 인간 행동을 설계 단계에서 고려하는 것이 중요하다. 인간 행동은 다음과 같은 일반적인 것을 포함하고 있다.

1. 사람들은 종종 오류를 인정하기를 꺼린다.

2. 사람들은 보통 다른 것을 생각하면서 작업을 수행한다.

3. 사람들은 지침과 라벨을 자주 잘못 읽거나 간과한다.

4. 사람들은 종종 긴급 상황에서 비합리적으로 대응한다.

5. 장기간에 걸쳐 위험한 물건을 성공적으로 취급한 후 상당한 비율의 사람들이 현실에 안주하게 된다.

6. 대부분 사람은 오류에 관해 서술된 절차를 다시 확인하지 못한다.

7. 사람들은 일반적으로 속도, 간격 또는 거리를 제대로 평가하지 못한다. 그들은 자주 짧은 거리를 과대평가하고 먼 거리를 과소평가한다.

8. 사람들은 일반적으로 관찰하는 데 필요한 시간을 갖기에는 너무 참을성이 없다.

9. 사람들은 종종 시력이 좋지 않거나 조명이 부족하여 물체를 잘 볼 수 없다는 사실을 인정하기를 꺼린다. 그들은 일반적으로 검사를 위해 손을 사용한다.

10. 사람들은 전화를 걸거나, 자동차를 운전하거나, 오실로스코프를 관찰하거나, 컴퓨터를 사용하거나, 선반에서 부품을 형성할 때마다, 감지, 의사 결정, 그리고 근육의 힘을 공학 시스템에 결합한다. 아래 그림은 인간을 효율적인 인간-기계 시스템의 필수적인 부분으로 간주하는 구성 요소의 결합을 보여준 것이다.

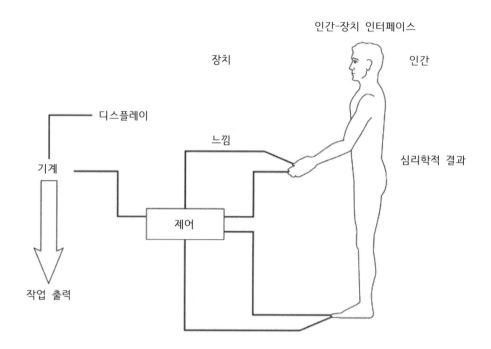

인간-장치 인터페이스

장치   인간

디스플레이

느낌

심리학적 결과

기계

제어

작업 출력

9.6.1 인간의 감각 능력(Human Sensory Capabilities)

인간의 감각 능력은 다음과 같은 것을 포함하고 있다.

1. *시력(Sight):* 사람의 눈은 각도나 위치에 따라 다르게 보인다. 예를 들어, 정면을 바라볼 때 눈은 모든 색을 인지할 수 있지만, 시야각이 증가함에 따라 인간의 지각은 감소하기 시작한다. 색채감각의 한계는 아래 표에 나와 있다. 또한 밤이나 어두운 곳에서는 작은 크기의 주황, 파랑, 초록, 노랑 등은 멀리서 구분하는 것이 불가능하다.

인간의 색에 대한 시력

Situation	Green	Blue	Yellow	White	Green-Red	Red
수직	40°	80°	95°	130°	–	45°
수평	–	100°	120°	180°	60°	–

2. *소음(Noise):* 고도의 집중력을 요구하는 작업 수행의 품질은 소음의 영향을 받을 수 있다. 소음이 과민성, 지루함, 웰빙과 같은 사람들의 감정에 기여한다는 것은

기정사실이다. 90dB의 소음 수준은 해가 없는 것으로 간주하지만, 100dB 이상은 안전하지 않은 것으로 간주한다. 130dB을 초과하는 수준은 불쾌한 것으로 간주하며 실제로 해로울 수 있다.

3. **촉각(Touch):** 촉각은 눈과 귀를 통해 뇌로 전달되는 정보를 추가하거나 대체할 수 있다. 예를 들어, 터치만으로 손잡이 모양을 구분할 수 있다. 예를 들어 이 능력은 전원이 꺼지고 빛이 없을 때 유용할 수 있다.

4. **진동과 운동(Vibration and motion):** 진동이 장비 작업자의 신체적, 정신적 작업 수행 능력 저하의 일부 또는 전부에 기인할 수 있다는 것은 인정되는 사실이다. 예를 들어 눈의 피로, 두통 및 멀미는 저주파, 큰 진폭의 진동으로 인해 발생할 수 있다.

5. 진동과 움직임의 영향에 대한 유용한 지침은 다음과 같다.

   a. 진폭이 0.08mm보다 큰 진동은 제거한다.

   b. 가능한 한 충격 흡수 장치 및 스프링과 같은 장치를 사용한다.

   c. 완충 재료 또는 쿠션이 있는 시트를 사용하여 가능하면 진동을 줄인다.

   d. 앉아 있는 사람은 수직 진동의 영향을 가장 많이 받으므로 이 정보를 사용하여 수직 진동을 줄인다.

   e. 앉은 자세에서 사람의 수직 몸통의 공명 주파수는 초당 3~4주기이므로, 초당 3~4주기의 진동을 발생시키거나 전달할 수 있는 좌석은 피한다.

9.7 과제 (PROBLEMS)

9.7.1 팀 활동 (Team Activities)

1. 일반 종이찍개와 홀 펀처 설계에 대해 생각하자.

   a. 기능 트리를 그린다.

   b. 기능을 수행하는 데 사용된 개별 요소를 스케치한다.

   c. 전체 장치를 스케치한다(요소를 결합하여 전체 장치 구성).

   d. 장치에 대한 제한된 재료 명세서(BOM)를 작성한다.

제10장 상세 설계(Detailed Design)

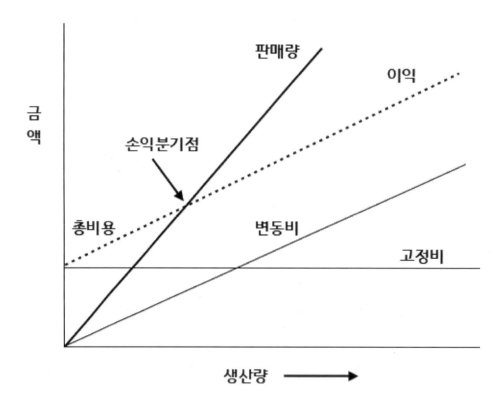

손익 분기 차트는 제품의 판매가격 및 제조 비용에 대한 손익을 그래픽으로 표시한 것이다.

10.1 목표(OBJECTIVES)

이 장의 학습을 통해 다음과 같은 사항을 수행할 수 있다.

1. 상세 설계 단계를 이해할 수 있다.

2. 제품에 맞는 공학 재료를 식별하고 선택할 수 있다.

3. 재료 명세서(BOM: Bill of material)를 작성할 수 있다.

4. 이 장에서 소개한 기법을 사용하여 설계 비용을 평가하고 분석할 수 있다.

상세 설계 단계는 제조 및 생산이 시작되기 전 수행하는 공학 설계 프로세스의 마지막 단계이다. 대부분의 공학 학위 과정의 교과과정은 세부 설계 단계의 체제 내에 있다. 일반적으로 해석 및 시뮬레이션을 수행하는 이 단계에서 설계자는 각 부품에 적합한 재료를 선택하고 제품의 치수 및 공차를 정확하게 계산해야 한다. 필요할 경우 이 프로세스에서 정적 또는 동적 하중, 응력, 힘, 온도, 압력, 유체 역학, 전류, 저항, 화학 반응 등과 같은 변수 계산이 포함될 수 있다. 설계자는 이 단계에서 제품의 무고장(non-failure)에 대한 최소 요구사항이 설계 한계 내에 있는지 확인하기 위해 적절한 안전 계수를 설계에 적용해야 한다. 이러한 각 변수는 그 자체가 올바른 지식영역으로 명백히 이 책의 범위를 벗어나지만 상세 설계의 첫 번째 단계에 대한 소개가 이 장에 요약되어 있다.

10.2 해석(ANALYSIS)

제품이 잘 정의되면 완전한 해석을 할 수 있다. 해석 프로세스에서는 설계의 안전 문제 측면에서 설계의 무결성을 평가하고 요구사항에 맞는 재료를 선택한 후 관련 비용을 계산해야 한다.

해석 절차는 다음과 같다.

Step 1. 각 구성 요소에 작용하는 힘을 계산하여 설계 안전성을 확인하고, 이러한 구성 요소와 관련된 응력을 평가한다.

Step 2. 응력 요구사항을 충족하는 재료를 나열한다. 독자는 어느 정도 물리적 배경을 가지고 있어 힘의 개념을 알고 있다고 가정한다. 다음 절에서는 재료 선택과 응력의 개념을 소개한다.

Step 3. 이 단계에서 독자는 해석에 관한 전문가의 의견을 구할 것을 권장한다. CAD 모델을 해석 모드에 통합하는 소프트웨어를 사용할 수 있다. 독자는 해당

기관에서 해석용 소프트웨어를 사용할 수 있는지 조사해야 한다.

1, 2, 3단계는 최적의 결과를 얻을 때까지 반복한다.

Step 4. 구성 요소의 제조 가능성을 확인해야 한다. 구성 요소를 스케치했다고 해서 기계공이 구성 요소를 생산할 수 있다는 의미는 아니다. 제품의 구성 요소를 생성하기 전에 기계공에게 도면을 제공해야 한다. 도면은 상세하게 작성되어야 하는데, CAD 소프트웨어를 사용하여 도면을 생성할 수 있다.

Step 5. 구성 요소(공급업체에서 얻거나 기계 공장에서 생산)의 비용 분석을 수행해야 한다. 특정 구성 요소가 비용 측면에서 효율적이거나 제품에 더 적합할 경우 형태학적 차트에 나열된 구성 요소를 변경할 수 있다.

Step 6. 제품의 미학 또는 원하는 형상은 유지되어야 한다. 여러 고객을 대상으로 한 설문조사에 따르면 고객은 제품의 성능보다 제품의 형상을 훨씬 더 중요하게 생각한다.

10.3 재료 선정(MATERIAL SELECTION)

비록 매우 단순한 요소일지라도 설계에는 적합한 재료의 선택과 요소 생산에 사용할 제조 방법의 결정이 필요하다. 이 두 가지 요소는 서로 밀접하게 관련되어 있어 선택에 따라 모양, 비용 등에 영향을 미친다. 이것은 또한 상업적 성공과 상업적 실패의 차이를 결정할 수도 있다. 설계가 더 복잡해지고 더 많은 요소가 포함될수록 적절한 재료와 생산 방법의 선택이 더 어려워진다. 설계자는 재료의 특징과 특성, 재료의 속성을 잘 파악하여 올바른 결정을 내릴 수 있어야 한다.

10.3.1 재료 분류 및 속성(Material Classifications and Properties)

제품 설계에 사용할 수 있는 다양한 유형의 재료를 다음과 같이 분류할 수 있다.

1. *금속(Metals):* 금속은 철 합금과 비철 합금으로 나눌 수 있다. 철 합금은 철을 기반으로 하며, 비철 합금은 구리, 주석, 알루미늄 및 납과 같은 철 이외의 재료를 기반으로 한다.

2. *세라믹과 유리(Ceramics and glass):* 이것은 금속성 원소와 비금속성 원소를 결합한 결과로, 우수한 절연체이며 부서지기 쉽고 열적으로 안정적이며 금속과 비교해 내마모성이 뛰어나다. 또한 대부분 금속보다 더 단단하고 열팽창이 적다.

3. *목재 및 유기물(Woods and organics):* 이것은 나무와 식물에서 얻을 수 있다. 이것의 주요 이점은 재생 가능한 자원이라는 점이다. 그러나 이들의 단점 중 일

부는 물의 흡수와 부패를 방지하기 위해 특별한 처리가 필요하며 가연성이라는 점이다.

4. **폴리머 또는 플라스틱(Polymers or plastics):** 이러한 재료는 온도 변화에 따라 점도가 변하므로 주어진 모양으로 성형하기 쉽다. 폴리머는 좋은 절연체이고, 화학 물질과 물에 강하고, 매끄러운 표면 마감 처리가 되어 있으며, 다양한 색상으로 제공되므로 페인팅할 필요가 없다는 이점이 있다. 그러나 폴리머는 강도가 낮고, 자외선에 열화되고 모든 온도에서 과도한 크리프가 발생한다는 단점이 있다.

재료 속성

재료	밀도 kg/m^3	푸아송비	E MPa	σ_y MPa	σ_u MPa	온도 ˚C	전도도 W/mK
순수 금속							
Beryllium	1827		3.033	3.792	6.205	1282	218
Copper	8858	0.33	1.172	0.689	2.206	1082	400
Lead	11349	0.43	0.138	0.138	0.172	327	35
Nickel	8858		2.069	1.379	4.826	1440	91
Tungsten	19376		3.447		20.68	3367	170
Aluminum	2768	0.33	0.689	0.241	0.758	649	235
합금							
Aluminum 2024-T4	2768	0.33	0.731	3.034	4.137	579	121
Brass	8581	0.35	1.034	4.136	5.102	932	109
Cast iron (25T)	7197	0.2	0.896	1.655	8.274	1177	55
Hot Rolled	7833	0.27	2.068	2.758	4.826	1516	89
Cold Rolled	7833	0.27	2.068	4.482	5.516	1516	89
Stainless Steel Type 302C.R.	7916	0.3	1.999	6.895	9.653	1413	21
세라믹							
Crystalline Glass	2491	0.25	0.862	1.379		1249	1.3
Fused Silica Glass	2214	0.17	0.724			1582	1.1
플라스틱							
Cellulose Acetate	1301	0.4	0.017	0.345	1.379		0.17
Nylon	1135	0.4	0.028	0.552	0.896		0.25
Epoxy	1107		0.045	0.483	2.068		0.35

재료의 특성은 기계적, 열적, 물리적, 화학적, 전기적 및 가공의 6가지 범주로 나눌 수 있다. 기계적 특성에는 피로, 강도, 마모, 경도 및 가소성이 포함되고, 열 특성에는 흡수성, 내화성 및 팽창성이 포함된다. 물리적 특성에는 투과성, 점도, 결정 구조 및 다공성이 포함되고, 화학적 특성에는 부식, 산화 및 수압 투과성이 포함된다. 전기적 특성으로는 히스테리시스, 전도성, 보자력 및 유전 상수 등 네 가지 중요한 특성이 있고, 제조성으로는 용접성, 주조성 및 열처리성을 포함한 여러 제조 특성이 있다. 선택한 재료 특성에 관한 일부 목록이 위의 표에 제공되었다.

10.3.2 재료 선정 프로세스 (Material Selection Process)

재료 선택을 위한 몇 가지 체계적인 접근 방식이 개발되었으며, 다음은 이들 중 하나의 방법을 소개한 것이다.

Step 1. *재료의 요구사항을 분석한다.*

제품의 작동 환경과 서비스 조건 결정과 관련이 있다.

Step 2. *적합한 재료를 나열한다.*

사용할 수 있는 재료를 필터링하고 몇 가지 적합한 후보를 확보한다.

Step 3. *가장 적합한 재료를 선택한다.*

비용, 성능, 가용성 및 제조 능력과 같은 요소와 관련되어 나열된 재료를 분석한 다음 가장 적합한 재료를 선택한다.

Step 4. *필요한 시험 데이터를 얻는다.*

실제 작동 조건에서 실험적으로 선택한 재료의 중요한 특성을 결정한다.

Step 5. *제품사양 이행*

선택한 재료는 명시된 사양을 충족해야 한다.

Step 6. *비용*

이 중요한 요소는 최종 제품의 마케팅에서 지배적인 역할을 한다.

Step 7. *재료 가용성*

선택한 재료는 합리적인 비용으로 사용할 수 있어야 한다.

Step 8. *재료 접합 방식*

실제로 단일 재료를 사용하여 요소를 생성하는 것이 비실용적일 수 있다.

상황에 따라 하나의 단위를 형성하는 다른 재료와 결합한 구성 요소를 제조해야 할 수도 있다.

Step 9. *제작*

일반적으로 공학 제품은 일정 수준의 제작이 필요하며 다양한 제작 기술을 사용할 수 있다. 선택한 제조 방법에 영향을 미치는 요인에는 시간 제약, 재료 유형, 제품 적용, 비용 및 제조 수량 등이 있다.

Step 10. *기술적 문제*

기술적 요인은 예상 하중과 비교한 강도, 안전 계수, 온도 변화 및 잠재적 하중 변화와 같은 재료의 기계적 특성과 관련이 있다.

10.3.3 주요 제조 방법(Primary Manufacturing Methods)

필요한 기본 형상으로 재료를 변환하는 데 사용되는 주요 제조 방법으로는 다음과 같은 것이 있다.

1. **주조(Casting):** 주조는 제조 공정에서 널리 사용되는 첫 번째 단계이다. 주조를 통해 제품은 사용할 수 있는 초기 모양을 갖게 된다. 주조 공정에서 고체를 녹일 수 있는 원하는 온도 수준으로 가열하여, 용융된 재료를 원하는 모양으로 만든 틀에 붓는다. 주조 제품의 크기와 무게는 매우 작은 것에서부터 매우 큰 것까지 다양하다. 주조의 대표적인 예로 지퍼의 이빨과 선박의 선미 프레임을 들 수 있다.

2. **단조(Forging):** 단조는 고성능 용도의 제품을 제조하는 가장 중요한 방법의 하나로, 재료에 힘을 가해 형상을 변형시키는 것이다. 재료에 압력을 가하는 방법에는 기계프레스, 유압프레스, 드롭해머 등이 있으며, 단조로 생산되는 제품은 크랭크샤프트, 렌치, 커넥팅로드 등이 있다. 단조에 사용되는 재료는 뜨겁거나(열간 단조) 차가울 수 있다(냉간 단조).

3. **기계가공(Machining):** 기계가공은 최종 제품을 생산하기 위해 주어진 사양(예: 크기, 모양 및 마감)에 따라 재료 블록에서 원하지 않는 재료를 제거하는 것이다. 기계가공에는 밀링, 보링, 연삭 및 드릴 작업과 같은 많은 가공 공정이 있다.

4. **용접(Welding):** 용접은 다양한 제조 방법으로 생산된 품목을 결합하는 데 사용되는 다목적 생산 공정으로, 압력과 표면 조건의 조합을 포함한 합체를 통해 두 재료를 영구적으로 결합하는 프로세스이다.

10.4 재료 선정 이론(MATERIAL SELECTION THEORY)

10.4.1 밀도(Density)

밀도는 구성 요소의 무게를 결정하기 때문에 가장 중요한 재료 특성 중 하나이다. 재료 밀도의 범위는 원자 질량과 재료가 차지하는 부피를 기반으로 결정된다. 금속은 무겁고 밀집된 원자로 구성되어 밀도가 높고, 폴리머는 가벼운 원자(탄소 및 수소)로 구성되며 느슨하게 채워져 있다.

10.4.2 용융점(Melting Point)

물질의 용융점은 원자의 결합 에너지에 정비례한다. 재료의 작동 조건이 내연 기관 및 보일러와 같이 고온 환경에 있을 때 융점은 중요한 요소가 된다. 일반적으로 설계에서 사용되는 규칙은 환경 온도가 재료의 융점보다 30% 이상 낮아야 한다는 것이다. 설계자는 재료가 고온에 노출되고 응력을 받을 때 크리프(시간의 경과에 따른 치수 변화가 느리게 발생하는 현상)가 발생한다는 점을 염두에 두어야 한다.

10.4.3 선형 열팽창 계수(Coefficient of Linear Thermal Expansion)

선팽창 계수는 일반적으로 다음과 같이 정의된다.

$$\alpha = \frac{dL}{LdT}$$

여기서, L은 물체의 선형 치수

dL은 물체의 선형 치수 변화

dT는 길이 변화를 일으키는 온도 변화이다.

10.4.4 열전도도(Thermal Conductivity)

열전도 상수는 재료가 좋은 열전도체인지 절연체인지를 판단할 수 있는 재료의 특성이다. 금속에서 전자는 열 운반체로, 전기 전도도와 열전도도 사이의 관계는 다음과 같다.

$$T = 5.5 \times 10^{-9} coulomb/(sec K^2)$$

여기서, k는 열전도율

s는 전기 전도도

T는 캘빈 온도

10.4.5 재료 강도(Strength of Material)

재료의 강도는 재료가 파손되기 전까지 견딜 수 있는 하중으로 결정된다. 일반적으로 설계 기준은 재료의 항복 응력을 기반으로 한다. 재료의 강도는 인장 시험기를 사용하여 실험적으로 측정된다. 인장 시험기에서 시편을 특정 하중으로 잡아당겨 하중과 관련된 연신율을 측정한다. 여기서 하중은 응력으로 변환되고 연신율은 변형률로 변환된다. 데이터를 표현하는 방법은 일반적으로 응력-변형 다이어그램과 진 응력-진 변형 다이어그램의 두 가지가 있다. 응력-변형 다이어그램에서 응력은 다음과 같이 측정된다.

$$\text{응력: } s = \frac{\text{하중}}{\text{변형 전 면적}} = \frac{P}{A}$$

$$\text{변형률: } e = \frac{\text{늘어난 길이}}{\text{변형 전 길이}} = \frac{\Delta L}{L_0}$$

진 응력(True Stress) - 진 변형률(True-Strain) 다이어그램에서 각 하중이 작용하여 면적의 변화를 인식하면 진 응력과 진 변형률을 다음과 같이 구할 수 있다.

$$\text{응력 : } S = \frac{\text{하중}}{\text{순간 면적}} = \frac{P}{A_{inst}}$$

$$E = \int_{L_D}^{L} \frac{dL}{L} = ln\frac{L}{L_0}$$

순간 면적(instantaneous area)은 부피 보존 법칙으로부터 다음과 같이 구할 수 있다.

$$A_0 L_0 = AL = constant$$

선도가 얻어지면 항복 응력이 발생하기 전 직선의 기울기를 구하여 탄성계수를 구할 수 있으므로, 설계자는 재료의 용도와 강도에 따라 안전 계수를 적용한다.

10.4.6 연성(Ductility)

연성은 재료가 어떤 모양을 형성할 수 있는지를 결정하는 데 사용할 수 있는 중요한 특성으로, 파손되기 전 변형될 수 있는 재료의 용량을 결정할 수 있다.

반면, 변형을 견딜 수 없는 재료를 취성 재료라고 하는데, 연성은 재료의 연신율($\%, e$) 또는 면적 감소율($\%, AR$)로 측정할 수 있다.

$$e = \frac{L_f - L_0}{L_0} \times 100$$

또는 $$AR = \frac{A_0 - A_f}{A_0} \times 100$$

10.4.7 피로 특성(Fatigue Properties)

구성 요소가 반복 하중을 받는 경우 피로 특성은 중요한 요인이 된다. 이 경우 항복 응력보다 낮은 응력에서 파괴가 발생하는데, 피로 한계 추정에 사용되는 상관관계는 다음과 같다.

피로한도 $= 0.5\,S_{uts}$

여기서 S_{uts} 는 극한 인장 강도이다.

10.4.8 충격 특성(Impact Properties)

재료의 충격 특성은 짧은 시간 동안 작용하는 충격 하중으로 인한 파손에 대한 저항이다.

10.4.9 경도(Hardness)

경도는 압입에 대한 재료의 저항을 측정한 것으로, Brinell(볼을 사용하여 표면을 만듦), Vickers(피라미드를 사용하여 표면을 만듦) 및 Rockwell(만입 깊이 측정)의 세 가지 측정기로 측정할 수 있다. 브리넬 경도(BHN)는 다음과 같이 구할 수 있다.

$$BHN = \frac{2P}{D\left[D - \sqrt{D^2 - d^2}\right]}$$

여기서 P는 하중, D는 압자의 직경, d는 압입 된 직경이다. 브리넬 경도(BHN)는 극한 인장 강도를 추정하는 데 사용된다.

$$\left(SP_{uts} = \frac{P_{\max}}{A_0}\right)$$

$S_{uts} = 3.45BHN$을 사용하여

MPa 단위로 나타내면 $S_{uts} = 0.5BHN$

10.5 재료 명세서(BILL OF MATERIALS)

재료가 선택되면 재료 명세서(BOM)를 작성해야 한다. 재료 명세서는 제품에 사용된 부품의 인덱스(색인)이다. 아래에 표기된 도표는 일반적인 BOM을 나타낸 것으로, BOM에는 다음 정보가 포함되어야 한다.

1. *항목 번호(item number):* 항목 번호는 조립도의 구성 요소에 대한 핵심이다.

2. *부품 번호(part number):* 부품 번호는 부품을 식별하기 위해 구매, 제조 및 조립 시스템 전반에 걸쳐 사용되는 번호이다. 항목 번호는 조립도에 대한 특정 색인이고, 부품 번호는 회사 시스템에 대한 색인이다.

3. *조립에 필요한 수량.*

4. *부품의 이름과 설명.*

5. *부품이 만들어지는 재료.*

6. *부품의 출처*

7. *개별 부품의 비용:* 이 부분은 설계팀을 위해 보관되어야 한다.

BOM (재료 명세서: Bill of Materials)

항목 번호	부품 번호	수량	부품 명	재료	출처
1	G-9042-1	1	Governer body	Cast aluminum	Lowe's
2	G-9138-3	1	Governer flange	Cast aluminum	Lowe's
9	X-1784	4	Governer bolt	Plated steel	Fred's Fine Foundry

10.6 기하학적 치수 및 공차

CAD 모델에 제품 생산에 필요한 모든 정보가 포함되어 있다는 오해가 치수 및 공차의 중요성으로 이어지게 되었다. 수년 동안 기하학적 치수 및 공차(Geometric dimensioning and tolerancing: GD&T)의 가치는 부품 및 어셈블리에 대한 공차 요구사항을 명확하고 간결하게 전달하는 방법을 제공함으로써 높은 평가를 받아 왔다.

설계 작업의 중요한 기능 중 하나가 설계된 부품이 적절한 기능을 수행하면서도 최소한의 노력으로 제작될 수 있도록 공차를 적용해야 한다는 것이다.

기하학적 치수 및 공차(GD&T)가 효과적으로 사용되기 위해서는 제품의 기능적 요구사항이 잘 공식화되어야 한다. 모호한 요구사항으로 인해 제품이 의도한 대로 작동하지 않을 수 있으며, 공차가 상세하지 않으면 부품이 의도한 대로 작동하지 않거나 비용이 너무 많이 들 수도 있다. 아래 그림의 (a)는 치수 및 공차 표준이 사용되지 않은 것이고, (b)는 세부 공차 요구사항이 명시된 컵에 대한 두 가지 출력 샘플을 보여준 것이다. 부품 (a)는 비기능적 부품이 되고 부품 (b)는 기능적 부품이 된다는 것을 명백히 알 수 있다. (b) 부분의 공차 기호의 번역은 다음과 같다.

1. 상단은 2mm 이내에서 하단과 일치해야 합니다.

2. 컵이 흔들리지 않아야 하고, 바닥은 0.5mm 이내로 평평해야 한다.

3. 컵은 투명해야 한다.

4. 컵은 $-0.4\mu m$ 이내의 매끄러운 표면을 가져야 한다.

5. 부피는 0.5~0.6L이다.

6. 측면 각도는 약 20도 $\pm 1mm$의 균일 영역에 있어야 한다.

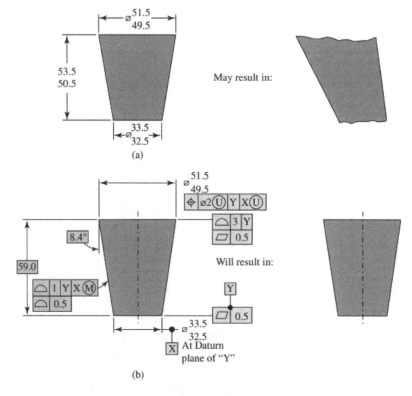

설계자는 제품을 개발할 때 필요 이상으로 엄격한 사양을 적용하는 경향이 있을 수 있다. 아래 그림은 상대 비용과 허용 오차 사이의 관계를 보여준 것이다. 공차 요구사항이 작아지면(정밀한 공차를 요구하면) 비용이 커지게 된다. 따라서 공차가 엄격하면 제품의 비용이 커지므로 설계자는 면밀하게 검토하여 공차가 제품에 비용을 추가로 부가되지 않도록 기능이나 구성 요소를 조정해야 한다. 예를 들어, 베어링과 같은 부품이 상자 내부에 설치될 때 엄격한 공차(0.005)를 요구하고 상자 외부에 배치될 때 (0.03) 공차로 작동할 수 있는 경우 설계자는 상자 외부에 베어링을 배치할 수 있도록 설계를 변경해야 한다.

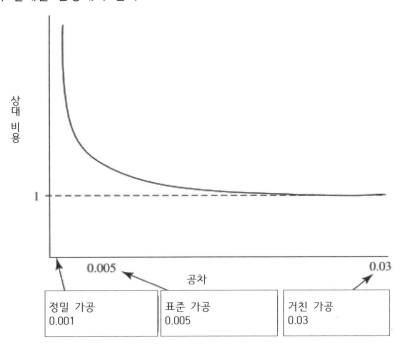

10.7 해석(ANALYSIS): 기계적 채소 수집기

설계 팀은 이 예제에서 주로 목재로 구성된 기계적 채소 수집 및 포장 시스템에 대한 구조 분석을 설계하고 수행하도록 요청받았다. 채소 수확 및 포장 시스템은 상당한 양의 작물을 훼손하지 않고 채소를 수확할 수 있어야 한다. 또한 채소 수집기는 현장에서 사용해야 하므로 인위적인 힘에 의존하여 조작하지 않도록 설계해야 한다. 설계 프로세스 중 설계 팀은 아래 그림과 같이 채소 수집기에 대한 기능 분석을 했으며, 채소 수집기 설계에 대한 형태학적 차트는 아래 그림과 같다.

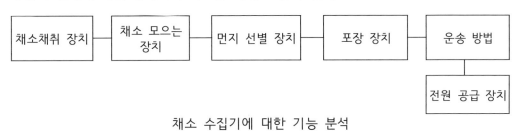

채소 수집기에 대한 기능 분석

	Option 1	Option 2	Option 3
채소 따는 장치		삼각형 쟁기	관형 집개
채소 배치 장치	컨베이어 벨트	갈퀴	회전 이동
먼지 선별 장치	사각 메시	물세척	캐리어 슬릿
포장 장치			
운송 방법		트랙 시스템	썰매
동력원	인력(사람)	마력 (말)	풍력 (바람)

기계적 채소 수집 시스템

아래 그림은 기계적 채소 수집기 설계를 위해 형태학적 차트를 활용하여 생성된 세 가지 다른 개념을 나타낸 것이다.

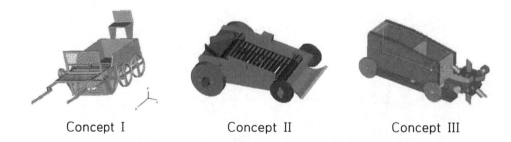

Concept I   Concept II   Concept III

Concept I은 말이 멍에를 당겨 차량을 앞으로 이동시키는 것으로, 앞바퀴는 벨트를 돌려 블레이드 샤프트에 토크를 제공하고 칼날과 체는 채소로부터 부스러기를 분류한 다음 작업자가 채소를 제품 포장용 캐리지 칸에 넣도록 구성된 것이다.

Concept II의 메커니즘이 작동하는 원리는 채소가 토양 표면과 매우 가까운 곳에서 수확된다는 것이다. 쟁기를 이용하면 채소가 뿌리에서 찢어져 쟁기를 타고 컨베이어 시스템으로 이동하게 된다. 장치에서 발견되는 유일한 금속 조각은 쟁기 가장자리이며, 이 가장자리는 토양과 직접 접촉하기 때문에 강철로 보강한다. 컨베이어 시스템은 두 개의 축과 컨베이어 벨트로 구성되며, 벨트는 대마(가장 강한 천연 식물 섬유)로 구성되어 있다. 컨베이어 시스템은 흙과 작은 돌에서 채소를 선별하는 데 사용되며, 채소는 컨베이어 시스템에 남게 되고 토양은 분류기를 통해 땅으로 떨어진다. 후방 차축은 컨베이어 시스템의 구동 차축까지 3:1의 기어비를 통해 컨베이어 시스템을 구동한다. 이를 통해 컨베이어는 후방 차축 접선 속도의 3배 속도로 이동할 수 있다. 채소가 컨베이어 시스템 상단에 도달하면 가이드가 있는 후방 적재 테이블로 밀려나게 된다. 후방 차축은 바퀴당 하나의 나무 핀을 통해 후방 차축에 견고하게 부착되는데, 바퀴에는 핀이 있는 부분이 조각되어 있으며, 견고하게 고정하기 위해 바퀴를 핀에 고정하는 쐐기도 있다. 컨베이어는 후방 차축 기어 사이에 있는 마찰 벨트를 통해 구동된다. 벨트는 8자 모양으로 배열되어 있어 후방 축 벨트에 의해 유도되는 회전이 역전되어 컨베이어가 기계 뒤쪽을 향해 원하는 방향으로 이동할 수 있다. 차대는 단일 목재를 사용하여 설계되었으며, 열린 부분은 차대 바닥에 포함되어 흙이나 돌이 땅으로 떨어질 수 있도록 했다. 쟁기의 주요 부분은 틀로 만들어지지만 심하게 손상되면 교체할 수 있도록 했다. 말에 고정되는 부착물도 차대로 만들어지며 나무 조각은 모두 참나무로 구성되어 있다.

Concept III은 이 장치를 y 방향으로 당기는 것이다. 앞바퀴가 회전함으로써 수집하는 바퀴를 회전하게 한다. 튜브는 채소를 자르고 카트로부터 끌고 간다. 채소가 카트에 닿으면 파이프 내부에서 위쪽 위치로 안내한다. 채소가 배출되는 각 파이프의 바닥에 구멍이 있으며, 채소를 카트 뒤쪽으로 옮기는 미끄럼틀이 있다.

10.8 비용 분석(COST ANALYSIS)

설계 프로세스에서 최대한 초기에 대략적인 비용을 추정한 후, 구현 설계 단계에 도달하는 즉시 비용 추정치를 정교화하는 것이 중요하지만, 상세한 비용 분석은 상세 설계 단계에서만 가능하다. 그 이유는 이 단계에서만 적절한 재료와 제조 공정이 식별되고 정확한 치수와 공차가 지정되기 때문이다. 설계가 개선되면 최종 제품이 생산될 때까지 비용 견적도 조정된다.

비용 평가에는 무엇보다도 제품 또는 제품 라인을 생산하기 위한 공장 건설 비용 또는 공장 내 공정 설치 비용을 추정하는 것 또한 포함되며, 여기에는 특정 제조 단계

순서를 기반으로 부품 제조 비용을 추정하는 것 또한 포함된다.

설계할 때 비용 절감에 도움이 되는 기술을 찾는 것이 중요하며, 다음은 비용 절감에 사용할 수 있는 기법을 나타낸 것이다.

1. 새로운 공정을 도입한다.

2. 경험을 통해 얻은 지식을 활용하고, 부품, 재료 및 방법의 표준화를 허용한다.

3. 가능한 경우 안정적인 생산 속도를 사용한다.

4. 모든 생산 능력을 활용한다.

5. 제품별 공장 또는 생산라인을 보유한다.

6. 방법과 프로세스를 개선하여 재작업을 제거하고 재공품을 줄이며 재고를 줄인다.

설계 프로세스의 비용을 증가시키는 요인을 피하는 것이 매우 중요한데, 비용을 증가시킬 수 있는 요인은 다음과 같다.

1. 완전한 제품 설계 사양

2. 실패로 인한 재설계

3. 공급업체 연체

4. 관리 또는 직원

5. 설비 이전

6. 충족되지 않은 기한

7. 너무 복잡한 제품

8. 예상대로 개발되지 않은 기술 또는 공정

9. 부적절한 고객 참여

10. 요구사항 무시

11. 새로운 제품 아이디어를 경쟁 평가 대상으로 삼지 않음

12. 새로운 디자인이 현실적인 조건에서 적절하게 기능할 수 있음을 입증하지 않음

13. 제조 공정을 고려하지 않은 설계

14. 제품을 지속적으로 개선하고 최적화하지 않음

15. 검사에 의존(마지막 시험)

10.9 비용 분류(COSTS CLASSIFICATIONS)

각 회사 또는 조직은 자체적으로 부기 방법(book keeping method)을 개발하여 사용하고 있다. 이 절에서는 비용의 다양한 분류 구분이 제시되었으며, 특정 산업 또는 정부 조직 내의 비용 추정은 특정 조직에 대해 고도로 전문화되고 표준화된 절차를 따른다.

1. *비 반복-반복(Nonrecurring-recurring):* 비용에는 크게 비 반복 비용과 반복 비용의 두 가지 범주가 있다.

    a. *비 반복 비용(Nonrecurring costs):* 공장 건설 및 제조 장비와 같이 일반적으로 자본 비용이라고 하는 일회성 비용이다.

    b. *반복 비용(Recurring costs):* 제조 작업의 직접적인 비용이다.

2. *고정-변동 비용(Fixed-variable costs):* 고정 비용은 제품의 생산 속도와 무관하고 변동 비용은 생산 속도에 따라 변경된다.

    a. 고정 비용은 다음을 포함하고 있다.

        i. 투자 비용

            • 자본 투자에 대한 감가상각

            • 자본 투자에 대한 이자

            • 재산세

            • 보험

        ii. 간접비에는 다음이 포함되어 있다.

            • 기술 서비스(엔지니어링)

            • 비기술 서비스(사무직원, 보안 등)

            • 일반용품

            • 장비 대여

        iii. 관리 비용

            • 회사 경영진 비율.

            • 법률 직원

- 기업 연구 개발 인력 비율

   iv. 판매 비용

- 영업

- 배송 및 창고 비용

- 기술 서비스 직원

b. 변동 비용

   i. 재료비

   ii. 직접 노무비

   iii. 유지 보수 비용

   iv. 전력 및 유틸리티 비용

   v. 품질 관리 직원 비용

   vi. 기술특허 사용료 비용

   vii. 포장 및 보관 비용

   viii. 스크랩 손실 및 손상 비용

3. *직접-간접비(Direct-Indirect):* 특정 코스트 센터, 제품 라인 또는 부품에 직접 할당될 수 있는 비용을 직접 비용이라 한다. 간접 비용은 제품에 직접 할당할 수 없으므로 전체 공장에 분산되어야 한다.

a. 직접비는 다음 사항을 포함하고 있다.

   i. *재료비(Material):* 재료비는 스크랩 및 손상으로 인한 폐기물 비용을 포함하여 제품을 위해 구매한 모든 자재 비용을 포함한다.

   ii. *구매 부품비(Purchased parts):* 공급자로부터 구입하여 사내에서 제작하지 않는 구성 요소.

   iii. *노무비(Labor cost):* 제품을 제조하고 조립하는 데 필요한 노동력에 대한 임금 및 복리후생. 여기에는 직원의 급여와 의료 보험, 퇴직금, 휴가 기간을 포함한 모든 부가 혜택이 포함된다.

   iv. *공구비(Tooling cost):* 제품 생산을 위해 특별히 제조되거나 구매된 모든 고정 장치, 금형 및 기타 부품.

b. 간접비는 다음 사항을 포함하고 있다.

    i. *간접비(Overhead):* 관리, 엔지니어링, 비서 업무, 청소, 유틸리티, 건물 임대, 보험, 장비 및 기타 일상적으로 발생하는 비용.

    ii. *판매비(Selling expenses):* 마케팅 광고

10.10 비용 평가법(COST ESTIMATE METHODS)

비용 산정 절차는 제품을 구성하는 부품의 출처에 따라 다르다. 부품을 취득하는 방법은 다음과 같은 세 가지 옵션이 있다.

1. 공급업체로부터 완제품을 구매한다.

2. 공급업체가 자체적으로 설계한 구성 요소를 생산한다.

3. 부품을 사내에서 제조한다.

일반적으로 회사는 공급업체로부터 기존 부품을 구매하려는 강력한 자극이 존재한다. 비용은 제품 또는 제품을 구성하는 부품이 사내에서 제조할 수 있는지 또는 외부 공급업체로부터 구매할 것인지를 결정하는 하나의 요소일 뿐이다.

구매할 수량이 충분히 많은 경우 대부분의 공급업체는 제품을 설계하는데, 새 제품의 요구사항을 충족할 수 있도록 기존 구성 요소를 수정한다. 그러나 기존 부품 또는 수정된 부품을 사용할 수 없는 경우 새로운 부품을 생산해야 한다. 이때 회사는 공급업체에서 생산할지 아니면 사내에서 생산할지를 결정해야 한다. 구매할지 또는 생산할지는 아래 표와 같이 관련 부품의 비용과 장비의 자본화 및 제조 인력에 대한 투자를 기반으로 결정한다.

제조 - 구매 결정 (Make-Buy Decision)

제조 사유 (Reason to Make)	구매 사유 (Reason to Buy)
제조가 더 싸다.	구매하는 것이 더 싸다.
회사에서 만든 경험이 있다.	생산 시설을 사용할 수 없다
사용할 수 있는 유휴 생산 능력	변동 또는 계절적 수요 방지
생산 설비의 호환 및 적합	제조 과정 미숙
부품이 독점적이다.	공급업체의 존재 및 가용성
공급자 의존성을 피하고 싶다.	기존 공급업체 유지
부품의 취약성으로 고급 패킹 필요	더 높은 신뢰성과 품질
운송비용이 높다.	

일반적으로 요소를 제조할 때 비용 평가에 데 사용되는 방법은 다음과 같이 세 가지 범주로 나뉜다.

1. *공학적 방법(산업공학적 방법):* 별도의 작업 요소를 자세히 확인하고 부품당 총 비용으로 합산한다. 기계 가공된 부품은 원하지 않는 재료 부분을 제거하여 만들어지므로, 기계가공 비용은 주로 원재료의 가격과 모양, 제거해야 하는 재료의 양과 모양, 얼마나 정확하게 제거해야 하는지에 따라 달라진다. 강철 단조품에서 단순한 부품을 생산하는 예가 아래 표4에 나와 있다.

2. *유추(Analogy):* 프로젝트 또는 설계의 향후 비용은 유사한 프로젝트 또는 설계의 과거 비용을 기준으로 비용 증가 및 크기 차이를 적절히 고려한다. 따라서 이 방법은 수주잔량(backlog) 경험 또는 게시된 비용 데이터가 필요하다.

3. *통계적 방법(Statistical approach):* 회귀 분석과 같은 기법은 시스템 비용과 시스템의 초기 매개 변수(무게, 속도, 전력 등) 사이의 관계를 설정하는 데 사용된다. 예를 들어, 터보팬 항공기 개발 비용은 다음과 같이 주어질 수 있다.

$C = 0.13937 \times 10.7435 \times 20.0775$

여기서 C는 백만 달러, ×1은 최대 엔진 추력(파운드), ×2는 생산된 엔진 수이다.

강철 단조에서 간단한 부품의 샘플 생산/운영 비용 표

작업	재료비	노무비	간접비	비용 합계
강 단조	37.00			37.00
밀링 머신 설정		0.2	0.8	1.00
모서리 가공		0.65	2.6	3.25
드릴 머신 설정		0.35	1.56	1.91
8개 구멍 드릴 가공		0.9	4.05	4.95
세척 및 페인트		0.3	0.9	1.2
비용 합계	37.00	2.40	9.91	49.31

10.11 노무비 (LABOR COSTS)

노무비를 결정하는 가장 정확한 방법은 직원에 대한 표를 작성하여 공정 설비를 운영하는 데 필요한 실제 인력 수를 찾는 것이다. 이때 대기 인원도 고려해야 하며, 운영 노무비에는 부과 혜택도 포함된다. 인건비의 대략적인 추정치는 아래와 같다.

$$\frac{\text{시간 당 작업 인원}}{\text{제품의 무게}(ton)} = K \frac{\text{공정 단계 수}}{(tons/day)^{0.76}}$$

여기서, $K = 23$: 일괄 작업일 때

$K = 17$: 평균 노동을 요구할 때

$K = 10$: 자동화된 공정일 때

10.12 제품 가격 (PRODUCT PRICING)

가격 책정은 고객의 관심을 끌면서 동시에 최대 이익을 돌려줄 제품이나 서비스의 판매가격에 도달하는 데 사용되는 기술이라고 정의할 수 있다. 제품에 대한 최적의 가격에 도달하는 데 도움이 되는 다양한 방법을 사용할 수 있는데, 이러한 방법의 하나가 손익 분기 차트로 알려져 있다.

10.12.1 손익 분기 차드(Break-Even Chart)

손익 분기 차트(아래 그림)는 제품의 판매가격과 제조 비용에 대한 손익을 그래픽으로 표시한 것으로, 제품의 제조 비용에는 다음과 같은 항목이 포함된다.

1. 자재비(Material): 재활용 스크랩 및 부산물에 관해서도 설명되어야 함.

2. 부품 구매비

3. 노무비

4. 공구비

5. 간접비

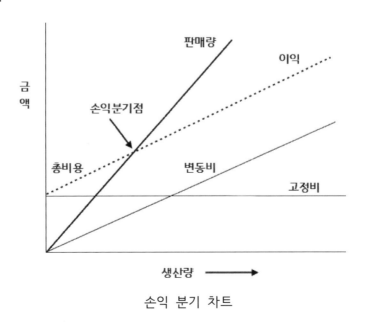

손익 분기 차트

자재, 구매 부품비 및 인건비는 가동하는 동안 생산되는 제품의 수에 따라 달라지는 가변 비용이고, 간접비는 생산되는 상품의 수와 관계없는 고정 비용이다. 가변 비용은 생산량이나 생산량에 따라 달라지는 반면 고정 비용은 손익분기점이라는 개념으로 이어지지 않는다. 손익분기점을 초과하여 이익을 창출하는 데 필요한 생산 로트 크기를 결정하는 것은 중요한 고려 사항이다. 손익분기점 차트를 그리는 단계는 다음과 같다.

Step 1. 제품당 가변 비용을 결정한다.

　가변 비용은 제품 수에 따라 다르며 다음 항목을 포함한다.

　　a. 재료비

　　b. 부품 구매비

　　c. 노무비

Step 2. 고정 비용을 결정한다.

　고정 비용은 제품의 양이나 수에 의존하지 않는다.

Step 3. 제품 수의 함수로 총비용을 차트에 그린다.

　총비용 = 고정 비용 + 가변 비용

Step 4. 제품의 판매가격을 결정한다.

　제품 수의 함수로 매출을 그린다.

Step 5. 총가격과 판매 라인의 교차점이 손익분기점이다.

참고 문헌

1. Engineering Design Process, Yousef Haik, Tamer M. Shahin, Cengage Learning, 2011

2. Inside the box. Drew Boyd and Jacob Golenberg, Simon & Schuster, 2013

3. 창의 발상론, 박영택, 한국표준협회 미디어, 2016

4. 신제품 개발 프로세스, 이건범, 부크크, 2023

5. 생각의 창의성, 김효준, 2004, 도서 출판 지혜

신제품 개발 프로세스-개정판

발   행 | 2024년 5월 1일
저   자 | 이건범, 이민
펴낸이 | 한건희
펴낸곳 | 주식회사 부크크
출판사등록 | 2014.07.15.(제2014-16호)
주   소 | 서울특별시 금천구 가산디지털1로 119 SK트윈타워 A동 305호
전   화 | 1670-8316
이메일 | info@bookk.co.kr

ISBN | 979-11-410-8118-8

www.bookk.co.kr